André Vianco

Saga O Vampiro-Rei | Livro 2

A BRUXA TEREZA

A Bruxa Tereza

1ª edição: Outubro 2022

Autor:
André Vianco

Preparação de texto:
Jacob Paes

Revisão:
Lays Sabonaro
Rebeca Michelotti

Projeto gráfico e capa:
Jéssica Wendy

Diagramação:
Vitor Donofrio

Ilustração de capa:
Fabiano Neves

DADOS INTERNACIONAIS DE CATALOGAÇÃO NA PUBLICAÇÃO (CIP)

Vianco, André
A Bruxa Tereza / André Vianco. -- Porto Alegre : Citadel, 2022.

368 p. (Saga O Vampiro-rei ; livro 2)

ISBN: 978-65-5047-190-3

1. Ficção brasileira 2. Literatura fantástica I. Título

22-5395 CDD - B869.3

Angélica Ilacqua - Bibliotecária - CRB-8/7057

Produção editorial e distribuição:

contato@citadel.com.br
www.citadel.com.br

André Vianco

Saga O Vampiro-Rei | Livro 2

A BRUXA TEREZA

2022

Às minhas irmãs Lígia e Marina.

AGRADECIMENTOS

Aos meus queridos leitores e leitoras, que continuam firmes e fortes, lendo meus escritos e me incentivando, pedindo sempre mais e mais aventuras.

Enquanto vocês sonham e se enredam no doce e fino fio da ansiedade, eu escrevo para alimentá-los. Teço com imaginação e agonia cada retalho deste novo desassossego que se chama livro, coisa na qual, se feita com todo o meu coração e com uma pitada de sorte, terão se juntado as linhas certas para encher nossas cabeças com fantasias, viagens e todo espectro de sentimentos.

Que o deus das letras me permita criar mundos que você, querido leitor, há de desbravar, avançar e conhecer, e que, no território das ideias, das palavras e dos sonhos, há de fazer morada.

Boa leitura! Boa diversão!

CAPÍTULO 1

Lúcio tinha puxado o caixão o dia todo. Seu estômago roncava. Parou embaixo de uma árvore de folhagem amarelada e ressequida à beira da estrada de barro, enquanto o sol descia rápido, e o mormaço do dia quente dava vez, aos poucos, a um vento frio e cortante. Não sabia em qual estação do ano estavam, nem mesmo que dia ou mês era aquele. Havia tempos que não botava os olhos em um calendário, mas certamente não devia mais ser primavera. Olhou o chão ao redor, viu amontoados de folhas secas e soltas, caídas e empurradas pelo vento, e coçou a cabeça.

Sentou-se sobre a tampa do caixão preso às cordas, tirou o radinho de pilha do embornal e ligou o aparelho, sintonizando na frequência de São Vítor, mas só veio o silêncio. Desde as quatro da tarde tinham parado de transmitir, porém as últimas notícias certamente não iriam agradar seu amigo encaixotado. Cantarzo não queria que os bentos se juntassem e desencadeassem os milagres, mas, pelo que Lúcio tinha ouvido, já era tarde demais para evitar o feito.

Apesar da derrota aparente, o mulo continuava obstinado, determinado a cumprir o pedido do vampiro que lhe daria o dom da vida eterna: levaria seu corpo até a bruxa Tereza. O vampiro tinha falado desse nome, Tereza, a bruxa que ficava no Norte, para encontrar a serpente que engolia a tartaruga. Haveria de encontrá-la, cedo ou tarde.

Apertou os olhos, sentindo-os arder em contato com o suor que descia da testa. Pensou que poderia chover um pouco, para refrescar aquele mormaço maldito. Deixou a mão deslizar sobre as tábuas rústicas do caixão improvisado e sentiu as farpas da madeira sem acabamento espetando sua pele grossa. Um sorriso brotou no rosto do carregador e ele inspirou fundo. Cantarzo... seu rei, sua garantia de eternidade! Ah! Como queria ser um vampiro! Apertou os olhos e depois arrochou os lábios. A vida eterna dessas criaturas era um sonho para ele.

Passou a mão no bíceps direito, sentindo-os exaustos por culpa da carga. Como era pesado aquele bicho! Tinha vontade de abandonar o caixão com certa frequência, escondê-lo em uma cova funda ou embrenhá-lo no raizame de alguma árvore, mas sempre desistia com medo de perder seu passaporte da alegria, pois queria virar vampiro, ser eterno. Jamais conseguiria se aproximar de outro noturno e alcançar essa promessa tão rara. Cantarzo tinha jurado que ia torná-lo vampiro, e para isso bastava que ele encontrasse a droga da bruxa, que saberia como despertá-lo daquela morte falsa, trazendo Cantarzo de volta. O sangue do velho Bispo tinha sido demais para o caçador das trevas suportar e isso derrubou Cantarzo.

Lúcio levantou-se e olhou para o caixão novamente. Dessa vez, o olhar sustentou-se por um longo período, e a contemplação só terminou quando sentiu outro ronco no estômago. As provisões em seu embornal tinham minguado, e já estava farto de frutas silvestres. Queria carne assada e repouso em um colchão, mas só conseguiria isso caso se infiltrasse mais uma vez em uma fortificação, o que seria perigoso. A barriga roncou de novo e Lúcio agarrou as amarras do caixão, tornando a arrastá-lo. Bufou aperreado, pensando que aquela viagem demoraria demais.

CAPÍTULO 2

A vampira ruiva de um olho só grunhiu irritada ao perceber que os humanos estavam atrás de um Rio de Sangue, o maior nas cercanias de São Vítor. Tinha descoberto a intenção dos humanos malditos durante a caçada noturna, depois de apanhar um trio de bêbados na floresta. Quando o maior deles se afastou dos amigos e foi abrir a braguilha junto de uma árvore, foi agarrado por um vampiro e, mesmo estando bêbado feito um gambá, entendeu o que estava acontecendo assim que botou os olhos no rosto pálido de seu agressor. Gerson tapou sua boca com uma das mãos, enquanto o prendia pelo pescoço com a outra. Raquel, a essa altura, já tinha saltado para o centro da clareira e parado no meio dos dois junto à fogueira. O corpulento, preso nos braços de Gerson, se debatia e esperneava, querendo inutilmente se livrar das garras do vampiro.

Um dos homens ria, sem perceber o que acontecia ao amigo que tinha se afastado para urinar, e o outro estava no meio de um gole direto no gargalo da garrafa de cachaça. Estavam felizes, e a vampira podia farejar isso, mantendo uma expressão mista de irritação e curiosidade. O homem que entornava a aguardente estalou os olhos e cuspiu a bebida quando viu a mulher ruiva de tapa-olhos no meio da clareira. O segundo, percebendo a aflição na atitude do amigo, olhou para o lado e viu que a vampira estava a três metros de distância. Uma vampira!

Raquel tinha se deliciado com aquele momento, adorando o medo de vampiro que se traduzia em cheiro de prazer. Agora, sim, aqueles homens estavam agindo como humanos agiam. Deixou seu único olho vermelho brilhar, sabendo o quanto aquilo impressionava os humanos. O homem à sua esquerda largou a garrafa de cachaça e levou a mão para um objeto junto ao tronco da árvore que lhes servia de sofá. Raquel foi quinze vezes mais rápida e, antes que o homem erguesse a pistola, sua mão fechou-se no pulso da vítima, esmagando a ulna e o rádio, fazendo os ossos da mão penderem presos por pele e músculos. O berro de dor tinha varado centenas de metros, fazendo bandos de pássaros deixarem as copas das árvores e dispararem em grande agitação no frio céu da noite.

Antes de a arma bater no chão de terra, a outra mão da vampira foi até a traqueia e esmigalhou a cartilagem do pescoço da vítima. O homem caiu convulsivo, tremendo, tentando se ajoelhar, lutando para pôr ar nos pulmões. O segundo parecia paralisado e Raquel encarou-o com seu olho bom, dando um passo em sua direção. O homem não esboçou reação agressiva, já que estava congelado de medo. Um cheiro conhecido chegou até as narinas da vampira, mas não era o cheiro adocicado do alimento, e, sim, de urina. Raquel não conseguiu conter um leve sorriso e ergueu o olho para Gerson. O jantar do parceiro de caça não se debatia mais. O vampiro estava com os caninos cravados no pescoço do azarado, sorvendo o seu sangue, e gotas grossas escapavam das feridas da vítima corpulenta, infestando o ar com aquele aroma maravilhoso.

Raquel olhou para trás, vendo que sua refeição ainda estrebuchava com a mão boa sobre a traqueia, o braço com a mão pendendo em pele raspava no chão. Queria assim, sangue vivo e quente. O único homem intacto continuava hipnotizado por sua presença, parado de joelhos, com a calça molhada, balbuciando repetidamente a palavra "não". Ela deu um passo à frente e acariciou a cabeça do humano, sorriu novamente, olhando-o nos olhos, e viu que o pobre infeliz estava suado, fedendo à bebida destilada e a mijo. Agarrou-o pela camiseta com uma só mão e trouxe-o até perto de seu rosto. Passou a língua na boca da vítima, enquanto o humano continuava balbuciando aquele "não" de modo irritante e desviava a boca quando a língua da vampira tocava seus lábios, mas ela ergueu-o até ficarem olho no olho.

– Que faz aqui, criatura? Não teme a noite?

O homem começou a chorar.

Naquele instante, Gerson tinha aparecido no campo de visão do homem, que arregalou mais ainda os olhos ao ver de esguelha o vampiro com a boca ensanguentada.

– Por que estavam aqui, infeliz? Vocês não se parecem com degredados – murmurou a vampira. – Não parecem fugitivos. É muita festa para quem vai passar a noite fora.

– Não me mate! Pelo amor de Jesus Cristo!

– O que estavam festejando? Qual o motivo de tanta alegria?

– Pelo amor de Jesus Cristo... não...!

Raquel riu baixo, olhando para Gerson e mantendo o homem erguido pela gola da camiseta. Os pés da vítima dançavam, vez ou outra encontrando o chão de terra com a ponta dos dedos. Gerson grunhiu, abrindo os lábios e exibindo os caninos sujos de sangue.

– Não me mate! – gritou o infeliz.

– Abra o bico, então. Diga! O que faziam aqui? Qual é o motivo de toda essa afronta? – insistiu a vampira.

– Festejávamos a vitória (*gasp!*). Me deixa viver. Não... não con... não consigo respirar.

– Que vitória? – tornou Raquel.

– Os bentos... Os trinta bentos se juntaram...

Raquel vacilou por um instante e a imagem de Anaquias veio-lhe à mente. Ele tinha dito algo dias antes, quando abandonou aquele vampiro louco, que foi seu parceiro de caçadas. Sentiu-se tão tocada pela informação que sua mão vacilou e o prisioneiro escapou de suas garras, caindo sentado, e depois rastejando de costas, olhando-a com olhos arregalados, aproximando-se do tronco grosso de uma grande árvore e tremendo de forma descontrolada. Seus olhos iam de Raquel a Gerson, de Gerson a Raquel, e estava tão apavorado que não pensou em desviar-se do tronco e continuar a fuga. Raquel olhou para o parceiro.

– Será que... – as palavras escaparam e não foram concluídas.

– Cedo ou tarde isso tinha que acontecer, minha querida – respondeu o vampiro brutamontes, andando na direção do humano.

Raquel acompanhou os passos do parceiro de modo automático. Seu olho não estava nem na vítima nem na floresta escura ao redor: fitava o nada. A vampira ruiva havia se afundado em pensamentos, pensando que não podia ser verdade os trinta bentos juntos...

– Os milagres! – exclamou a vampira, olhando diretamente para a vítima. – Eles desencadearam os milagres!

O homem, tentando afastar-se da mão de Gerson, gemeu um "sim" choroso e longo.

– Quatro milagres... A profecia rezava isso, Gerson.

O vampiro olhou para a líder, que andava até perto da fogueira e voltava. Seus cabelos lisos e vermelhos balançavam com o movimento insistente do corpo. De repente, Raquel estancou e olhou para o homem acuado, andou decidida até o tronco e agarrou-o pelos colarinhos novamente, fitando-o nos olhos.

– Quais são os quatro milagres?

CAPÍTULO 3

Anaquias despertou de seu transe vampírico. Seis noites tinham se passado desde que seu numeroso exército de vampiros foi milagrosamente destruído pelos humanos. Remoía-se desde então, com a certeza de que os trinta malditos bentos tinham se juntado e que a profecia havia se revelado verdadeira. De seus vinte mil soldados, restaram por volta de quatro mil e, desse contingente restante, poucos permaneciam fiéis à crença que Anaquias tentava sustentar sobre a vitória aos seus seguidores. Prometeu a vinda do vampiro-rei, e não a luz do sol queimando e destruindo seus soldados em plena noite. Com isso, aos poucos, pequenos grupos de vampiros partiam, abandonando seu exército.

O guerreiro-líder caminhou pela caverna e grunhiu, nervoso, enquanto seus olhos vermelhos acendiam e esparramavam um espectro rubro sobre as pedras e a face dos vampiros ainda adormecidos. Caminhou até a boca da caverna e olhou para a floresta morro abaixo, sentindo a pele arrepiar-se. Ele estava ali, e perto.

Anaquias deixou a entrada pedregosa e avançou para o chão gramado que descia o morro. Não tinha entrado em contato com o vampiro-rei desde a noite em que seu exército fora abatido por aqueles dois fenômenos milagrosos. Primeiro, tinham sido tocados pela Barreira do Inferno por uma bola de fogo que subiu ao céu; depois, seus soldados foram queimados por uma luz inexplicável que surgiu do meio das nuvens, devorando a escuridão. Por pouco ele mesmo não pereceu, pois encontrou refúgio no último instante, queimando de ódio por dentro, sem o espectro explicar algo a ele, fazendo-o sentir-se abandonado e enganado. Mas, agora, pela simples sensação da presença do vampiro-rei ali perto, seu peito inflava e a energia voltava. A sensação de atração e devoção por aquele maldito fantasma, que soprava em seus ouvidos, era tão inexplicável quanto o clarão que devorou seu exército noturno.

Anaquias apertou os olhos e balançou a cabeça. Estava sendo encantado e arrebatado pela presença do rei, mas não podia se deixar levar mais uma vez, ouvindo as coisas que ele diria para tentar reconquistar sua confiança e fazê-lo de palhaço perante a raça da noite mais uma vez.

– Por que deixou isso acontecer, senhor? Por que não nos avisou? – perguntou Anaquias para a noite.

Ele caminhou para baixo de um eucalipto e sentiu um vento forte passar pelo gramado, empurrando folhas secas para cima. Não ouviu resposta alguma, mas tinha certeza de que o vampiro-rei estava ali.

O guerreiro subiu para os galhos do eucalipto, enquanto o mato alto das touceiras balançava com o vento contínuo. Abaixou a cabeça e repetiu a pergunta.

– Por que deixou isso acontecer, senhor?

– Essa tormenta não me foi revelada, vampiro. Ainda estou fraco, não vejo tudo.

Anaquias surpreendeu-se com a voz tão clara invadindo seus ouvidos. Tinha sido diferente desta vez, pois seu som tinha chegado pelo ar, e não se manifestado em sua cabeça, como se fosse um pensamento. Olhou ao redor e assustou-se quando viu um chamejar sobre um galho fino da árvore, muito rápido, com um brilho fugaz em forma de vampiro. O rosto do vampiro lhe parecera familiar, com cabelos longos e presos.

Tentava lembrar-se do dono daquelas feições, mas tinha sido rápido demais, mesmo para os olhos treinados de um vampiro caçador. Um mal-estar implantou-se em sua mente, pois não queria ser enfeitiçado de novo. Não queria mais liderar aquele bando.

– Eu preciso de você, Anaquias – a voz fez uma pausa e depois prosseguiu. – Essas malditas fofoqueiras cósmicas sopram coisas incompletas nos meus ouvidos, mas sopram esperança para nossa raça, meu general. Hão de revelar os segredos corretos para nossa vitória.

Anaquias desviou o olhar e tapou os ouvidos com as mãos. Ele estava ali, aquele brilho tinha vindo dele, tinha certeza, pois tinha visto o espectro do vampiro-rei! O fantasma riu e levitou ao redor do vampiro.

– Não esmoreça, Anaquias. Meu irmão ainda é cego e você será minha espada até a hora de minha luta. Há de preparar meu reino para minha chegada e subjugar meus inimigos. Venceremos os guerreiros bentos graças a você e a mim... e isso nunca será esquecido. Erguerei a mais alta estátua em seu nome, um gigante de rocha para honrar seu valor. Sua face será estampada em Diamantina...

Anaquias saltou do eucalipto para a árvore seguinte e olhou para trás, vendo que o espectro flutuava, vindo em sua direção. Se tivesse um coração vivo, ele teria disparado, pois era assustador travar contato com um fantasma.

– Não me tema, vampiro! Ordeno que me escute! Sempre o achei um tolo, um presunçoso mal aproveitado por aquela... aquela lá – Cantarzo calou-se mais um instante. – Mas agora que estou em sua cabeça, você pensará com clareza e acertarei seus passos.

– O que quer de mim, espírito maldito? Você levou meu exército à morte, me abandonou no momento de maior necessidade, deixou meu peito seco e morto em um mar de angústia! Não pode ser um rei de verdade.

Anaquias ouviu mais risadas e, com expressão fechada, olhou ao redor. O vampiro-rei achava graça em sua preocupação.

– Foi bonito o que disse, Anaquias. Não sabia que meu general também era um poeta sensível... um verdadeiro pensador.

– Sou um devoto dedicado, senhor, meu rei, e não mereço risadas em momento de aflição. Posso recusar acreditar no senhor.

Novas risadas rodearam o vampiro aflito.

– Nossa vida é um mar de angústia desde a Noite Maldita, corpo maldito. Você se arrasta nas sombras em busca de sangue para aplacar o fogo nas suas entranhas. Se não matar um humano, se não tomar sua vida para manter seu corpo útil, você é que perecerá, secará, transformando seu corpo todo "em um mar de angústia" – Cantarzo pôs a mão no pescoço de Anaquias, sem ser visto. – Por que não nos contentamos com os adormecidos? Eles têm sangue vivo nas veias, nos suprem fisiologicamente. Mas não nos damos por satisfeitos, não é mesmo?

Anaquias apenas balançou a cabeça concordando.

– O que queremos, servo, quando deixamos a toca para caçar soldados na estrada ou tentamos invadir as fortificações? – o vampiro-rei continuou, enrodilhando todo o corpo de Anaquias. – Queremos mostrar para eles que somos nós quem mandamos. Queremos saciar nosso desejo de poder, para ver os humanos de quatro, virando gado estocado. Queremos colocá-los em seu devido lugar.

Anaquias subiu pelo tronco seco do eucalipto, e uma lufada de vento forte balançou a ponta da árvore. Nuvens corrediças e finas tornavam a luz da lua intermitente.

– Não trarei alegrias aos meus seguidores, general, e nem sorrisos e vivas – seguiu dizendo. – Trarei organização, força e guiarei nossa raça para a grande virada. Ainda viveremos nas trevas e seremos essas bestas sanguinolentas. Não haverá festas nem felicidade em nossas covas, onde continuaremos nos arrastando atrás do alimento vermelho e vivo. Continuaremos malditos, mas seremos conhecidos como os malditos donos da terra.

Anaquias baixou a cabeça e fechou os olhos, sem querer ouvir.

– Permaneceremos bestas, general, e continuaremos como demônios da noite, pois essa é nossa sina certa, mas seremos os mais fortes, os mais letais. Para tanto, vocês precisam crer em mim e seguir minhas instruções. Há caminhos escondidos nas coisas da vida, há sinais no meio da matéria. Existe magia circulando entre as árvores e o cimento. Alguém libertou essa energia em nosso planeta e fez tudo mudar. Fez com que aflorasse no corpo de cada um a verdadeira face, a noite para os da noite e o dia para os do dia. Esse universo todo é um caldeirão de feitiços e *elas* estão soprando coisas em meu ouvido, Anaquias. *Elas* estão ensinando seu rei como conseguir o que eles tinham. Os humanos perderam o profeta Bispo e os vampiros ganharam o vampiro-rei, e agora elas contam os truques, antecipam as armadilhas, mas eu vou aprender a decifrar melhor os cacos de futuro que são lançados contra meus olhos cerrados, e aprenderei a ler as peças desse quebra-cabeça inacreditável. *Elas* estão jogando um jogo com os animados. São alcoviteiras, fofoqueiras filhas de uma égua, tinhosas e não tomam partido nem escolhem o lado. Às vezes, parece que *elas* são cegas feito nós. Cabras da moléstia que zelam pelo sangue escolhido. Eu roubei o sangue escolhido, Anaquias, e *elas* não podem escolher para quem soprar. Falam para o sangue sorteado, é simples assim. Preciso que você zele por esse sangue acorrentado na matéria. *Elas* me dizem como, e você fará isso.

– O que elas dizem agora?

O espectro mudou a face e suas sobrancelhas fechadas abriram-se, suavizando a aparência furiosa. Anaquias não podia vê-lo, porém Cantarzo sorriu para o vampiro, abrindo a boca, mas demorando a revelar.

– Agora, general, curiosamente, *elas* riem e cantarolam uma canção.

Anaquias saltou para outra árvore e desceu cinco metros. O espectro flutuou, acompanhando-o, indefectível, permanente e sufocante.

– *Elas* – continuou ele – repetem: o sol nasceu para todos.

Anaquias abriu um sorriso sem saber o que aquilo significava, mas experimentava a sensação emanada do vampiro-rei, que cutucava seu estômago e irradiava para o corpo todo. Era a mais pura alegria.

CAPÍTULO 4

Bento Vicente saltou sobre um galho de árvore com o cavalo. A tocha que vinha firme na mão direita quase lhe escapou. Não tinha sido o primeiro obstáculo no meio daquela estrada estreita, cercada por floresta fechada. Uma tira de couro prendia a bolsa que carregava nas costas. Bateu os calcanhares no ventre do animal, fazendo-o galopar mais rápido. A escuridão assustadora escondia os segredos do caminho ao redor, vencida apenas nos poucos metros que a luz da chama conseguia penetrar. Ergueu a mão direita, em franco galope, tentando iluminar o máximo possível o caminho à frente. Era por ali, naquele caminho, distante mais de vinte quilômetros dos muros de São Vítor, que ficava o mais próximo e temido covil de vampiros.

Era um plano louco. Um plano louco de Lucas. Mas, graças a esse maluco, estavam em vantagem contra os malditos noturnos, e graças a ele tinham reunido os trinta bentos. Não tinha visto em corpo físico a presença dos trinta naquela fatídica noite na Barreira do Inferno, mas tinha sentido a presença espiritual deles. O destino sorrira aos humanos, honrando-os com os prometidos quatro milagres. E, por causa desses milagres, estava agora rasgando a estrada, no meio da noite, dirigindo-se para a boca do lobo, quase confiante. Quase. Centenas de vampiros deveriam habitar aquela caverna. Talvez milhares.

Bento Vicente saltou outro galho, o ferimento recente em seu tórax soltou uma onda de dor. Mais uma vez sua tocha de chama amarelada tentou buscar o chão. Vencendo a dor, ele ergueu o braço. Luz. Aproximava-se do covil. Deixou os olhos atentos vagarem nas árvores mais próximas.

Dois pares de brasas voavam de árvore em árvore, acompanhando seu passeio insano. Não queriam atacá-lo. Provavelmente não acreditavam no que viam. Voavam de galho em galho, cruzando rapidamente o percurso, tomando o cuidado de manterem-se distantes da estrada. Não entendiam por que, no meio da noite, esse bento maluco cavalgava sozinho ao encontro do covil. Um deles tinha certeza de que o homem com a tocha em riste estava sorrindo.

Bento Vicente viu mais um punhado de brasas cintilantes subindo em árvores. Deveria estar perto da clareira do final da estrada. Já estivera ali, durante o dia, infernizando aquelas criaturas mais de uma dúzia de vezes, mas desta vez era noite e a tocha ajudava apenas com o chão à frente, não conseguia iluminar longas distâncias. Viu mais olhos de vampiros surgindo de um ponto escuro, formando um largo contorno. Era isso. A boca da caverna. Estavam chegando. Chegando para trucidá-lo. Os soldados vampiros de sentinela tinham dado o alerta. Os malditos vampiros sairiam da toca.

Luana saltou para cima, ganhando altura, cortando o ar e rasgando o vento. Agarrou-se a um galho, fazendo-o balançar com força. Aproveitou a inércia e saltou para o eucalipto à frente. Movimentos rápidos, sem despregar os olhos do cavaleiro solitário. A vampira grunhiu enquanto escalava. O tronco tornara-se fino e oscilava com seu jogo de corpo e o vento da noite. Freou, parando de acompanhar o bento louco. Balançou a cabeça negativamente. Não estava entendendo o que o maldito guerreiro queria. Era presunçoso demais se acreditava que poderia chegar à boca do covil com vida, assim, no meio da noite. Seria fatiado, triturado, exterminado. Nenhum vampiro estava interessado em sangue venenoso de bento. O sangue daqueles malditos queimava por dentro e fazia com que os vampiros morressem em minutos, com as entranhas reviradas e esburacadas, como se tivessem bebido ácido. Não era o sangue que importava. Era o troféu. Dilacerar um daqueles e levar o peito de prata para o covil renderia honrarias e respeito. Os bentos eram os inimigos mais odiados. Eram assassinos de vampiros. E aquele cavaleiro solitário era um palhaço. Um palhaço que seria espancado.

Luana grunhiu, tomada por ódio. Sem notar, sua mão esquerda acariciava o cabo de uma das facas que trazia atada à coxa. Pegaria o maldito. Assim que ele estivesse cercado pelos irmãos da noite, pegaria o maldito. Saltou para um galho mais baixo e começou o curso veloz ao encontro do invasor. Poderia alcançá-lo em um minuto, se quisesse. Porém, primeiro queria vê-lo envolto pelos parceiros, ocupado com garras e armas. Saltaria nas suas costas. Fincaria o pé na sela de couro do cavaleiro e, antes que ele pudesse dar conta de sua presença, teria duas facas na garganta. Uma de cada lado. Palhaço!

Bento Vicente puxou a rédea do cavalo. A razão lutava contra o cheiro dos malditos. Seria dragado pela loucura e sua espada viria em suas mãos para cortar e matar vampiros. Inspirou fundo, rogando por razão. Desde que Lucas juntara os bentos pela primeira vez, isso era possível. Clamar pela razão e o corpo obedecer. Não sabia por quanto tempo suportaria, tinha de agir rápido. Jogou a tocha no meio da clareira sobre um amontoado de gravetos secos. O fogo se alastrou rapidamente, formando um imenso anel de fogo. Seus olhos de bento estavam fixos na boca da caverna.

Agora, com aquele círculo de fogo, a luz conseguia dissipar um pouco mais a escuridão. A floresta ao redor da clareira encheu-se de sombras. O crepitar dos gravetos secos estalando com as chamas lançavam fagulhas para o alto, que se confundiam com os olhos em brasas das criaturas que se amontoavam, assombrosamente, ao redor. Bento Vicente estava sendo cercado. Da boca do covil, mais e mais pares de olhos surgiam na noite. Vicente jogou sua capa vermelha e surrada para o lado. A tira de couro da barra da capa pesava, mantendo o manto rubro reto, mesmo com a insistente presença do vento frio. Vicente segurou firme o cabo de sua espada e sacou a arma da bainha. A lâmina prateada para matar vampiros refulgiu com a luz do fogo. Vicente levou a mão direita à tira de couro que prendia a carga em suas costas, apanhou um objeto oval ligado a um fio e apertou um botão vermelho. Um zunido breve chegou ao seu ouvido. Uma antena de dois metros subiu do objeto preso às suas costas, no qual se acendeu uma luz verde. Vicente apertou o botão vermelho mais uma vez, e o levou a boca.

– Estou na clareira do covil e... diga-se de passagem, estou cercado de desgraçados. Câmbio.

– Entendido, bento. Câmbio – respondeu a voz no rádio.

– Agora é com vocês. Câmbio e desligo.

Bento Vicente afrouxou a fivela que vinha cruzando seu peito e depôs o rádio aos pés de seu cavalo. Os vampiros estavam do outro lado do muro de fogo. Não tardariam em tomar coragem e avançar contra o bento solitário. Vicente ergueu sua touca metálica e postou-se ao centro do círculo de fogo, afastando-se de seu tordilho. Caso qualquer coisa saísse errada naquele plano maluco do trigésimo bento, a situação iria apertar para o seu lado. O número de vampiros ao redor facilmente chegaria a mais de mil.

Ele sabia que os malditos estavam aturdidos. Estavam confusos. Tinham um bento entregando-se à boca do covil, sozinho, armado apenas com uma espada prateada. Vicente sabia que o viam como um suicida. E um bento sozinho na boca de um covil numeroso era algo que não acontecia todos os dias. Aqueles ao seu redor não tinham a intenção de atacá-lo imediatamente. Não eram tolos. Aguardavam os demais. Sabiam como era perigoso atracar-se com um bento, ainda mais contra um daquele tamanho e parecendo um desajustado mental.

A voz de Lucas chegou aos seus ouvidos através do rádio caído no meio da clareira. *Calma, calma*. Isso ajudava Vicente a manter-se focado. Mas a sensação de perigo só crescia. Alguns dos inimigos queriam realmente varar o fogo e rasgar seu pescoço. Dava para perceber isso no ar. Quando se sentia a um dedo de sucumbir à loucura, a voz de Lucas vinha e a sensação arrefecia. Vicente apertava os olhos sucessivamente. Mantinha a espada erguida e a outra mão sobre o peito, onde o ferimento recente ardia. Em instantes, perderia o controle sobre seus músculos e sobre seu desejo. A rixa escrita em seu coração de bento falaria mais alto e sua espada voaria contra os noturnos.

Bento Vicente girou. Mal tinha pensado novamente na loucura e sentiu algo. Um calor nas entranhas. O cheiro dos malditos chegando com maior intensidade até as narinas. As labaredas que formava o providencial círculo de fogo chegavam a três metros de altura. Ardiam intensamente, fazendo o guerreiro transpirar dentro do peito de prata. O cavalo do bento esfregava as patas dianteiras insistentemente contra o chão de terra. Empinou e relinchou. Estava tão arisco quanto o dono.

Vicente apertou os olhos e inspirou fundo. Mais uma vez, o fedor das bestas noturnas entrou pelo nariz, misturado ao cheiro da fumaça dos galhos queimados. A capa girava junto com o corpo. Impaciência. Desejo de luta. Nuvens ligeiras eclipsavam a luz da lua. Via a quantidade deles aumentar perigosamente. Os vampiros decidiram matá-lo. Iam furar o cerco. Sabia disso. Não precisava ouvir ameaças veladas nem brados descontrolados. Era um bento. Um bento sentia essas coisas. Varreu as árvores ao redor com os olhos. Mais e mais brasas empoleiravam-se em volta. Engoliu seco. Seu coração cavalgava entre as costelas, o suor descia-lhe da testa. As feras ainda experimentavam a indignação. Amontoavam-se descrentes. O que tanto esperavam?

Vicente olhou para o rádio no chão. Secou o suor da testa com as costas da luva. Não parava de mover-se e vigiar os limites do anel de fogo. Iria perder o controle. Precisava de Lucas ao seu lado.

– Cadê vocês? – murmurou, perguntando ao aparelho, agora mudo. Repentinamente, como se todos os vampiros ao redor fossem conectados por um mecanismo qualquer, avançaram perigosamente contra a muralha de fogo.

Vicente aferrou-se ao chão, ficando firme como rocha, mantendo os braços leves para movimentar a espada de prata. Em torno de cinquenta criaturas pularam sobre o muro de chamas em um segundo. Quatro delas enroscaram-se nos galhos e começaram a gritar presas nas chamas. Vicente, matreiro, sequer esperou que os inimigos tocassem o chão de terra. O primeiro deles ficou sem uma perna ainda no ar.

A primeira leva de vampiros caiu no solo, e as criaturas buscaram o bento com os olhos. Vicente segurou o cabo da espada com as duas mãos e traçou um semicírculo à sua frente. Tinha varrido o ar com força, partindo os inimigos ao meio, na altura da cintura. Os gritos das feras, feridas pela prata mística, sobrepuseram-se à balbúrdia dos vampiros do lado de fora do círculo de fogo. Mais uma leva de feras saltou a muralha flamejante. Uma delas atracou-se ao braço do guerreiro. Vicente estava cego e tomado pela loucura. Com um chacoalhão do braço, livrou-se do vampiro. A espada cruzou o ar mais uma vez, ferindo o pescoço do agressor, que recuou desequilibrado.

Estavam próximos demais para golpes elaborados. A coisa estava feia. Eram muitos! Outros saltavam para dentro do círculo. Espetou o peito daquele que estava mais perto. Sentiu um agarrando-se à sua direita. Garras roçando na cota de malha no pescoço protegido. Levou a ponta da espada para trás, deu um coice com a arma, ferindo uma criatura, que estava aferrada em suas costas, perpassando a espada afiada no meio do peito do maldito.

Luana, agarrada ao galho da última árvore, praguejava. Os irmãos já tinham invadido o círculo de fogo. Tomou impulso e saltou. Mesmo sem ser necessário, deixou fluir seus dons vampíricos, tocando o solo sem fazer barulho. Estava no meio da turba quando viu vários dos parceiros de covil saltando para dentro do círculo de fogo. Iam todos de uma vez ao encontro do bento suicida. Pensou em disparar e saltar a muralha chamejante. Sabia que ela fincaria o par de presas na garganta do intruso. Essa saborosa certeza crescia no seu interior. Sabia que daria cabo dele, que faria o maldito se esvair em sangue aos seus pés. Sabia que teria sede e teria de se conter para não levar os caninos pontiagudos ao pescoço lacerado da vítima. O sangue do bento era veneno. Contudo, antes que a vampira disparasse e tomasse impulso para saltar a barreira de chamas, ouviu o tropel dos cavalos. Era um barulho ensurdecedor. Virou o rosto junto com mais seis ou sete vampiros, a estrada escura aos olhos humanos.

Mas eles vinham, trazendo brasas erguidas sobre as cabeças. Homens com couraça de prata. Couraças que traziam um crucifixo pontiagudo em relevo no peito de ferro. Eram bentos. A certeza da vampira murchou feito rosa morta, deixando o corpo assombrado, transformando seu desejo em pétalas enegrecidas e murchas. Não mataria aquele bento no círculo de fogo. Não teria tempo. Os outros chegavam. Olhou ao redor. Sem desespero. Não podia perder a cabeça, literalmente. Quantos bentos vinham no meio dos soldados na cavalgada? Vinte? Trinta, no máximo! Eram os malditos bentos da profecia do velho Bispo, que perambulava de vila em vila, sendo repetida de boca em boca. A "ladainha", como era conhecida nos covis, contada por mulos banidos das fortificações. Eram eles sobre os cavalos. Os bentos.

A vampira Luana podia ver os guerreiros de peito de prata, mas não via milagre algum diante dos olhos. Via apenas um bando de loucos que colocavam as gargantas em risco, à própria sorte, tentando, pela centésima vez, atacar aquele covil numeroso, aquele covil que resistira a centenas de assédios e que tão forte e sólido se mostrara a todo tipo de ataque lançado pelos patéticos humanos. Luana sorriu. Mesmo que os humanos viessem às centenas, seriam massacrados, mortos e desfiados. Rechaçados como tinham sido em uma dúzia de vezes. Ali, no grande covil, os assassinos da noite sentiam-se indestrutíveis.

Os vampiros que deixavam a caverna saíam abastecidos, plenos de energia. Dentro do covil adormecia um dos maiores Rios de Sangue do Brasil. Adormecido e protegido por um contingente assustador de criaturas da noite. Como a notícia do ataque iminente já voava de ouvido em ouvido entre os vampiros, estes corriam para as galerias onde estocavam os corpos humanos desacordados, de onde drenavam boa quantidade do sangue necessário a fim de se fortalecerem para a batalha. Sairiam para a noite vigorosos e prontos, uma vez mais, colocando para correr aquele insolente e teimoso bando de soldados. Luana sorriu. Não havia motivo para desespero. Quantos minutos demorariam para silenciar aquele tropel maravilhoso a encher-lhe os ouvidos? Dez, quinze, no máximo. Diversão, afinal de contas. Aquele bento doido não daria nem para o cheiro.

Bento Vicente empurrou outro vampiro com o ombro. Transpirava copiosamente. Tinha insistido para ser a isca no lugar do glorioso bento Lucas. Apesar de sofrer resquícios de dor no ferimento, Vicente julgava-se maior que ele em tamanho e força física, mas era menor em valor. Lucas estava sendo o grande general, o grande comandante da surpreendente retomada que tramavam. Baniriam os grandes covis, um a um, e voltariam a dominar as cidades, durante o dia e durante a noite. Lucas sabia como fazer isso e precisariam dele para dar continuidade ao plano. O Brasil seria o celeiro, o porto seguro desse novo mundo. Vicente não queria que ele se arriscasse naquela parte do plano. Ele, Vicente, valia o risco. E, além do mais, adorava partir vampiros aos montes.

Sua espada não tivera descanso. Passara a tarde toda na forja, nas mãos do habilidoso ferreiro Magal, de São Vítor, que preparou o fio afiado para o combate prometido. O bento corpulento e musculoso era preciso nos golpes, ganhando tempo. A cada contato com os inimigos, a espada arrancava pedaços de carne morta e ossos daqueles desgraçados. Mas, mesmo assim, dominando arma tão azeitada, a coisa estava cada vez mais feia. Os vampiros se amontoavam ao seu redor e suas unhas afiadas tinham conseguido abrir uma ou duas feridas. Estava tão envolvido em resistir que não ouviu o galopar do batalhão de Lucas se aproximando.

Vicente queria continuar vivo. Sorriu. Não acreditava que aquele tipo de pensamento lhe ocorria em momento tão apertado. Um vampiro forte aplicou-lhe uma gravata. O sorriso continuou, enquanto desferia um soco em outro atacante. *Queria continuar vivo.* Vivo para enfrentar outro covil, daquele mesmo jeito, numa noite seguinte. A espada voou perigosamente para trás, abrindo a cabeça do vampiro agarrado em seu pescoço. O gigante de peito prateado conseguiu girar sobre o próprio corpo mais uma vez, e o fio da espada abriu espaço por mais um instante. Os vampiros recuaram, incrédulos. Parte deles surpresos e curiosos com o tropel que aumentava. Outra parte, os mais próximos ao guerreiro Vicente, de olhos esbugalhados, descrentes de que aquilo no rosto do homem fosse mesmo um sorriso.

– O cara é doente! – grunhiu uma das feras, encarando o bento.

Vicente continuava girando, apontando perigosamente sua espada de prata para os vampiros.

O trigésimo liderava os cavaleiros e soldados. A visão à sua frente era tudo o que queria. Milhares de vampiros escapando pela boca da caverna e vindo em direção ao círculo de fogo. Arremessou sua tocha para a mata e aferrou-se às rédeas do cavalo, batendo com os calcanhares na barriga do animal. A luz proveniente da fogueira ao redor de Vicente iluminava o suficiente para dar seguimento ao combate. Destacou-se do conjunto. Sua capa vermelha, com barra de couro, esvoaçava com a velocidade do galope. Lucas lançou a mão esquerda da rédea e alcançou o cabo da espada. A lâmina prateada saiu da bainha e o cavaleiro apontou-a para a frente.

Vindo em meio ao conjunto, Adriano, o valoroso líder dos soldados de Nova Luz, avistou a terrível, porém esperada, visão dos milhares de brasas tomando as árvores à boca do covil. Já tinha ouvido falar daquela toca de vampiros, mas nunca tinha estado ali, vendo um ataque em andamento. Eram tantos! Os malditos empoleiravam-se e tomavam posições, preparando um contra-ataque à inesperada visita dos soldados de São Vítor e dos bentos. Adriano trazia um aparelho amarrado às costas, como bento Vicente fizera. Puxou um objeto oval, preso a um longo fio de borracha encaracolada, e levou-o até a boca.

– Adriano para Barreira do Inferno, câmbio.

– Ouvindo alto e claro, câmbio.

– O circo está armado, Franjinha. Passa fogo. Câmbio.

– Certeza?

– Certezíssima! – berrou Adriano, com os olhos assustados, assistindo ao número de vampiros crescer e crescer.

– Entendido, soldado. Câmbio e desligo.

Voltando a cavalgar, Adriano prendeu o microfone no aparelho às costas e puxou seu fuzil do coldre de couro. Bateu rápido com a mão no dispositivo metálico, destravando a arma e apontando o cano de descarga para a frente.

Vicente enfim ouviu os cavalos. Estava com um vampiro preso debaixo do braço. A fera, de olhos vermelhos infernais, debatia-se, imobilizada pelo bento.

– Tá vendo aqueles caras que estão chegando? – perguntou o bento, erguendo o rosto do adversário.

Vicente teve de brandir a espada para espantar e afastar novos agressores e ganhar um segundo para concluir o que pretendia.

– São eles que vão ferrar você e seus irmãos essa noite, sanguessuga duma figa – completou.

A fera grunhiu e voltou a se debater. Vicente enterrou sua espada no pescoço do vampiro, tirando-o do combate. Antes de arrancar a espada do oponente, já estava às voltas com mais um filho das trevas. Vicente girou o corpo com velocidade e conseguiu colocar o novo adversário à sua frente. A espada não demorou a trespassar o peito da criatura. O bento usou o corpo do vampiro para bloquear novos agressores que se amontoavam ao seu redor. Enfiou a mão livre debaixo da capa, tirando uma pistola presa ao tórax. Os vampiros, ato reflexo, recuaram um passo. Vicente, ao invés de apontar para a cabeça de um deles, ergueu a pistola para cima. Puxou o gatilho. Uma brasa vermelha riscou o céu, subindo centenas de metros. Um instante depois, o som de um estouro rasgou a noite e uma bola vermelha de fogo começou a descer lentamente.

Era o sinal que os soldados esperavam. Sabiam que na direção do sinalizador estava o bento que servira de isca. Corrigiram o curso dos cavalos. Os soldados que traziam fuzis carregados com balas de prata acudiriam bento Vicente. Com a claridade proporcionada pelo sinalizador, mais o círculo de fogo, teriam como atirar à vontade contra aqueles malditos sem acertar o colega no meio da enrascada.

Os bentos dividiram-se e cavalgaram, indo aos flancos da muralha chamejante. Vampiros começavam a entrar em seu alcance, obrigando-os a desviar uma vez ou outra. Os soldados mais confiantes não tentavam o desvio, simplesmente atropelavam os adversários com os cavalos de batalha. As espadas de prata dariam mais tempo ao conjunto, resguardando os guerreiros pelo tempo que o ataque surpresa levasse. Agora o destino do batalhão estava nas mãos de Franjinha, no centro de controle da Barreira do Inferno.

Adriano saltou do cavalo e levou um joelho ao chão. Mirou os vampiros próximos ao círculo de chamas e abriu fogo, disparando com generosidade. Vários noturnos começaram a tombar. Mais quarenta soldados fizeram o mesmo, desmontando e disparando contra o crescente número de vampiros.

Lucas percebeu a luz da noite mudar. Seus olhos não precisavam mais do auxílio das tochas e do muro de fogo. De seus olhos, emanava um brilho amarelo e mágico que enchia o peito dos seguidores de confiança. Fazia-os saber que estavam lutando ao lado de um guerreiro maior. Um guerreiro iluminado.

Ele baixou o corpo, dobrando-se à direita do cavalo. Estendeu a lâmina da espada. A cabeça de uma vampira rodopiou, enquanto a maldita praguejava. O corpo assombrado caminhou alguns passos antes de cair decapitado. Lucas não olhou para trás. Sabia o que tinha conseguido. Ouvindo os tiros às suas costas, zunindo perigosamente perto, rumou sem medo para o círculo de fogo. Daria cobertura a bento Vicente.

Vicente aproveitou o hiato no ataque dos monstros, provocado pelo disparo do sinalizador. A luminosidade reforçada incomodava as feras, que protegeram os olhos e abaixaram-se assustadas. Vicente descarregou golpes de espada a torto e a direito, afundando a lâmina nos oponentes e ouvindo ossos serem partidos, além de gritos de dor subindo ao céu. Aliviado, viu o tordilho negro de Lucas cruzar o fogo. Percebeu, gratamente, a turba de vampiros vacilar novamente e lhe dar tempo para tomar fôlego. Não aguentaria aquilo nem por mais um minuto, acabaria cedendo às garras e à insistência dos malditos noturnos. Fios de sangue escorriam de sua testa ferida.

Lucas, de cima do animal, fincava sucessivamente a espada contra os demônios da noite que cercavam Vicente. Os golpes, com a arma afiada, faziam os noturnos romperem-se em gemidos doloridos, sentindo a prata mística abrindo feridas irreparáveis contra sua carne maldita. Dedos, mãos e membros decepados começaram a formar um carpete macabro embaixo dos pés dos vampiros.

Um segundo cavalo irrompeu o círculo de chamas com bento Augusto em seu lombo, e mais uma espada passou a retalhar o volumoso grupo de vampiros, dando folga ao guerreiro-isca.

Vicente conseguiu respirar melhor e voltou à carga com sua espada, aumentando a pilha de corpos ao redor. Além do cansaço, os restos inertes dos vampiros começavam a atrapalhar o bom combate. Estava exausto, mas não podia ceder agora que os valentes companheiros tinham chegado para socorrê-lo. Só faltava a última parte da estratégia tramada para que o plano maluco do trigésimo bento se mostrasse vitorioso mais uma vez.

Bento Amintas foi o terceiro bento montado a socorrer os parceiros dentro do círculo. Enquanto saltava o muro de chamas, seus olhos viram um brilho no manto negro do céu, por volta de quarenta graus da linha do horizonte. Era o brilho da salvação.

* * *

A vampira Luana correu em direção aos soldados. Tinha urrado e chamado no grito um grupo de vinte vampiros. Tinha visto que, para se aproximar com segurança e começar a descongelar os membros do covil da letargia, obtida com o surpreendente e incompreensível ataque iniciado por um só bento, teria de começar o contra-ataque ela mesma.

Com sua velocidade sobrenatural, evitou os bentos mais próximos, passando bem abaixo das lâminas de prata, quase rastejando, quando eles vinham em sua direção em cima dos cavalos, voltando a ficar de pé logo após. Guiou seu grupo ao largo dos soldados, parecendo até mesmo ter desistido do ataque, mas a verdade era outra.

Luana buscou as árvores. Subiu ligeira em seus galhos. O conjunto de brasas vermelhas e demoníacas que vinha atrás da vampira era seu grupo de assassinos auxiliares. Alguns dos soldados apontaram em sua direção, disparando armas de fogo. Luana chegou a sentir o deslocamento de ar próximo à sua orelha uma ou duas vezes. Saltou mais para cima. Explosões cadenciadas escapando dos canos das armas. Galhos espatifando-se ao redor, envolvendo-a em uma nuvem de lascas de árvore.

Usou novamente a velocidade sobrenatural. A vampira, líder do grupo, foi a primeira a saltar de volta à clareira, estando agora às costas da maioria dos soldados. Suas facas afiadas vinham à mão. Luana saltou, ferina. Os tiros continuavam espocando. Ouviu o grito de um parceiro, ao ser atingido no ar. Ela tocou o chão e só precisou estender o braço para a lâmina abrir a jugular do primeiro soldado. Os olhos arregalados da vítima encheram-na de estímulo. Rolou enquanto o rapaz ferido começava a contorcer-se no chão, a berrar e engasgar-se com o próprio sangue. Ao fim do rolamento, enfiou as duas lâminas nas costas de um segundo soldado. Os berros do sujeito chamaram a atenção do grupo de guerreiros de São Vítor. Agora não era mais uma penetra surpresa.

A vampira levantou-se, segura, olhando detidamente ao redor. Cinco ou seis soldados olhavam para ela e ainda traziam as armas de fogo em sua direção. Luana olhou para a boca da caverna. Estava fervilhando de vampiros, feito formigueiro atiçado por moleque. Os antigos tinham sido despertados pelos gritos e pelos alertas de luta. Todos tinham se abastecido dos adormecidos. Olhou para os soldados novamente, começavam a disparar em sua direção, agora que o humano ferido tombava sem vida. Luana saltou para trás e passou por baixo de um cavalo. Seus companheiros da noite também tinham chegado à clareira. Um deles engalfinhara-se com um soldado, levando seus dentes pontiagudos até o pescoço do desgraçado assassino de vampiros. Aquele ali não mataria mais nenhum irmão das trevas.

Luana continuou ouvindo disparos. Os soldados, vendo tantos vampiros tão perto, estavam perdendo o juízo. Seu rosto encheu-se de sangue quando as balas perfuraram a barriga do tordilho no qual buscara abrigo. O cavalo empinou e relinchou, tombando, crivado pelas balas de fuzil. Um tiro acertou a vampira, fazendo-a girar e cair. Luana ficou imóvel por um segundo, esperando a grama e a terra levantadas pelos disparos aquietarem-se.

Estavam atirando pesado. Ela limpou o sangue do cavalo dos olhos. Olhou para as árvores. Bem ao pé de um eucalipto, à margem da clareira, avistou um buraco.

– Maldição! – gritou a vampira, consumida pela dor ardente em suas costelas do lado direito.

Hora de reajustar o plano. A ferida fisgava e começava a latejar. *Graças*! Não tinha sido uma bala perigosa. Viu mais dois amigos tombando, aqueles não tinham tido sorte; pela dor expressa nos gritos, tinham sido esburacados por balas de prata. A coisa estava ficando feia. Mas era só questão de tempo.

Virou-se de bruços e começou a rastejar. Precisava de um minuto. Um minuto para a ferida fechar. Viu quando a mancha vermelha dos milhares de vampiros que se amontoavam à beira do covil disparou em direção aos soldados. Em menos de dois minutos estariam ali. Por dois minutos, aquele buraco seria seu refúgio. Luana esgueirou-se entre a saraivada de tiros, buscando a escuridão da mata para fugir das balas prateadas. Jogou-se para o chão e arrastou-se para dentro do buraco.

Ela voltou a cabeça para o grupo de soldados. Estavam ocupados, lutando e atirando em seus seguidores, tinham-na perdido de vista. Sorriu, sua ideia tinha dado certo. O sorriso abriu mais ainda quando viu os milhares de olhos vermelhos engolindo o círculo de fogo, enterrando, embaixo da imensa onda de vampiros, os bentos montados em seus cavalos. Morreriam picados entre as unhas dos mais antigos.

A avalanche de vampiros tinha passado pela clareira e avançava em direção aos soldados, que atiravam enlouquecidos. Suas balas não seriam suficientes para conter aquele número de criaturas da noite. Luana ainda transbordava numa funesta euforia, exibindo seus dentes longos e alvíssimos, quando avistou um brilho no horizonte. Um brilho que de estranho passou a assustador. A princípio lhe pareceu uma estrela. Um fenômeno celestial luminoso ocorrendo a milhares de anos-luz dali. Depois, veio o terror. Uma faixa de luz, vinda do céu, surgiu como por encanto, percorrendo a floresta negra e vindo na direção do covil, na direção da clareira! Luana nada conseguiu dizer, apenas contraiu-se, entocando-se ainda mais naquele buraco. O facho de luz ganhou dimensões impressionantes, vindo cada vez mais veloz, mais portentoso. Atingiria o gigantesco grupo de vampiros! Que magia era aquela? Aquela luz?! Aquilo dava medo!

* * *

Um dos vampiros daquele resistente covil ergueu os olhos para o céu. Sua pele só não ficou mais pálida porque aquilo era impossível, como impossível também seria a criatura ter o coração acelerado pelo medo de tão impressionante visão. Um facho de luz varria a mata e vinha em velocidade vertiginosa, impregnando a floresta com luz e cores. Tinha sido pego de surpresa e congelado naquela posição. O vampiro antigo, de cabelos longos e esbranquiçados caindo pelos ombros, ficou de olhos grudados no clarão.

O fenômeno tingiu com cores vivas a mata imediata à boca do covil. Foi só nesse instante que o vampiro conseguiu sair daquela letargia e olhar para o mar de companheiros metros abaixo. Viu seus semelhantes embasbacados com aquele prodígio. Tinham interrompido o ataque e milhares de cabeças tinham ficado presas ao raio de luz, pegos em um truque hipnótico.

O facho de luz solar varreu a clareira e pareceu tornar a marcha mais lenta quando alcançou o objetivo. Lucas lutou para desvencilhar-se de seis demônios da noite. Se a luz do sol queimasse aqueles inimigos colados em seu corpo, ele também sofreria queimaduras extensas. Tinha sido derrubado do cavalo quando a onda de vampiros passou pelo círculo de fogo, que já não existia mais. Os galhos flamejantes foram levados pelos pés das criaturas que não tinham cessado a marcha nem se intimidado com o fogo. Agora, Lucas via os vampiros desesperados e estáticos.

Ele agarrou-se à sela do cavalo e saltou para cima do animal. Tinha de sair dali antes que inflamassem. Deu a mão livre para Vicente, que parecia bastante ferido, e puxou o gigante para a garupa de sua sela. Gritando com os demais bentos, fez com que galopassem em sentido à estrada pela qual tinham vindo, tentando abandonar a clareira o quanto antes. Os vampiros não tentavam detê-los. Os que saíam daquele providencial estado catatônico disparavam aos gritos e maldições para a mata ou na direção da caverna, no fito de buscar abrigo e escapar daquele assustador clarão.

O facho de luz atingiu a boca da caverna, descendo em direção à clareira onde estivera bento Vicente e os soldados. O halo de luz iluminou tudo ao redor, em um raio de um quilômetro aproximadamente. Os vampiros explodiram em gritos de horror e dor.

Os soldados correram em direção à estrada, acompanhando o cavalgar dos bentos. Os que tinham seus cavalos por perto não perderam tempo e subiram nos lombos dos animais, embrenhando-se na mata, procurando afastar-se da multidão de vampiros. Assim que a luz emanada por TUPÃ bateu sobre suas cabeças, sentiram de imediato o intenso calor do sol.

De uma hora para outra, a noite fria tornou-se dia. A temperatura deveria ter se elevado cerca de dez graus em questão de segundos. Até mesmo para os humanos o clarão causava desconforto, obrigando aqueles de olhos mais sensíveis a tapar o rosto, apertando as pálpebras com força. A mudança brusca de temperatura propiciada por aquele milagre também causava desconforto e náusea em alguns.

Quanto aos vampiros, bem, essas criaturas sofriam um pouco mais de náuseas e desconforto térmico. Os seres das trevas levavam os braços para a frente dos olhos tentando vedar a passagem de luz. Esta queimava a pele das criaturas, e rolos de fumaça começavam a escapar dos poros dilatados, da boca, dos olhos e dos ouvidos dos noturnos. Quando as mãos secavam e os ossos carbonizados desmanchavam-se, deixando a luz passar para os olhos, os globos oculares explodiam, lançando uma substância viscosa a metros de distância. A pele pálida ia passando para um tom de azul, as veias inchavam de forma horrenda, tornando-se negras, e, em segundos, incandesciam. O bizarro e fatal fenômeno se propagava, apanhando um após o outro, como infectados por algum mal encadeado.

O facho de luz solar, vindo do imenso TUPÃ, passou tão lentamente que parecia pairar sobre a boca da caverna e, também, sobre a larga clareira onde Vicente acendera a fogueira, formando um extenso espectro floresta adentro. Era maravilhoso. A luz rebatida por TUPÃ manteve-se naquela região por aproximadamente quatro minutos, passando adiante, movimentando-se graciosa e lentamente, varrendo a floresta e voltando a parecer aos homens na terra um maravilhoso e espetacular facho de luz conforme se afastava. Parecia um tubo de energia escapando do bojo de uma gigantesca nave além das nuvens.

Os bentos e os soldados, livres dos milhares de vampiros que os rodeavam segundos antes, mantiveram os olhos fixos no portentoso raio, hipnoticamente paralisados por aquele espetáculo proporcionado por Marco Franjinha, diretamente do Centro de Lançamento da Barreira do Inferno. Quando voltou a escurecer, mesmo que eles ainda pudessem ver o facho se afastando, seus olhos foram capturados por um novo, e não menos impressionante, cenário. O que fora uma clareira e uma boca de caverna submersas na escuridão, agora eram cenários que reluziam rubros, tomados por toneladas de cinzas quentes e incandescentes. O amontoado de brasas era tão grande que não precisavam de lanternas para enxergar com facilidade o terreno à frente.

Alguns dos corpos dos vampiros permaneciam inteiros, como se fossem estátuas de ébano. Dos que tiveram seus corpos carbonizados partidos, exibiam as faces internas incandescentes, vermelhas, eventualmente expelindo línguas de fogo de aproximadamente sessenta centímetros, alimentadas pelo calor excessivo e pelo vento frio, que voltava a soprar na clareira. Só a sensação térmica não havia baixado. Apesar de a luz do sol ter se afastado bastante, o calor emanado pela quantidade impressionante de brasas fazia arder a pele dos que se aproximavam demais.

Lucas parou seu cavalo. Vicente desmontou e virou-se para a clareira. Tinham se afastado um bocado e o que viam, ao longe, era um mar de brasas, como uma fotografia de lava vulcânica, escapando da boca da caverna e alastrando-se pela clareira. Lucas sorriu pela primeira vez naquela noite. Sabia que a maioria dos vampiros daquele covil tinha sido morta com aquela manobra.

No providencial buraco à margem da clareira e da mata, Luana, com olhos arregalados, via assombrada o resultado da visita daquele maldito facho de luz. Os humanos conseguiram invocar alguma espécie de deus que descera seu dedo luminoso contra os filhos da noite. A vampira, horrorizada e temendo nova investida daquele fenômeno maldito, afundou-se o máximo que pôde no buraco.

Amanheceria. Se tivesse sorte, resistiria e ficaria viva para ver a noite tomar a Terra mais uma vez. Só com a escuridão da próxima noite conseguiria voltar ao covil. Voltar ao Rio de Sangue e reabastecer-se do líquido humano. Teria de viajar e encontrar os irmãos dos covis das redondezas. Daria o alerta. Os malditos bentos tinham se reunido e a profetizada história dos milagres havia se cumprido. Os bentos traziam o sol para a noite. Os bentos vinham contra sua gente.

Luana recolheu as presas pontiagudas. Tinha de poupar sua energia. Deslizou suavemente a mão para fora do buraco, puxando uma pedra grande e folhas secas para a boca do esconderijo. Tinha poucas horas para melhorar ao máximo aquela toca. Teria de sobreviver às horas de sol.

* * *

Lucas levou o cavalo até a clareira, procurando um caminho livre de brasas para que o animal não se ferisse. O tordilho estava arredio, sofrendo com o calor procedente das brasas vivas.

Um trilho de guerreiros trajando couraças reluzentes e capas vermelhas seguia o líder. Lucas olhou para a boca da caverna. Nenhum movimento. Olhou com seus olhos emanados pelo fantasmagórico brilho amarelo. Nem sinal das criaturas da noite. Deu um puxão na rédea do cavalo e o fez se virar, ficando de frente para seus guerreiros bentos e para a meia centena de soldados. Abriu um sorriso, tirou a espada da bainha e levou-a ao alto. Os homens explodiram em berros, urras e vivas. Tinham vencido a primeira grande batalha nos arredores de São Vítor, com um resultado muito superior ao das últimas.

– Quantas horas faltam para o amanhecer? – perguntou bento Francis.

Adriano consultou o relógio antes de responder.

– Cerca de uma hora e meia, não mais que isso.

– Vamos acampar aqui na clareira. Deixem as armas a postos. Não nos defrontamos com nenhum grupo de mulos. É possível que apareçam de manhã – bradou Lucas, lançando ordens a seus homens.

Ele pediu, ainda, que avisassem pelo rádio ao Centro de Lançamento da Barreira do Inferno e à fortificação de São Vítor o resultado do ataque. Pediu, também, que São Vítor mandasse dentro de uma hora o segundo batalhão de prontidão. Nesse segundo batalhão, motorizado, viriam equipamento e caminhões para a incursão e o resgate dos adormecidos estocados naquela profunda caverna. O objetivo: destruir os vampiros que porventura restaram e resgatar os adormecidos estocados naquele antro.

CAPÍTULO 5

Lúcio acordou sobressaltado. Respirava ofegante. Deixou os olhos se acostumarem à claridade que entrava pelas venezianas quebradas das folhas de madeira. Uma goteira pingava dentro do cômodo acabado e envelhecido. Sobre as paredes, não sobrara um centímetro da cor original que um dia recobrira aquele cômodo. Estava escuro, tomado pela umidade. Um cheiro sufocante de mofo. Mas fora a melhor suíte que conseguira no exterior de uma muralha. Um cômodo abandonado no meio da mata. De lá, não ouvia mais o barulho da garoa.

Olhou por um vão na janela. O sol brilhava e seu estômago roncava. Olhou para o caixão colocado dentro do cômodo. O mestre Cantarzo repousava placidamente dentro de sua carruagem movida a tração de escravo, enquanto ele, Lúcio, se fodia debaixo do sol para arrastá-lo ao norte.

Lúcio apanhou o radinho de pilha, de cima do caixão, e foi para o terreiro à frente do cômodo. Saindo pela porta, à sua esquerda, a uns quatro metros do cômodo, jaziam os restos de pedra que formavam a boca de um poço. O lacaio foi sentar-se em um amontoado de tijolos do que fora uma mureta. Sintonizou o aparelho na "rádio" São Vítor. Ainda tocavam as mesmas músicas de quando ele se preparava para dormir. Eram de um disco com as melhores músicas de Ivete Sangalo. Gostava demais da cantora baiana, gostava *pra caramba*, mas doze horas sem parar? *Haja axé!*

Colocou cuidadosamente o rádio numa das pedras. Sem comida, a marcha diária de cinco quilômetros acabaria reduzida, talvez até extinta. *Merda de caixão pesado! Por que o vampiro precisava ser levado ao norte? Ser levado à bruxa Tereza? Para quê? A bruxa faria o quê? E a merda de serpente engolindo a tartaruga? Onde isso se encaixava? O que isso significava?* Suspirou, indignado, enquanto desenrolava as ataduras da mão direita.

Olhou com asco para a ferida. Desenrolou a mão esquerda. Que cheiro acre era aquele? Tinha pus nas duas mãos, as palmas em carne viva. Era bom que tudo aquilo valesse a pena. Enrolou novamente os panos imundos sobre as feridas sorrindo. Sabia que valia a pena. *Que estupidez ficar questionando esse ponto!* Cantarzo aliviaria toda a dor e tornaria seu corpo imune ao mal. Cantarzo lhe daria vida eterna. *Vida eterna!* Esse prêmio valeria qualquer sacrifício. Fossem em intensidade ou duração. Teria todo o tempo do mundo para compensar a dor. Seria poderoso. Seria filho do vampiro-rei.

Respirou fundo e levantou-se. No meio de uma segunda e prolongada inspiração, sentiu aquele cheiro sutil. Sutil para as narinas, mas poderoso para o cérebro, o que fez o estômago roncar. Era cheiro de pão. Sentiu tontura. Abriu os olhos, aflito. Estava faminto, pombas! Estava cansado das frutas! Queria carne! Queria pão!

Subiu na mureta. Viu um trilho de fumaça distante, subindo branquinho e vagaroso, sendo arrastado pelo vento e vindo parar em suas ventas. Voltou correndo para o cômodo, só para conferir o caixão. Deixaria Cantarzo no abrigo? Seria seguro? A luz do sol não incidia diretamente sobre o ataúde improvisado e, mesmo que o facho de luz o alcançasse, não seria prolongada sua ausência. O vampiro ficaria bem. O que não podia era chegar numa choupana, arrastando um caixão. Seria escorraçado sem deitar o beiço numa asinha de frango, numa fatia de pão sequer. E o que dizer quando vissem o caixão? Como explicar o morto? *Ah! Isso aqui não é nada, não. É só um vampiro morto que tenho de levar pruma bruxa!*, imaginava-se respondendo.

Lúcio voltou para fora. Passou o embornal a tiracolo, apanhou o rádio de pilha e começou a caminhar em direção à coluna de fumaça. Não tinha nenhuma fortificação naquela direção. Eram mulos vivendo na floresta. O que deveria existir ali, pertinho, era um belo de um covil de vampiros, isso sim.

Caminhou cinco minutos. Quando a Ivete parou de cantar, ergueu o radinho para perto do ouvido. Estava mudo. Parou e sentou-se na grama, procurando ajustar a sintonia, talvez o dial tivesse escapado acidentalmente da posição. Mas não era isso. A estação estava muda. Ficou aguardando, aflito. Abriu o compartimento traseiro e mexeu nas pilhas. Só por mexer. Às vezes, só de cutucar uma pilha ela voltava a funcionar. Mas não era isso. Tinha carga ainda. A rádio de São Vítor é que tinha interrompido a transmissão. Apesar de a fome deixá-lo à beira da insanidade, a curiosidade era superior. Estava com uma expressão séria, quando uma voz feminina chegou através do alto-falante. Aumentou o volume junto com a gravidade em sua fronte.

– Desculpem interromper a Ivete, mas nós de São Vítor temos uma grande notícia para todos os amigos das fortificações que se mantêm fiéis na escuta, esperando por boas-novas. Como prometemos, todas as manhãs, às sete em ponto, daremos boletins dos progressos de nossos amigos bentos e soldados na sua cruzada contra os noturnos. E é com alegria que comunicamos: sob a liderança do maravilhoso Lucas, nós conseguimos pôr abaixo o maior covil de vampiros da região de São Vítor. O covil, distante cerca de vinte quilômetros ao norte de São Vítor, foi atacado durante a noite, e os bentos, com ajuda do Centro de Lançamento da Barreira do Inferno, o CLBI, e do TUPÃ, conseguiram acabar com milhares de vampiros em um único ataque. Um grande número de adormecidos jaz nas profundezas daquele covil; eles serão transferidos para São Vítor em segurança. A luta contra esses demônios da noite está só começando, todos nós sabemos, mas seremos vitoriosos. Contamos com as orações de todos vocês para que Lucas continue sua cruzada vitoriosa. Mais notícias e detalhes dessa gloriosa façanha às dezoito horas, pontualmente. Um grande abraço a todos os irmãos do Brasil e do mundo que escutam esta transmissão.

Assim que a música voltou ao ar, agora era o sambista Jorge Aragão quem cantava, Lúcio desligou o aparelho. Estava boquiaberto. O que estava acontecendo? O que era TUPÃ? Olhou para o caminho que tinha feito, pensando em retornar ao cômodo úmido e voltar para a trilha arrastando o caixão. Cada miligrama de insegurança que brotava em seu coração bastava para que ele se apegasse ao amo. Não poderia perdê-lo, de forma alguma. Contudo, antes que se dobrasse à sua covardia, o estômago lembrou-lhe de algo mais urgente. Do trilho de fumaça riscando o céu. Do cheiro de pão. Tinha de se alimentar. Tinha de conseguir remédio para as feridas da mão.

Lúcio voltou a descer o caminho de terra, em direção ao cheiro de pão. Cantarzo teria de se virar sozinho por um par de horas ou dois. Se o lacaio morresse de fome, o vampiro não teria ninguém para carregá-lo ao norte. Assim raciocinava o escravo, buscando desculpas para afastar-se do vampiro e abastecer o estômago.

CAPÍTULO 6

Chen, um dos líderes de São Vítor, comandava a segunda fase da missão. As brasas remanescentes dos vampiros incinerados pelo facho de luz levantavam cortinas de fumaça preta que riscavam o céu azul. Boa parte dos bentos tinha retornado a São Vítor com o levantar do sol e ele ficara ali, ansioso por notícias dos soldados feridos. A vitória só não havia sido mais festejada por conta da percepção tardia da perda de oito soldados, mortos pelas garras e lâminas afiadas dos vampiros.

Bento Teodoro, o ruivo, permanecera junto à boca da caverna, bem como os bentos Lucas, Augusto e Amintas. Os guerreiros mostravam-se satisfeitos, pois, até o momento, nenhum mulo atrevido havia dado as caras. Provavelmente, escondidos nas árvores, tinham visto o assombroso cenário aos pés dos soldados, com restos carbonizados de milhares de vampiros, e, enfiando o rabo entre as pernas, desapareceram. Se os combatentes de São Vítor tinham conseguido retumbante vitória contra o maior covil selvagem da região, quiçá do Brasil, o que não fariam com o resto deles?

Teodoro, dono de indômita cabeleira rastafári, ajudou oito soldados a tirarem da traseira de um caminhão Ford um grande e pesado gerador de energia com motor a diesel. Da traseira do veículo, outros soldados desciam um comprido rolo de fio com soquetes e lâmpadas atarraxadas de cinco em cinco metros. Poderiam começar a iluminar o interior da caverna com tochas incandescentes, mas resolveram usar o fio eletrificado para uma iluminação mais consistente e controlada. Não sabiam exatamente o que lhes reservava o fundo daquele buraco fedorento e tenebroso. Sabiam que milhares de almas perdidas repousavam nas trevas do imenso covil. Um Rio de Sangue, como diziam os malditos. Seriam resgatados e transportados para o Hospital Geral de São Vítor, o HGSV. Transportados para a segurança das muralhas.

Com a ajuda do bento ruivo, arrastaram o gerador até a boca da caverna. Um dos soldados puxou a corda que dava partida ao gerador. O motor a diesel engasgou e não ligou. Foi preciso puxar mais duas vezes para que funcionasse. O som ritmado do motor abriu o sorriso dos soldados ao redor. O trabalho estava andando.

Bento Teodoro foi até a clareira e gritou para o grupo de soldados e bentos adiante:

– Aê, Lucas! O bagulho tá funcionando, meu irmão. Quem vai encabeçar a parada?

Lucas olhou para os soldados. Muitos deles tomavam um café fumegante, preparado pelo sempre pronto e espontâneo cuca Paraná.

– Eu vou! – berrou o trigésimo, decidindo depois de um instante de silêncio.

Lucas apertou os dragonetes na altura correspondente a suas clavículas e libertou a capa vermelha da armadura prateada reluzente. O brilho aumentou quando a capa deixou à mostra dos raios de sol as costas metalizadas do guerreiro. O homem dobrou zelosamente a capa e depositou-a sobre a sela de seu tordilho de pelos marrom-escuros. Lucas colocou sua touca de cota de malha de metal, garantindo proteção extra às jugulares. Verificou os cadarços dos coturnos e as luvas. Teria uma expedição e tanto pela frente.

Trinta anos depois da noite maldita, nenhum humano conseguira um mapa do interior do imenso covil. Um ou dois despertos haviam escapado com vida da temerosa caverna, mas, por conta da desorientação e do pavor gritante e avassalador, jamais puderam dizer com precisão o que tinham visto durante a indesejada hospedagem. Quando paravam de espernear e chorar, só conseguiam se concentrar nos horrores assistidos debaixo de pilhas de corpos inertes. Contavam sobre os "homens brancos" com "olhos de fogo".

Lucas caminhou entre as brasas fumegantes. O calor já não era tanto e não chegava a incomodar, mas a fumaça teimosa que subia daqueles restos entrava fundo pelas narinas, gerando uma constante e desagradável orquestra de tosses e fungadas ao redor. O que incomodava mais, ironicamente, era o sol quente e amarelo sobre suas cabeças. Já tinha se acostumado ao abafamento causado pelo peito de prata e toda a roupagem que compunha seu vestuário de guerreiro, mas o dia prometia ser um dos mais quentes que já tinha presenciado desde seu despertar místico. Sorriu ao olhar para Teodoro, subindo o único trecho acidentado após a clareira, onde terminava o chão de terra e começavam as pedras que compunham a boca da caverna. A entrada tinha cerca de seis metros de altura e mais de quinze de largura. O som do motor do gerador tomava toda a clareira. O sorriso continuava em seus lábios, pois se recordava da primeira vez que tinha visto aquele bento louco, numa meteórica e apurada passagem pela Ilha Grande. A impressão não fora das melhores na ocasião, mas aos poucos era dissolvida pela crescente boa vontade do amigo carioca.

O trigésimo guerreiro galgou as pedras, chegando na boca da caverna. Um vento frio atingiu seu rosto. A caverna respirava. Junto do vento, um cheiro acre e pesado. A excursão não seria das mais agradáveis. Soldados chegaram com lanternas de carbureto para a iluminação quando ficasse mais escuro. Lucas ia à frente, com a espada desembainhada. Mais para trás, bento Teodoro e outros soldados desenrolavam o cabo com soquetes e lâmpadas que oscilavam a intensidade da claridade de acordo com a cadência do motor do gerador.

Lucas desembainhou sua espada e iniciou a invasão. Recuperariam tantas vidas quanto houvesse dentro daquele ninho de vampiros. A espada empunhada deixava claro que Lucas contava também com a presença de alguns inimigos nas entranhas das rochas. Sabia que, pelo avançado da hora, essas criaturas da noite estariam em seu sono das horas de sol e seriam facilmente exterminadas. Ao fim do dia, teriam um grande feito para contar e mais um fantástico evento grafado na História recente da humanidade.

CAPÍTULO 7

Raquel e Gerson deixaram o buraco escuro que servira de toca. Depois de ouvir as últimas histórias da boca do humano, tinham decidido buscar mais informações no maior covil da região de São Vítor. A distância até o covil passava de trinta quilômetros. Poderiam chegar antes do amanhecer, isso era certo, desde que tivessem o alimento mágico injetando energia em seus corpos assombrados. Precisavam de sangue. Muito sangue.

Raquel saltou para o tronco do jequitibá, impulsionou o corpo esguio e feminino por entre os galhos e, em questão de segundos, estava a mais de vinte metros de altura. Fazia um vento frio. Um vento diferente. Não sabia o que era. Olhou para baixo. Viu o par de olhos de Gerson vindo ao seu encontro, passando rente ao tronco da árvore alta. O vampiro de ombros largos e corpo musculoso abriu a mochila de lona que carregava em suas costas e verificou os pertences. Equipamento para uma boa caçada. A vampira de cabelos vermelhos e longos voou, cruzando o ar, ao encontro da outra árvore. Pássaros adormecidos despertaram e voaram, piando, assustados, quando o galho balançou.

Raquel inspirou o ar da noite. Conhecia os cheiros. Era boa na arte da emboscada. O galho balançou uma segunda vez, quando Gerson pousou ao seu lado. Estavam quase no topo da árvore. Raquel colocou-se ereta, sentindo o vento em suas costas empurrando os cabelos para o queixo. O trajeto da ventania não favorecia a caçada naquela direção, mesmo assim, queria ir para a estrada, que sempre trazia boas pistas de onde encontrar comida quente e fresca.

A dupla de vampiros continuou a travessia da mata pelos galhos finos das árvores. Prestavam atenção aos barulhos da mata. Se o vento não revelasse nada, os sons haveriam de fazê-lo. E foi assim, de olhos atentos e ouvidos famintos, que deram com aquele ser na mata. Raquel apontou para Gerson. Uma vampira recostada em um tronco. Uma vampira que tremia e se abaixava espreitando, parecendo tomada pelo medo.

Raquel e seu seguidor mais fiel ficaram de pé no galho, calados, observando a estranha vampira por mais de dez minutos. Queriam descobrir primeiro quem era ela e do que tinha tanto medo no meio da noite. Raquel estava pensativa e taciturna desde o encontro com os bêbados ao redor da fogueira. O pinguço deixado por último tinha dito aquelas coisas. Trinta bentos. Quatro milagres. Não contou quais milagres eram. Tinha fechado os olhos e começado a rezar pedindo clemência divina. Agora aquilo. Uma vampira sozinha, amedrontada.

Gerson saltou duas árvores adiante e perscrutou a floresta, buscando inimigos. Nada. Olhou de volta para Raquel. A vampira apontou a criatura trêmula e saltou do galho do eucalipto. A queda foi rápida e certeira. Caiu às costas da vampira e pousou-lhe a mão no ombro.

Luana urrou raivosa e assustada, saltando e fincando as unhas na árvore. Lançou um rosnado para a vampira ruiva, escancarando sua mandíbula e exibindo as presas afiadas.

Raquel não se alterou, mantendo seu olho bom fixo na vampira. Gerson surgiu ao lado direito da árvore. A vampira percebeu a presença do parceiro da caolha e subiu mais no tronco da árvore.

– Calma aí, *miss* simpatia – gracejou Raquel. – Estamos curiosos com seu comportamento.

– Por que está com medo da própria sombra? – secundou Gerson, aproximando-se da parceira.

A vampira fechou a boca e escureceu os olhos. Suas pupilas continuaram vermelhas, tintas, mas sem o brilho ameaçador de quando os vampiros estão prontos para briga. Raquel aproximou-se um passo e estendeu a mão para que a criatura descesse confortavelmente do tronco. Luana, por sua vez, saltou antes de valer-se da ajuda de Raquel.

A vampira ruiva deixou os olhos passearem rapidamente pela figura à sua frente. Dois punhais presos na coxa da vampira. Sorriu. Tinha gostado dela. Não era uma vampira tonta como tantas outras. Sua postura atual, de peito aberto e olhos firmes encarando os dois, tentava apagar aquela outra, de uma vampira fraca e trêmula.

– O que tem naquela direção que te assusta tanto? – insistiu o grandalhão.

Luana virou-se para trás e olhou através do tronco à sua frente. Olhou para o céu. Raquel sorriu novamente e balançou a cabeça olhando rapidamente para Gerson, que também sorria. A vampira tinha pirado.

– Eles têm alguma coisa que vem do céu. Era luz como se fosse o sol... – disse a voz apagada da vampira.

– Como é que é?

Luana encarou Raquel.

– Você deve achar que sou louca, não é? Dá pra ler nesse seu olho arregalado.

Raquel riu.

– Encontramos uma vidente, Gerson.

– Diz agora alguma coisa que a gente não sabe.

– Os mortais... eles têm alguma máquina... algum poder. Eles atacaram o covil grande. Montaram uma armadilha. Quando a maioria dos nossos estava fora... eles trouxeram o sol!

– Ha-ha-ha! – riu Gerson.

Raquel pensou na profecia do velho Bispo imediatamente, ao passo que Gerson aumentou ainda mais as risadas.

Um fino fio de luz da lua cortou o ar. Bastou para Raquel pender o corpo rapidamente, enquanto o punhal passava voando próximo à sua orelha esquerda. Gerson não teve a mesma sorte e suas risadas viraram um grito quando sentiu a prata perfurando seu ombro. Instintivamente, a vampira ruiva ergueu a metralhadora, que carregava embaixo do sobretudo de couro, liberando uma rajada de balas prateadas.

Todo o movimento, entre o duplo arremesso de facas e os disparos da metralhadora, durou coisa de dois segundos. A fumaça das doze cápsulas deflagradas ainda pairava no ar e o silêncio, comum às tragédias inesperadas, envolvia o trio que, naquele palco sombrio, encenava o ato noturno.

– Desgraçada – disse o vampiro grandalhão, rompendo o silêncio e retirando a lâmina do ombro. – Esse machucado não vai sarar nunca.

Raquel, fria e repondo calmamente a metralhadora em seu lugar habitual, conferia o resultado da rajada. Luana, crivada de balas, estava caída ao encontro do tronco da árvore. Respirava de modo entrecortado, como se lhe faltasse ar. A maioria das balas tinha lhe atravessado o peito e duas perfurações apareciam em sua cabeça, uma logo na bochecha, ao lado e pouco abaixo do nariz, e a segunda na parte direita da testa.

– Por que você fez isso, garota? Tu é afoita, hein?

Raquel aproximou-se da vampira e acocorou-se à sua frente.

– Seu... seu namorado estava... ri-rindo de mim.

– Ele não é meu namorado. Ele ri de tudo e de todo mundo, nem por isso recebe facadas todas as noites.

A vampira ferida calou-se e fechou os olhos.

Raquel olhou com ar de reprovação para Gerson. O vampiro mantinha a mão sobre o ombro ferido e desviou o olhar.

– Do que tem tanto medo, vampira? Fale-nos.

– Você além de cega é surda? – afrontou Luana.

Raquel fechou a mão no pescoço da vampira.

– Não é porque está às portas da escuridão que eu não vou judiar de seu rostinho, garota. Seja educada. Devemos respeito uns aos outros. É tudo o que nos resta nesta vida maldita.

– Diz isso pro seu amigo – uma golfada de sangue negro escapou da boca de Luana ao terminar a frase.

Raquel se virou de novo para Gerson. O olhar dizia: "Está vendo o que fez?!".

– Essa vampira é maluca, Raquel! Fugindo do nada no meio da noite!

– Maluca?! – resmungou Luana, estrebuchando. Tentou levantar-se, mas os músculos desfaleceram. – Então vão... vão até o grande covil. Serão mortos pelo sol que queima a escuridão. O sol repentino. Eu vi com meus olhos, milhares e milhares de nossos irmãos virarem cinzas!

– E como a princesa escapou? – inquiriu o grandalhão, cruzando os braços e se aproximando da vampira moribunda.

Raquel olhou para Luana. A vampira tinha se escorado ainda mais no tronco e seu corpo escorregava lentamente para o chão. Pensava que ela tinha perdido os sentidos, quando voltou a falar.

– Eu fui ferida no meio do combate. Não eram balas de prata. Encontrei uma toca à beira da mata e me afundei em seu fundo escuro... então veio aquela luz...

Luana, antes de silenciar-se para sempre, tentou descrever diante da assombrada dupla de vampiros o que sucedeu quando o raio de luz infestara a clareira.

* * *

Gerson escutou o barulho primeiro. Fincou suas unhas pontiagudas na casca do tronco da mangueira. Alçou cinco metros e, das ramagens finas, saltou para o grosso caule de eucalipto. No galho firme, reto e lançado diagonalmente sobre a estrada, caminhou. Os olhos encantados enxergavam longe o asfalto. Um par de faróis. Um veículo pequeno rasgando a estrada no meio da noite. Silvou, chamando a atenção de Raquel. A vampira de um olho só encarou o parceiro. Ele apontava para o asfalto. Ela também subiu numa árvore. Soldados! Podiam parar de buscar rastros. A comida não estava entocada. Estava vindo direto para suas bocas. Um carro solitário. Nada de motos e de comboio. Raquel mordiscou o lábio inferior.

– A vampira não mentia, Gerson! – bradou a criatura do outro lado da estrada.

– Vamos pegá-los?

– Vamos! – gritou de volta, saltando do galho para o meio da rodovia. – Eles vêm em um carro só.

Gerson imitou a líder e saltou para o asfalto. Abriu um dos bolsos de sua mochila de lona. Retirou um punhado de pregos pontiagudos, torcidos e soldados. Espalhou-os por vários metros do asfalto, plantando a armadilha para os pneus de borracha.

– Por que, ao ver esse veículo, me diz que aquela vampira não mente?

– Junte o que ela disse e o que vimos, mais a conversa do pinguço que deixamos falar... não sobra margem pra dúvidas, Gerson.

– Ainda não peguei.

Raquel estava à margem da rodovia e relembrava o que tinham visto à boca do covil grande. Um mar de cinzas mortas abandonado sob a luz do luar. Um sem-número de vampiros transformados em estátuas mudas de carvão. Afugentou as imagens de sua cabeça, enquanto usava sua força vampírica para deslocar uma rocha do barranco. A pedra rolou para o asfalto, interditando um pedaço da rodovia.

– Não pegou? Nessas coisas o Anaquias era mais rápido do que você – gracejou a mulher vampira.

Gerson fechou a expressão, deixando claro que não tinha gostado do comentário. Detestava quando ela fazia menção ao raso conhecimento que tinha.

Raquel olhou para o outro lado da estrada, por volta de vinte metros mais adiante, e encontrou outra pedra grande o suficiente para causar problemas.

– Ajude-me com aquela lá. É mais pesada.

Gerson adiantou-se e, antes que Raquel chegasse, sozinho, empurrou o pedregulho da margem, fazendo-a rolar para o meio do caminho pavimentado. A pedra deveria pesar mais de duas toneladas, esforço do qual só quatro homens parrudos dariam conta.

– Nisso Anaquias nunca foi melhor que você – elogiou a vampira.

Gerson sorriu desta vez, esfregando as palmas das mãos para tirar o musgo que agarrara na pele.

– Explica melhor, Raquel. Como concluiu que é verdade o que suspeitávamos?

– Primeiro o bêbado nos fala dos festejos por conta dos bentos e dos milagres. Depois encontramos essa apavorada, escondida na floresta, no meio da noite, sem coragem de seguir para o grande covil. Você prestou atenção no que ela disse antes de passar para as trevas eternas?

– Que os humanos destruíram o grande covil? Claro que ouvi, não sou surdo... nem cego.

Raquel olhou para a estrada. Já podia ver as luzes do veículo se aproximando. Os dedos de garras afiadas dançaram, em um assomo sutil de ansiedade.

– Lembra que Luana disse que eles queimaram os vampiros com o sol?

– Já falei que lembro.

– Com o sol, cara! Em plena madrugada!

Os vampiros se separaram, embrenhando-se no mato à beira da estrada, fugindo do par de faróis que se aproximava.

– Se eles trouxeram o sol para o grande covil, no meio da noite, eles estão mexendo com coisa grande – continuou a vampira. – Isso só pode ser um milagre, Gerson. Pelo tanto de vampiro transformado em carvão naquela ravina, tem cheiro de milagre...

– Um milagre! Exatamente a ladainha que o velho Bispo espalhava para os quatro cantos do Brasil.

– Trinta bentos se juntariam para desencadear os quatro milagres – completou Raquel. – O bêbado falou disso, a vampira morta falou disso, nós vimos a boca do covil... Mesmo assim, pensei que pudesse ser balela, Gerson. Um líder esperto começaria a espalhar um blá-blá-blá só pra botar pilha pra cima da gente. Criar medo nos vampiros e inspirar confiança nos soldados.

Gerson manteve os olhos na estrada. Os faróis estavam mais próximos. O ronco do motor já podia ser ouvido.

– Não é difícil imaginar – continuou ela – que alguém esperto tivesse mentido para todo mundo, dizendo que os bentos tinham se juntado, que os quatro milagres tinham se apresentado e pronto. Bastava inventar essa conversinha para encher o peito de euforia de toda gente nas fortificações para novas e maciças investidas contra os covis...

– Como contra o covil grande?

– Isso.

– Quer dizer que pode ter sido armação? – indagou Gerson.

– Não. Quero dizer que "poderia" ter sido armação. Nesse caso, não foi. Se o que a vampira falou é verdade, e eu acho que ela disse a verdade, não foi conversa, foi fato.

– Como você sabe que não foi armação?

O veículo estava a menos de um quilômetro.

– Vamos pegar nosso lanche, vampiro. Depois termino a história.

Gerson grunhiu, insatisfeito e curioso. Era por isso que andava com Raquel. Ela era esperta. Via coisas que ainda não tinham acontecido. Enquanto ele juntava dois com dois para adivinhar acontecimentos, ela juntava duzentos com duzentos. Era danada. Sabia como se sair bem em tudo. Até mesmo em lutas como aquelas. Lutas contra soldados armados.

Raquel abaixou-se e apagou o olho vermelho. Sacou os punhais roubados de Luana das bainhas de couro. Os dentes pontiagudos brotaram, extravasando seus lábios. As veias negro-azuladas na pele excessivamente pálida causavam calafrios nas vítimas.

Gerson deixou seus dentes crescerem, enquanto o cintilar dos olhos desaparecia. Olhos fixos no asfalto. Em poucos segundos, colheriam os frutos da armadilha bem preparada. Seriam segundos de gritos e de desespero. Seus ouvidos, tão acostumados com aquelas ladainhas da hora da morte, novamente afundariam em súplicas e choro. O vampiro inspirou fundo. Queria sentir o cheiro dos humanos que chegavam. Dos humanos que vinham inadvertidamente para os minutos derradeiros de suas vidas passageiras.

* * *

Tadeu pisava fundo no acelerador. Não queria ter deixado a fortificação sob o risco de chegar a São Vítor com a noite feita. Mas as garotas tinham pedido tanto. Literalmente, tinham implorado, arrojadas aos seus pés. Era difícil resistir ao dengo das mulheres.

Ao seu lado vinha Vânia, amiga de infância que tinha reencontrado três anos antes na pré-noite maldita. No banco de trás do Troller, estavam Eric e Carol. Quando Eric contara às garotas que tinha conhecido, em pessoa, o trigésimo bento, elas ficaram histéricas, enchendo o rapaz de perguntas. Queriam, a todo custo, conhecer Lucas pessoalmente. Agradecer-lhe por ser o tal a juntar os guerreiros bentos para desencadear os quatro milagres.

Graças a eles, elas tinham ouvido a manhã toda a voz de Nando Reis viajando pelas "bem-vindas de volta ao ar" ondas de rádio. Os viajantes estavam sintonizados em São Vítor o tempo todo, no radinho de pilhas recarregáveis. Um adaptador, plugado no acendedor de cigarros do Troller, garantia o reabastecimento do par de pilhas sobressalentes. Elas imploraram para seguir até São Vítor, custasse o que custasse. Fariam qualquer coisa para estar com Lucas e conhecer os guerreiros bentos. Eram ídolos! Tadeu, diante da frase "qualquer coisa", não mediu esforços. Conseguiu álcool e surrupiou as chaves do Troller. Com uma desculpa esfarrapada, colocou o veículo para o lado de fora de São Pedro. O soldado Eric trouxe as meninas.

A única coisa que Tadeu não queria era viajar naquele horário. Mas não teve jeito. Uma série de argumentos começou a pipocar em seus ouvidos. Tinham um rádio transmissor no jipe e poderiam pedir ajuda caso alguma coisa desse errado. Poderiam encontrar a frequência de São Vítor e solicitar apoio do TUPÃ. Qualquer vampiro que se metesse em seu caminho seria frito pelo dedo de sol. Aquilo era o máximo! Os milagres tinham vindo! *Os vampiros já eram!*

As conversas e alegrias tinham minguado centenas de quilômetros atrás, depois de uma pane elétrica e de terem ficado encostados cerca de uma hora e meia na estrada, apenas para descobrir que era só um cabo solto da bateria do jipe, que escapara quando ele chacoalhou em um buraco. Estavam atrasados, na reserva de combustível e longe de São Vítor. As meninas estavam com medo e tinham pedido que chamassem a fortificação pelo rádio, para que mandassem alguém para escoltá-los. Eric, soldado de São Pedro, foi terminantemente contra. Tinha anoitecido, mas não estavam sob risco de ataque. Lembrou-se de que o covil grande de São Vítor tinha sido atacado e o grosso dos vampiros da região tinha sido sumariamente aniquilado por TUPÃ, e seria muito azar topar com um dos dentuços no meio da estrada. Se fizessem o chamado sem um perigo real, passariam por ridículos frente à segurança de São Vítor. Eric lembrou-se, também, que tinham roubado o Troller de São Pedro, portanto, teriam de passar despercebidos até chegar lá.

No fim das contas, ele mostrou-lhes o fuzil que trazia no assoalho do veículo, carregado de balas com revestimento de prata. Se algum vampiro desse o azar de cruzar com eles, sairia bem zoado da trombada. Eric rematou com um ditado *à la* Vicente Matheus, dizendo que "quem está na chuva é pra se queimar". Todos riram e concordaram, terminando por ressuscitar várias pérolas do adorado ex-dirigente corintiano.

* * *

Tadeu continuava a cerca de cento e quarenta quilômetros por hora. O caminho, naquela região, era deliciosamente reto e plano e com um asfalto inacreditavelmente conservado. Os faróis tinham um alcance excepcional e, caso nenhum imprevisto acontecesse, estariam em São Vítor em cerca de uma hora.

Vânia, a copiloto, pediu a garrafa de suco para a amiga no banco de trás.

– Me passa o suco, sem baba, por favor – brincou Vânia.

Carol interrompeu um longo e molhado beijo em seu companheiro de viagem para dar ouvidos à amiga. Ela riu e afastou-se de Eric, apanhando a garrafinha, que já estava a menos da metade, e estendendo-a para a amiga no banco da frente.

Vânia desrosqueou a tampinha, olhando para a estrada negra. Um calafrio percorreu seu corpo, como se pressentisse perigo. Olhou para Tadeu e nada disse. Sorveu o suco até a última gota, estremecendo, agora, mais pelo gosto ácido da bebida do que por sensações externas. A voz de Carol fez com que abrisse os olhos novamente.

– A sede eu já matei também, tô querendo é beliscar alguma coisa. Sobrou um pãozinho aí?

Vânia abriu o porta-luvas. Estava tão zoneado e amontoado que as coisas voaram de seu interior.

Tadeu, surpreso com a quantidade de bagunça que as garotas conseguiram colocar no compartimento, e que agora se esparramava a seus pés, desceu os olhos, rindo para a amiga. Vânia estava debruçada, tentando encontrar o saquinho de pães no chão escuro. Conforme ela se abaixou mais, os olhos atentos de Tadeu deixaram a estrada uma segunda vez, mais demoradamente agora, observando o generoso decote que deixava boa parte dos seios da garota à mostra. Tadeu deteve-se mais do que deveria. Todos foram pegos de surpresa por um estrondo repentino e sentiram seus corpos sendo jogados para a direita, por conta de uma forte guinada que o veículo dera à esquerda.

Desesperado, Tadeu voltou os olhos para a pista, a tempo de ver um grande pedregulho no meio do asfalto. Enfiou o pé no freio, sem tempo para manobras, o som da freada tomando conta de toda a estrada. O lado esquerdo do Troller atingiu a pedra em cheio. O pneu dianteiro subiu pelo pedregulho, desestabilizando o veículo. Tadeu tinha perdido o controle. As mãos aferradas ao volante de nada adiantaram. Os gritos das meninas e de Eric furavam seus ouvidos. Uma segunda pedra na pista fez com que, por puro reflexo, ele puxasse toda a direção mais uma vez para a esquerda. Os pneus alcançaram o barranco e as quatro rodas do jipe foram ao ar. Os gritos não pararam, enquanto um descomunal barulho de teto raspando contra o asfalto enchia a cabine. Tão repentino quanto o acidente começou, ele parou.

Tadeu, preso ao cinto de segurança, tinha um zumbido ininterrupto no ouvido. A estrada estava escura e a luz de teto do Troller tinha apagado. A única claridade era fornecida por um farol do jipe, que batia na margem da estrada e atingia os troncos das árvores mais próximas. Parecia, porém, que a luz do veículo era inconstante, aumentando e diminuindo, e ele ficou sem saber se aquilo estava mesmo acontecendo ou era coisa dos seus olhos. Ouviu a música entrecortada por estática saindo do rádio. Tentou olhar para Vânia, mas o pescoço doeu tanto que Tadeu soltou um grito ao tentar movê-lo. Tossiu. Tinha vidro na boca. Vidro do para-brisa estourado! O radinho parou de operar. Tateou ao lado do seu banco, procurando destravar o cinto. Mantinha os pés pressionando os pedais, como se tivesse congelado naquela posição pré-capotagem. O coração estava disparado e havia uma dor descomunal no pescoço, que irradiava para a cabeça, transformando-se numa forte enxaqueca. Além disso, sentia o estômago embrulhado e tontura, resultado da adrenalina em excesso que banhava a corrente sanguínea. Encontrou a trava e o cinto soltou-se com facilidade.

A cabeça dele bateu no teto e a perna foi prensada pelo volante. Gritou de novo, sentindo uma dolorosa fisgada na musculatura do pescoço. Virou as pernas para o lado da janela. O silêncio das vozes sufocava. Por que os outros também não se mexiam? Por que não gemiam e não tentavam sair? Que cheiro era aquele? Passou os pés para fora da janela da porta do motorista e conseguiu colocar metade do corpo para fora. O radinho de pilha ligado, fantasmagoricamente, voltou a funcionar. Tocava "Swallowed", um clássico do Bush. Ficou de quatro, com metade do corpo dentro do jipe. Seus olhos ardiam e doíam. O pescoço parecia entrevado, não conseguia mexê-lo plenamente. Olhou para Vânia. Não enxergava nada direito. Estava escuro demais ou a visão estaria afetada? A amiga estava muito quieta. O coração acelerou. Sentiu náuseas. Tinha alguma coisa tão errada com o pescoço de Vânia que a dor dele, típica de um torcicolo, deveria ser refresco.

Ela estava tão viva e sorridente um segundo atrás... como poderia ser aquilo? Olhou para o banco de trás. O estômago embrulhou. A cabeça do Eric! Tadeu não suportou mais e, arrastando-se para fora o mais rápido que pôde, vomitou sobre o asfalto coberto por estilhaços de vidro. Virou-se e recostou-se na lataria, choramingando. Estavam mortos. Só podia ser isso. Por causa de uma olhada para os peitos da Vânia, estavam mortos! Sua culpa! Cuspiu um caquinho de vidro que tinha estralado desconfortável entre seus dentes. Tapou os olhos com as mãos, chorando copiosamente. O choro sentido, entrecortado por soluços e repuxões na musculatura ferida do pescoço.

Nessa posição, levou mais de intensos cinco minutos. Tadeu sentia-se culpado pela morte dos amigos. Quando conseguiu interromper o pranto, e seu peito voltou a subir e descer com um pouco mais de calma, tirou as mãos da frente dos olhos. Fungou e passou a mão no nariz, removendo uma porção de catarro que escorria, e limpou na calça de sarja. Os olhos, acostumados com a escuridão, encontraram um par de botas no meio da rodovia. Arrepiou-se dos pés à cabeça. *O rádio!* Tinha de usar o rádio. Só agora se lembrava de pedir socorro. No entanto, estava congelado por aquela figura parada diante dele.

A mulher estava a dois metros. Uma distância curta demais para tentar qualquer coisa brusca. O olhar subiu pelas pernas bem contornadas da criatura, chegando ao ventre, passando pelos seios e terminando em um rosto pálido demais para ser agradável. O sangue gelou nas veias quando percebeu que a figura tinha um olho só. O outro globo tinha um tapa-olho de couro. *Uma vampira!*

Tadeu abriu a boca, com os lábios trêmulos. Tinha de alcançar o rádio. Era sua única esperança.

– Por que choras? – perguntou a voz feminina, com docilidade.

Lágrimas voltaram a escorrer dos olhos do rapaz. Apontou para dentro do jipe com o polegar.

– Eu... eu os matei. Eu perdi o controle do carro. Foi tudo culpa minha. Eu olhei pros peitos dela... culpa minha! – gemeu Tadeu, baixando a cabeça e pousando a testa no joelho, enquanto voltava a soluçar, descontrolado.

– Não foi, não. Você não teve culpa de nada – retrucou Raquel, dando um passo à frente e acocorando-se para nivelar o rosto ao do rapaz.

Tadeu inspirou forte. Aquele cheiro estranho. Era sangue! Sangue misturado com álcool.

– A culpa dessa merda toda é dele – disse a criatura da noite, balançando a cabeça para o lado.

Tadeu mexeu o pescoço com dificuldade, quase não saindo da posição. Viu um segundo vampiro, andando pelo asfalto, aproximando-se vagarosamente do jipe capotado.

Gerson aproximou-se do carro e passou a mão no pneu dianteiro murcho. Deu impulso, fazendo a roda girar rapidamente. Acocorou-se e deu uma espiada pela janela lateral sem vidro. Olhou um instante para Tadeu. O rapaz sentiu o corpo todo estremecer ao encarar aqueles olhos frios de fera. Gerson puxou o corpo de Eric pela abertura. A cabeça do rapaz estava inchada e um filete grosso de sangue escorria pelo ouvido.

– Esse tá morto.

Tadeu continuou com os olhos, arregalados, na direção de Gerson. O vampiro era enorme, de braços musculosos e pele branca. Quando ele falou, pôde ver de perto os caninos pontiagudos enfeitando a arcada dentária superior. Outra vez, um calafrio percorreu o corpo. Estava ferrado, sabia disso.

– Que música é essa? – perguntou Raquel, passando a mão na sobrancelha do rapaz, que tinha um caco de vidro.

Tadeu meneou a cabeça negativamente. Não conhecia o Bush nem a nova faixa do CD da coletânea. Tocava "Swallowed".

– Que música é essa, moleque? – repetiu a vampira.

– Eu não sei o nome. É da rádio.

– Rádio... – balbuciou Raquel.

O rapaz aquiesceu.

Gerson terminou de tirar o corpo de Eric do jipe. Enfiou a mão mais uma vez. Trouxe Carol para fora. Pousou a mão na jugular da menina. Pulsação.

– Essa aqui tá viva.

Raquel levantou-se rapidamente e olhou com um sorriso para Gerson.

– Ouviu o que ele disse? – disse ela, dando um tapa no braço do vampiro. Era difícil ver aquilo em Raquel... ela estava *feliz*? – Hoje tu tá pior que porta, hein, Gerson? O garoto falou que essa música vem de um rádio.

– Ele está mentindo, Raquel. Rádios não funcionam.

A vampira abaixou-se novamente junto a Tadeu. Esgueirou meio corpo para dentro do jipe.

Tadeu pensou. Poderia atacá-la. E o outro? O que ele faria?

A mulher abaixou mais o corpo, tocando o do rapaz. Foi rápida. Voltou com o radinho de pilhas na mão. Ela sorria, o que fazia com que os lábios ficassem marcados pelos dentes pontiagudos.

Raquel encarou o rapaz, levando o rádio até o ouvido. Em seguida, levou o olhar em direção a Gerson.

– É rádio mesmo, Gerson. Um radinho... funcionando.

– Céus! – exclamou o vampiro.

– Céus?! A gente encontra um rádio funcionando e você fala "céus"? Só você mesmo, Gerson.

Raquel meneou a cabeça negativamente.

Tadeu arregalou os olhos pela enésima vez e olhou para a amiga nas mãos do vampiro, que a segurava pelo queixo e movia sua cabeça mole de um lado para outro, de modo suave. Sentiu outro calafrio cortando o corpo. Lembrou-se da merda do fuzil no chão do banco de trás, que agora deveria estar no teto, depois que o carro ficou de ponta-cabeça.

Raquel abriu um sorriso malicioso olhando para a garota. Sangue vivo e pulsante. Talvez nem quisessem o sangue do morto.

– Ele ainda está quente – rebateu Gerson, olhando de novo para o defunto, como que adivinhando os pensamentos da parceira.

Gerson soltou a menina desacordada. Carol estava comatosa. Também tinha o rosto inchado, mas nenhum sangramento aparente.

O vampiro se levantou e acocorou-se ao lado do rapaz morto. Levou as presas ao pescoço de Eric e começou a drenar o sangue. *Saboroso.* Tinha morrido há pouco. Precisava sugar com gana. O coração pulsante sempre ajudava na refeição. Drenar dos mortos era mais trabalhoso do que dos vivos. Mas, mesmo sendo um defunto, o sangue estava muito bom. Estava faminto. Precisariam de energia para chegar ao covil grande.

Tadeu aproveitou quando a vampira olhou para o parceiro, talvez atraída pelo ritual sangrento, e lançou-se em direção ao corpo da amiga agonizante. Sabia o que a ruiva pensaria, que a intenção dele era alcançar Carol, em um ato de desespero. Talvez desse certo.

Arrastou-se mais um pouco e alcançou a janela. Viu a arma na lataria. Estava no canto oposto do jipe, quase saindo pela outra janela. Teria de esgueirar-se para dentro. Não ia dar certo. Enfiou a mão para dentro do carro. Assustou-se e estacou quando viu o rosto de um olho só aparecendo do outro lado do Troller. Como podia? Ela estava à frente dele um segundo atrás!

Raquel apanhou o cano do fuzil e tirou do alcance do rapaz. Passou a correia pelo pescoço.

Quando Tadeu tirou a cabeça do veículo, a vampira já estava na sua frente, apontando-lhe a arma.

– Tem bala de prata aqui?

Tadeu meneou a cabeça, positivamente.

Gerson não olhava para os dois, ocupado em sorver até a última gota do sangue de Eric.

Raquel baixou o cano até o pé direito do rapaz e puxou o gatilho. O som do disparo varou a floresta, fazendo pássaros piarem e abandonarem os galhos das árvores próximas da rodovia.

Quando o eco do disparo acabou, restaram os gemidos de Tadeu.

Gerson parou de olhos esbugalhados em direção à parceira.

Tadeu virou de bruços e começou a se afastar do jipe, deixando um trilho de sangue por onde seu pé ferido passava.

– Para onde estavam indo? – perguntou a vampira.

O rapaz não respondeu.

Raquel andou pacientemente até alcançar a vítima.

– Para onde estavam indo?

Tadeu continuava a rastejar, raspando os cotovelos protegidos pelo jeans de sua jaqueta contra o asfalto.

Raquel desvirou-o, empurrando seu corpo com a bota. Pisou no peito do rapaz, colocando pressão na caixa torácica.

– Não! – gemeu Tadeu.

Estava desesperado. A força do pé da vampira o impedia de inspirar. Estava acabado. Não devia ter aceitado aquela viagem idiota naquela hora idiota. *Por que elas queriam tanto ver o bento Lucas? Por que sair quando sabia que pegariam a noite no meio do caminho?* Sentia-se burro. Sentia-se um inútil! Não tinha conseguido apanhar o fuzil. Mesmo que fosse largado ali, no meio da rodovia, não conseguiria chegar com vida até uma fortificação. Estava perdido. Rompeu em pranto, com as lágrimas escorrendo pelo rosto.

Raquel olhou em silêncio por um instante para o rapaz. Como eram fracos. Choravam em vez de lutar até o último instante. Como eram inúteis. Aqueles ali não eram como os bentos. Eram um bando de babacas que mereciam ser devorados até a última gota. Eram gado. Eram bichos de criação. Não valeriam em bosta o que pesavam. Seus corpos só faziam bem ao mundo quando eram jogados na terra para decompor-se e adubar o solo. *Bichos de merda*. E queriam agora liquidar com eles. Com os donos da noite. Com os donos do mundo. Não deixaria.

– Para onde estavam indo?

Tadeu gemeu mais e continuou chorando.

Raquel aliviou um pouco o peso do pé. Deixou a vítima tomar fôlego. Lembrava-se de como era aquilo. Precisar respirar... O garoto inspirou fundo e tossiu sucessivas vezes, contorcendo-se. O pé queimava e latejava. A dor no pescoço triplicava a cada espasmo durante o acesso de tosse.

A vampira pousou o cano do fuzil na testa do rapaz. Queria testar a resistência e a valentia dele. Olhou para o jipe por um segundo. Gerson agora mordia o pescoço da garota em coma no meio do asfalto. O desgraçado iria beber todos eles! Ergueu o fuzil e disparou na direção dele. A bala ricocheteou na lataria do veículo capotado. Gerson tirou a boca do pescoço hemorrágico e deixou os olhos cintilarem vermelhos em advertência. Grunhiu para a colega de caçada.

Raquel voltou a colocar o cano, quente, na testa do rapaz. Tadeu retraiu a cabeça, batendo a nuca no asfalto.

– Não estou com paciência, menino. Diga-me, para onde estavam indo?

Tadeu tossiu e olhou para o cano da arma. Não tinha mais forças. Gemeu quando a vampira voltou a colocar o peso da bota sobre seu peito. Suas costelas iam estourar!

– Estávamos indo para São Vítor.

– São Vítor? É logo ali – brincou a vampira, apontando o caminho com o cano do fuzil.

O olho bom da vampira baixou novamente para o rapaz. Percebeu que ele, sabiamente, temia encará-la.

– O que há de especial em São Vítor?

– Lucas. Bento Lucas. Ele juntou os trinta bentos. Ele libertou os milagres e vai libertar-nos dos vampiros.

– Bento Lucas... – tartamudeou a vampira.

– Ele vai acabar com você.

– Bento Lucas... – repetiu.

– Ele é o cara. Ele vai acabar com você.

– Bento Lucas... – repetiu, dessa vez com a voz mais alta.

– Ele vai aca...

Tadeu não concluiu a frase. Um novo disparo explodiu na mata, junto com a cabeça do rapaz.

Raquel olhou ao redor. O olho brilhou vermelho e permitiu que os dentes se alongassem ainda mais. Ajoelhou-se ao lado do cadáver fresco.

– Bento Lucas! – balbuciou mais uma vez, antes de descer os dentes na jugular de Tadeu.

A vampira sugou com força, satisfeita por sentir que o coração do rapaz ainda funcionava. Precisava de sangue. Estava faminta. Precisava de muito sangue. Encontraria esse maldito Lucas. Descobriria de que merda era feito esse bento predestinado. Arrancaria a cabeça dele para que os humanos voltassem a se sentir perdidos. Agora, tinha um nome. Agora, tinha um objetivo. E sabia exatamente onde buscar um aliado para essa façanha. Um aliado louco, mas poderoso. As peças daquele quebra-cabeça estranho pareciam começar a se encaixar.

Terminada a refeição, Raquel levantou-se, carregando o rifle, e voltou ao jipe. Gerson puxava Vânia para fora. – E quanto a esta aqui?

– Leve-a. Logo precisaremos de mais sangue. Ainda não me fartei. O sangue dela será útil na jornada que se desenha.

– Tem a ver com a conversa que estávamos tendo antes de eles aparecerem?

Raquel olhou para o vampiro.

– Isso mesmo, Gerson. Isso mesmo.

– Você ia explicar o ataque ao covil grande.

Raquel olhou para o radinho na palma de sua mão, que continuava tocando, agora uma balada romântica.

– Vou explicar tudo que tô entendendo até agora, Gerson. Aquela piração do Anaquias... tô achando que o cara não tá louco coisa nenhuma.

– O Anaquias! Ha-ha-ha! Você viu comigo. O cara tá piradinho. Juntando um exército para um tal de vampiro-rei.

– Pois é. Acontece que você tava comigo. Ouviu o que eu ouvi também. Ele disse que *eles* viriam. Naquela hora, *eles* eram os bentos. Anaquias, ouvindo aquela voz na cabeça, como ele mesmo dizia, de alguma forma estava sabendo de coisas antes de acontecerem. Ele avisou os vampiros de São Paulo sobre a invasão a Teodoro Sampaio.

– Certo...

– Essa papagaiada que o velho Bispo profetizava está acontecendo diante dos nossos olhos. Luana disse que um raio de luz veio do céu. Que o sol veio no meio da madrugada e queimou a todos. O rádio voltou a funcionar e está tocando, aqui na palma da minha mão. Isso já é outro milagre. A profecia do velho falava em quatro. Temos de descobrir quais são os outros e nos armarmos, nos prepararmos para tempos de vacas magras.

– Como pode estar tão certa? Como sabe que é tudo verdade? Foi como você disse: os humanos podem estar encenando um teatrinho para fazer todo mundo acreditar e, como você mesma falou, encher os soldados de moral.

– O rádio, palerma. Isso não dá para representar. O rádio tinha desaparecido na Noite Maldita e voltou. A luz do sol! A vampira viu. Ninguém contou isso pra ela. Ela viu! Ela fugiu de lá pra morrer nas nossas garras! E esses merdas de humanos andando durante a madrugada... Isso é o que me deixa mais cabreira. Não tem termômetro melhor do que o medo e o respeito. Os humanos perderam o respeito. Há trinta anos, ninguém botava o rabo na rua depois que o sol se punha. Em duas noites, já encontramos dois grupos dando mole depois do pôr do sol. Isso tem nome.

– Idiotice?

– Esperança, anta. Esperança – retrucou a ruiva, irritada com o brutamontes. – Eles estão acreditando nos milagres. E te digo: esses milagres, que vieram para nos aporrinhar, estão por aqui.

– O rádio e o sol durante a noite.

– Falta descobrir quais são os outros dois.

– Como vamos fazer isso?

– Vamos mudar os planos. Poderíamos ir direto a São Vítor agarrar o tal do Lucas, mas somos só dois contra centenas de soldados e um punhado de bentos. Vamos buscar Anaquias. Ele tá juntando aquele monte de vampiros e tem um exército aos seus pés.

– Ele falou do vampiro-rei...

– Com ou sem vampiro-rei, ele é o vampiro mais poderoso hoje em dia.

Gerson bufou.

– Sei que isso te enerva, grandão, mas é a verdade. Vamos ter com ele.

Raquel esgueirou-se para dentro do jipe e arrancou do painel o rádio transmissor. Aquilo ali deveria estar funcionando também. Pediu que Gerson removesse a antena envergada da traseira do carro capotado.

Gerson obedeceu, colocando o corpo inerte de Vânia em cima do veículo e indo até onde a antena estava atarraxada.

– O Anaquias... – balbuciou o vampiro. – Quem diria que aquele panaca ia ser o bambambã um dia?

– Se liga, Gerson. O Anaquias nunca foi panaca. Era um bom soldado. E eu sou a líder. Ele vai ter de se lembrar disso. Vai ter de me respeitar e me obedecer. Esse tal de bento Lucas vai ver quem é que manda no pedaço.

CAPÍTULO 8

Anaquias e seus homens chegaram à porta do covil. Estavam a muitos dias de São Vítor. Seus seguidores estavam famintos. Sabia que no covil encontrariam adormecidos o suficiente para saciar a fome dos soldados vampiros. O vampiro-rei soprava novas ordens. Soprava novo ânimo nos ouvidos de Anaquias. O líder do exército de vampiros, apesar da reconciliação com o espectro, da reconciliação com a crença de que o vampiro-rei lhe soprava boas-novas, mantinha-se taciturno. Falava pouco aos soldados.

Os vampiros e as vampiras que tinham sobrevivido ao terrível ataque celeste nos arredores da Barreira do Inferno tinham partido em blocos críticos. Uma porção dos sobreviventes parecia duvidar da falácia insistente de Anaquias acerca das profecias do vampiro-rei. Outros tantos diziam que estavam perdidos, que a profecia do Bispo havia vencido, que nada poderiam fazer para deter os humanos, uma vez que os trinta bentos se juntaram e os quatro milagres tinham sido libertos. Um volume respeitável, a despeito da trágica derrota, ao ver dezenas de milhares de irmãos sendo queimados pelo inexplicável e miraculoso raio de sol, aferrara-se na crença da vinda do rei noturno. Estranhamente, numa porção daqueles vampiros, a visão do milagre favorecendo os humanos plantara de forma confusa uma lógica incongruente e fé assombrosa.

Por tantos anos correra às matas a folclórica história dos trinta bentos. Tinham sempre lutado para evitar que isso acontecesse. E agora que podiam ver os trinta juntos e a profecia vomitada pelo finado velho Bispo ganhando forma, sentiam fortalecida a crença no profeta das trevas. As sentenças proclamadas por Anaquias também pareciam fortalecidas.

A observação dos milagres humanos tinha acontecido, e os vampiros passaram a crer que esse tipo de coisa poderia ocorrer a eles também. Tinham de crer em algo que salvasse a espécie. E, por isso, seguiriam Anaquias até onde ele pedisse. Cedo ou tarde, o vampiro-rei viria, como anunciava o líder do exército noturno. Os vampiros também tinham uma profecia. Tinham um herói para destinar sua crença e seu trabalho. Anaquias deveria ser seguido e protegido, a todo custo. Deveriam fazer até mais que isso. Deveriam esparramar-se pelos rincões do país e divulgar essa certeza fulgurante.

E, assim, os filhos das trevas não guardavam mais para si esse sentimento, essa certeza. Alardeavam nos covis, chamavam mais irmãos da noite para juntarem-se ao grupo de Anaquias, para ao menos ouvir os desejos do intermediário do rei. Pregavam que aqueles que seguissem Anaquias poderiam se salvar dos milagres dos homens e que, juntos, seriam conduzidos ao despertar do vampiro-rei, o vampiro que colocaria um fim àquela guerra. Um vampiro que mostraria aos homens o seu lugar na ordem das coisas. Um vampiro que colocaria a humanidade no seu devido lugar e transformaria as fortificações em rebanhos de sangue.

Anaquias rabiscava com carvão a parede da caverna. Não queria esquecer a imagem que vira através dos olhos do vampiro-rei. Escamas negras. Escudos de ferro. Escudos que fariam parte da estratégia de defesa. Os humanos sofreriam. Sofreriam.

CAPÍTULO 9

Lucas e seu grupo de homens aproximavam-se dos portões de São Vítor. A fortificação era iluminada pela luz do sol poente. Apesar de o fim do dia se aproximar, sabia que ele e os demais bentos teriam ainda muito trabalho dentro dos muros da cidade, antes de poder descansar. Os soldados estavam atentos nas torres. Tinham recebido instruções dos líderes Amaro, Chen, Matias e Willian, que coordenavam o trabalho com intensidade naquela tarde. Haviam deixado os soldados em alerta e colocado um número maior de homens nos muros. As sentinelas das torres receberam instruções especiais. Temiam uma represália por conta da tomada e destruição do grande covil. Certamente os vampiros não deixariam por menos. Iriam querer recuperar a todo custo o Rio de Sangue roubado das cavernas.

Um dia de trabalho não tinha sido suficiente para resgatar todos os adormecidos. Milhares de corpos ainda se amontoavam nas profundezas da caverna, o que renderia dias e dias de trabalho. Na clareira, defronte à boca da caverna, os bentos tinham montado acampamento. Bento Teodoro, Duque, Justo e Amintas faziam a guarda da caverna. Contavam com mais quarenta soldados para defender o acampamento e não deixar que vampiros entrassem ou deixassem a caverna. Tinham se dividido em turnos e contavam com um aparelho de rádio amador para se comunicar com São Vítor e pedir auxílio de TUPÃ, caso fosse necessário. Com o rádio e com aquela belezinha no céu, as coisas tinham ficado muito mais fáceis na luta contra os vampiros. Se a encrenca fosse da grossa, Marco Franjinha ajustava as coordenadas do imenso refletor solar e pimba! Adeus vampiros! Por conta desse milagre prometido estar a serviço dos homens, os soldados e os bentos viam-se em um entusiasmo só, nunca experimentado entre os humanos. Finalmente o medo diminuía, ao passo que o mar das possibilidades de novas estratégias se ampliava.

Lucas desmontou de seu tordilho marrom-escuro ao lado da casa que lhe fora gratamente cedida em São Vítor. O sol poente tingia de vermelho as paredes caiadas da moradia. Na cintura, uma nova peça que compunha o vestuário. Um rádio walkie-talkie era mantido ligado, para ficar em contato imediato com os líderes e bentos de São Vítor. Enrolou a rédea do cavalo em um poste ao lado da casa e desprendeu a sela do animal. Pela primeira vez, passou a mão na pelagem do equino, olhando-o demoradamente. Estava se apegando à montaria. Passou, com carinho, a mão na face do cavalo, que começara a chamar de Tião. Este baixava a cabeça para mordiscar o mato ralo ao pé do poste.

Lucas foi até a frente da casa e apanhou uma bacia de alumínio, enchendo-a de água no tanque de lavar roupas, instalado numa das laterais da casa. Voltou e ofereceu água ao bicho. Apanhou a cela jogada no chão e colocou-a junto à parede da casa. Bufou, cansado, com a mão na maçaneta da porta. Entrou pela cozinha, tirou as luvas de couro e depositou-as sobre a pia limpa e vazia.

A casa era pequena e simples, mas muito mais que suficiente para prover guarida e pouso a qualquer guerreiro cansado. E “cansado” era a palavra de ordem. Lucas caminhou quase que se arrastando até a sala. Arrepiou-se, e o coração acelerou ao chegar ao cômodo. A melhor das surpresas que poderia esperar para aquele fim de tarde cochilava preguiçosamente no sofá de três lugares da sala. Ana, com o jaleco branco do HGSVJ, repousava com expressão tranquila.

Lucas pressionou os dragonetes, liberando a capa vermelha e pesada que caíra aos pés. Destravou as presilhas de seu peito de prata e, sem jeito, deixou a parte posterior da armadura ir ao chão, fazendo barulho o suficiente para a doutora acordar.

– Lucas... – murmurou a mulher.

O trigésimo guerreiro sorriu-lhe.

Ana espreguiçou-se longamente e levantou-se, enquanto Lucas depunha no sofá a parte frontal de sua armadura prateada. Trocaram um abraço apertado e prolongado, e depois um beijo terno e demorado.

– O que você acha de ter o soldado de volta? – perguntou o homem.

– O que eu acho? Eu acho que esse soldado é muito bagunceiro e está largando tudo pelo chão. E que seria bom esse soldado tomar um bom banho, porque a catinga tá brava – brincou a mulher.

Lucas soltou Ana e olhou-a com uma careta. A médica riu e baixou a cota de malha, podendo olhar melhor para o rosto de Lucas, rosto que gostava tanto. Beijou-o novamente. Agora de um modo mais ardente e apaixonado. Sentia falta do rapaz a seu lado. O dia não tinha sido fácil no HGSV. Ana atendera aos soldados feridos no ataque ao covil grande. Infelizmente, alguns dos homens tinham chegado sem vida, em virtude de hemorragias brutais, e um deles pereceu em cirurgia. Depois de todo o estresse e da correria, esse sono infernal a tinha dominado e a fez cochilar no meio da sala.

– Como é que está o meu amigo?

– Qual deles?

– Bento Vicente. Como é que ele está?

– O troglodita vai sarar rapidinho. Não tem nenhum corte profundo. Mesmo assim, com um cortezinho aqui e outro ali, somou mais quarenta pontos na sua vasta coleção de costuras cutâneas – comentou, com um sorriso nos lábios.

Lucas gostava do jeito de Ana, sempre bem-humorada. Mudou de expressão para continuar:

– Troglodita? O Vicente?

– Troglodita, sim. Aquele brutamontes só anda falando manso com você. O cara vive de cara amarrada. Parece que sempre está bravo com tudo e com todos. Você deveria dar umas aulas de simpatia pro seu amigo... já andam chamando-o de bento Cavalo ao invés de Vicente.

– Calma lá. Quatro milagres já está bom. Outro milagre só na próxima encarnação.

Ana sorriu mais ainda com a brincadeira do namorado. Afastou-se dele e deu um tapinha em seu peito.

– Agora, já pro banho. Sou sua médica. Estou mandando.

Lucas sorriu e puxou Ana para o banheiro.

– Só que eu nunca tomo banho sozinho. Dá azar. Pode vir aqui, doutora.

Ana não resistiu e deixou Lucas levá-la ao banheiro. Um pouquinho de água morna não faria mal algum para relaxar depois de um dia exaustivo. Estavam os dois precisando de banho e descanso.

* * *

O trigésimo guerreiro se deu ao luxo de ficar uma hora e meia nos braços de sua amada Ana. Não ouviu muitos resmungos quando anunciou que teria de se levantar e recompor-se para se reunir com os líderes da soldadesca e com os bentos, para discutir os passos seguintes da retomada. Confidenciou à consorte que os próximos dias seriam decisivos para estabelecerem a supremacia e começarem a abocanhar de volta o mundo tirado pelos noturnos.

Lucas trocou a malha de algodão, que ia por baixo do colete de couro, e também a cueca e a calça negra colada às coxas, e por cima vestiu o saiote verde-escuro. Apanhou a armadura de prata e pediu o auxílio de Ana para juntar as partes no tórax e apertar as práticas presilhas que selavam seu peito no interior da proteção. Ana estendeu a capa vermelha com a barra grossa de couro escuro para quase terminar de compor seu guerreiro. Lucas prendeu as pontas já gastas do tecido aos dragonetes que iam à altura da clavícula. O toque final, como sempre, era rematar o peito com a querida imagem de São Jorge pendendo do cordão de couro.

Ana afastou-se quatro passos do trigésimo, chegando a sair do quarto e mirar o guerreiro ao lado da cama.

– Sabe o que você parece? – disse a moça.

– Um panaca que acordou trinta anos depois e virou herói?

– Não!

– O quê?

– Parece Santo Expedito.

– Ah! Até parece.

– Sério, Lucas. Essa roupa lembra aquelas fardas romanas. Santo Expedito era soldado de Roma.

– Sério?

– Acho que era.

– Agora pareço santo. Essa é boa.

– Sério. Leva o maior jeito de Santo Expedito.

– Legionário romano é mais legal.

– Bá! Para de coisa. Santo é mais legal.

– Viu o que um sono embelezador pode fazer? Transforma qualquer panaca em santo, em bento, em herói.

– Você não é um panaca.

– Era. Eu disse que "era".

– Era nada.

– Quer apostar?

Ana caminhou de costas, sem tirar os olhos de Lucas.

– Me diga o nome do corretor que vendeu seu seguro de carro quando o mundo era mundo.

Ana sorriu novamente para Lucas, erguendo os ombros e meneando a cabeça negativamente.

– Não me lembro, Lucas. Corretor de seguros? Aí você me pegou.

Lucas perdeu o sorriso do rosto.

– Vê o que digo? Eu era um corretor de seguros. Trabalhava numa seguradora de veículos. Era isso que eu fazia – nesse instante, um flash cruzou a mente de Lucas: o trigésimo guerreiro viu-se sentado em uma mesa de escritório observando fotografias de um carro batido. – Eu analisava os casos... – murmurou, inseguro.

Ana emudeceu, compadecida, percebendo que o amado tentava lembrar-se de sua vida pregressa.

– Você nunca daria atenção pra mim se eu fosse um vendedor de seguros de automóveis – arrematou.

– Quem disse? Eu fui com a sua cara assim que te vi. Você não imagina como eu torci para que não fosse um vampiro. Fiquei atrás daquele vidro, esperando os indícios...

– É?

– Sério! Quando li sobre você, me apaixonei. Você era predestinado. Desde que nasceu. Muito persistente...

– Espera aí! Leu sobre mim? Que história é essa? – indagou o bento, arqueando as sobrancelhas.

Lucas notou que Ana ficara lívida como uma vampira. A mulher desviou o olhar e virou-se, como se buscasse tempo para responder.

Ana foi até o meio da sala. Não sabia o que dizer. Lucas não sabia nada sobre a vida passada dela. Decidiram não falar nada sobre isso até que ele reunisse os trinta bentos... o que ele já tinha feito. Talvez agora pudesse contar o que sabia.

Estava confusa.

– O que você está escondendo, Ana? – inquiriu Lucas, mais sério.

– Não estou escondendo, Lucas... só não sei o que dizer.

– Então diga o que sabe. Já tá de bom tamanho. O que você sabe sobre mim?

Ana passou a mão pelo cabelo, trazendo alguns fios enroscados em seus dedos.

– Eu não lembro nada do meu passado. Tudo que vem, vem picado. Se você sabe alguma coisa... – Lucas aproximou-se com os braços estendidos, segurando a mulher pelos ombros. Não estava nervoso; seus olhos transbordavam aflição. – Foi você quem disse meu nome pela primeira vez, foi você que me fez lembrar pela primeira vez... e você sabe mais, Ana.

A médica virou-se, indo em direção à única janela da sala. Apertou os lábios. Não tinha dito nada antes com medo de perder Lucas para o passado, perdê-lo para sua pregressa obsessão, antes de aceitar e levar sua missão a cabo. Agora que ele já tinha conseguido o desencadear dos quatro milagres, Ana tinha medo do que sabia. Tinha medo de que o novo Lucas voltasse a ser o velho Lucas. Tinha medo de vê-lo desaparecendo de sua vida em busca de um fantasma, em busca de algo que nunca mais encontraria. Já tinha experimentado isso no passado. Já tinha perdido um homem em sua vida. Não queria reviver aquelas horas de dor. A qualquer preço.

Lucas pousou as mãos nos ombros da mulher mais uma vez. Tinha algo de errado com ela. Algo de errado com aquela situação. A namorada parecia saber alguma coisa importante, alguma coisa terrível. Lucas sabia que ela estava escondendo alguma coisa grave. Apesar de não querer magoá-la, a lembrança de seu passado era algo que queria de volta. Tinha o direito de saber verdadeiramente quem era e onde tinha morado. Não se lembrava de quase nada, e as pontas de memória que surgiam em determinadas situações só traziam sensações ruins. Por que ficava tão aflito quando estava no mar? Não sabia responder. Ana tinha de lhe ajudar. Tinha de abrir o bico. Virou-a, deixando-a de frente, mirando-a firmemente nos olhos.

– O que você sabe, Ana? Preciso saber tudo o que aconteceu comigo no passado. Preciso saber quem sou.

Ana abrira a boca quando um rojão espocou.

Lucas sentiu os pelos dos braços eriçarem. *Vampiros!*

O trigésimo guerreiro soltou a mulher e deu dois passos para trás, ainda olhando-a nos olhos.

– Não saia daqui. Vou cuidar disso e depois terminamos nossa conversa.

Lucas deixou a casa e foi até o cavalo, liberando as rédeas e montando sem selar. Passou galopando pelo Hospital Geral de São Vítor, avistando o muro sul. A agitação concentrava-se naquele lugar. Por um momento, esqueceu da situação angustiante vivida com Ana. Tinha de dar cabo do problema. Não permitiria que um ataque de vampiros dissolvesse a sensação de vitória entre os homens e os habitantes da fortificação. Tinham muito trabalho pela frente e precisariam de todo ânimo para prosseguir na luta contra os malditos noturnos.

Quando alcançou o muro, encontrou Amaro aos berros com os soldados, posicionando seu contingente e preparando-se para o confronto. Lucas subiu pela escada e pelo corredor apertados até chegar ao topo do muro. No corredor de manobras, os homens empunhavam seus rifles e seguiam as orientações de Amaro. Nos espaços privilegiados, os atiradores ficavam a postos, prontos para tentar salvar os vigias das torres avançadas, caso o pior viesse a acontecer.

Lucas olhou para o areião à frente. Mal o sol tinha caído e as criaturas estavam lá, empoleiradas à margem da floresta, com seus fantasmagóricos olhos vermelhos. Lucas voltou o olhar para o interior da fortificação. Apesar de já ter dominado a loucura, o desejo de saltar na areia e atirar-se contra os malditos era grande. Ao pé do muro, como sempre, às vezes como última defesa, estavam os bentos Francis, Ulisses, Célio e mais uma dúzia de guerreiros de capas vermelhas. Dois deles eram novatos, bentos recém-despertos, com pele pálida e corpos franzinos; pareciam fracos demais até mesmo para sustentar os peitos de prata.

Lucas voltou a prestar atenção no muro. O líder Amaro tinha parado com os brados e pedia para lhe falar.

– Diga, Amaro.

– Podemos chamar o CLBI pelo rádio, senhor?

Lucas olhou para a mata. Contou quarenta e dois pares de olhos vermelhos. Suspirou.

– Não. Não vamos chamar o CLBI. Temos condições de acabar com a raça desse punhado de criaturas. Use o rádio para alertar a atividade vampírica ao grupo que ficou na boca do covil grande. Talvez eles recebam visitas por lá também.

Foi Amintas quem respondeu ao rádio primeiro. Tão logo soube da notícia de vampiros nos arredores de São Vítor, colocou os demais em alerta. A verdade é que todos os bentos e soldados não desgrudavam os olhos da mata por mais de um minuto.

A sombra constante da possibilidade, quase concreta, de um ataque à boca do covil pesava sobre suas cabeças.

Amintas berrou ordens e os guerreiros repartiram-se nos cantos do acampamento, mantendo espadas desembainhadas e os ouvidos atentos. Era possível que alguns poucos vampiros ainda vivessem no fundo daquela toca. O gerador de energia foi acionado e a corda com soquetes de luz que invadia a caverna iluminou o ambiente.

Ao passo que o medo começava a incomodar os corações dos guerreiros na base avançada, em São Vítor os guerreiros bentos e soldados eram mordidos por curiosidade. Tão súbito quanto surgiram na beira da floresta, os olhos vermelhos e cintilantes dos vampiros desapareceram.

– O que está acontecendo? – perguntou Chen, em voz alta, sem desviar seus olhos rasgados da floresta além do areião.

– Estão indo embora – rebateu Lucas.

– Por que viriam aqui e iriam embora depois de termos liquidado com o covil grande?

Lucas olhou para Chen. Estava mudo e achava que era cedo para afirmar qualquer coisa. Continuou vigiando o movimento de retirada das criaturas e alertou a situação à base avançada, de onde bento Duque respondeu desta vez. Recomendou que dobrassem a vigilância e pediu a Matias que providenciasse imediatamente um destacamento para reforçar a base à beira do covil grande.

Depois de quinze minutos, o trigésimo guerreiro olhou novamente para Chen e enfim respondeu ao guerreiro.

– Eles estão com medo, Chen. Os vampiros estão com medo.

Lucas desceu a escadaria estreita, acompanhado por Amaro. O líder dos soldados gostava da presença do trigésimo guerreiro e do odor de esperança que vazava pelos poros daquele ser. O bento caminhou até o meio dos guerreiros. Francis recebeu-o com um sorriso.

– Não vieram, os malditos?

– Não, Francis.

– Desistiram. Já estão com medo da gente. O jogo virou mesmo!

– Disso ninguém duvida – secundou bento Ulisses.

Todos riram, animados com os novos ares.

– Pedi que ficassem de olhos bem abertos nesse turno – disse o líder Amaro. – Não quero que esses desgramados perturbem a reunião desta noite. Muita coisa será discutida e organizada.

Lucas parou em frente aos dois novos bentos. Tinham despertado depois da Noite dos Milagres. Não tinham entrado em combate direto com as criaturas, mas todos na vila sabiam que, quando tivessem a chance, deixariam aquele ar de cães perdidos e tirariam as espadas da bainha. Lucas pousou a mão no ombro do mais alto. Um rapaz de cabelos castanhos encaracolados, que aparentava ter cerca de vinte anos. Os olhos estavam encovados e a pele ainda se mostrava pálida.

– Seja bem-vindo, guerreiro! Sei que não era isso que esperava do mundo, mas é assim que o mundo está. Vocês chegaram na melhor hora. Na hora da vitória.

O rapaz inspirou fundo antes de responder.

– Eu... eu não sei o que dizer, Lucas. Não sei o que fazer. Tudo isso parece um pesadelo.

– Comigo foi assim também. Qual é o seu nome?

– Danilo, senhor.

– E o seu? – perguntou Lucas, ao segundo bento novo.

– Eu... eu ainda não me lembrei, senhor.

Esse segundo bento novo era mais baixo. Igualmente magro, por culpa da longa hibernação, e de pele tão branca quanto a de Danilo. O rosto era ossudo e os olhos eram de um verde desbotado. Os cabelos negros eram curtos e revoltos.

– Ainda me sinto perdido nessa loucura, nesse cenário tão surreal. Ainda mais com esse problema de memória – disse Lucas, tentando solidarizar-se com o bento novo. – Você vai lembrar de algumas coisas – Lucas calou-se e olhou na direção de seu alojamento. Não podia ver o casebre e sua amada Ana, mas sentiu o peito apertado quando se lembrou do mal-estar antes de deixar a casa. – É difícil, mas acho que uma hora acaba se lembrando de tudo. Temos muito o que fazer para ficarmos lamentando coisas perdidas. Precisamos de sua cabeça no aqui e no agora.

– Eu não lembro meu nome... – resmungou o segundo bento novo.

– Amaro, arrume um soldado para levar esse homem ao Hospital Geral. Eles devem ter alguma coisa lá. Devem ter alguma anotação... um prontuário. Ajudarão você a se lembrar de seu nome, pelo menos isso.

Amaro já sabia a resposta, mas, vendo a luz de esperança despertada nos olhos do rapaz, não ousou apagá-la.

Os demais bentos adiantaram-se, iam em direção ao galpão de reuniões. Muitos dos líderes de soldados já estavam lá, com alguns cidadãos selecionados para tratar da retomada. Lucas tinha muitas ideias estratégicas e queria discuti-las com a comunidade.

* * *

Dentro do galpão amplo e limpo, seis mesas, cada uma com dez metros de comprimento, eram dispostas paralelamente. Em torno de uma delas, um grupo de homens ocupava as cadeiras ao redor. Falavam alto e parecia que se desentendiam. Quando perceberam a aproximação dos guerreiros bentos, o tom de voz diminuiu, voltando ao que seria uma conversa normal.

Os bentos que acompanhavam Lucas tomaram as posições ao redor dele. Alguns dos líderes de São Vítor estavam presentes e a reunião contava também com alguns membros da comunidade, incluindo duas mulheres. O trigésimo guerreiro, de pé, numa das extremidades da mesa, retirou um papel de dentro de uma das bordas de sua luva de couro. Desdobrou o papel amarrotado com anotações a caneta. Olhou para os homens sentados. Francis à sua direita, com o inseparável cavanhaque e os bigodes estreitíssimos e perfilados, acompanhava o olhar do guerreiro com um sorriso.

– Andei pensando muito nos últimos dias, senhores. Pensando sobre nossa recente condição e o otimismo que floresce nas vilas deste novo Brasil.

A voz de Lucas chegava clara a todos os presentes, que, imediatamente após o início da alocução do guerreiro, cessaram as conversas.

– Vencemos as últimas batalhas e, apesar de termos perdido homens nas lutas, os resultados mostram mais razões para continuarmos em frente do que para pisarmos no freio. Concordam?

Os homens balançaram a cabeça positivamente, lançando palavras de apoio e mantendo a atenção no guerreiro.

– Acho que temos de dar um passo à frente. Agora, não devemos nos apoiar totalmente em TUPÃ. O milagre não foi único. Foram quatro. Eis aqui os novos bentos – disse, apontando para os dois guerreiros recém-despertos, que se sentavam junto dos combatentes uniformizados. – Todo ser humano que abre os olhos desperta como um bento. São guerreiros neonatos. Têm uma nova programação circulando nas veias e nos músculos. Como eu mesmo duvidava, transformei-me em um novo ser após o despertar e, agora, depois dos quatro milagres, todos eles serão iguais a mim, em bravura e habilidade, pelo menos é o que nos faz crer os relatos que escutamos até agora.

Os dois bentos novos trocaram um olhar descrente, como se fosse completamente impossível sequer imaginarem-se brandindo aquelas espadas pesadas em suas cinturas contra criaturas da noite.

– O Bispo me disse, quando estive com ele em sua casa, que, depois da chegada dos milagres, ainda haveria muita luta pela frente. Ele não enxergava a vitória nem como ela se daria. Só me contou sobre a importância dos quatro milagres. Como pudemos assistir, os vampiros não desapareceram simplesmente. Eles ainda estão por aí, entocados em seus covis, e creio que não vão demorar para perceber tudo o que está acontecendo e começar a se adaptar à desvantagem. Vão aprender a viver sob a ameaça de TUPÃ e dos novos bentos. Vão contra-atacar.

Os homens mantiveram-se calados e sérios. Muitos deles estavam tão absortos pelo espírito de euforia, despertado pelos quatro milagres, que sequer aventaram a possibilidade de os vampiros voltarem a representar grande problema. Agora, ouvindo apreensivos as concatenações de bento Lucas, viam que a euforia fora como um vinho: os entorpecera e embriagara, tornando o cenário colorido demais, quando, de fato, ainda não o era.

– Precisamos aproveitar o atordoamento que os milagres causaram para tirar vantagem nessa guerra. Temos de vencer pela inteligência e pela união. Talvez os vampiros ainda sejam maioria quando o sol se põe, mas vou pôr um ponto-final nisso. Escrevi neste papel algumas ideias e quero discuti-las com os líderes de soldados – disse, levantando o papel e mostrando-o aos ouvintes. – Quero também que vocês digam qual eram as ideias dos soldados antes dos milagres, antes do meu despertar. Vamos juntar tudo e traçar um grande plano para retomarmos nosso país e, depois, todo o planeta... Há gente precisando de ajuda na Europa, na Ásia, na América do Norte... Em todo o mundo.

– Quais são essas ideias? – perguntou Chen, o líder de traços chineses.

– Primeiro de tudo... – Lucas inspirou fundo antes de continuar. – Precisamos arregimentar homens para transformar em realidade a ideia de cada fortificação conhecida contar com um rádio receptor e transmissor. Precisamos estabelecer uma rede coesa de comunicação. Vamos precisar de códigos e de um padrão para trocarmos mensagens, além de formar um núcleo para organizar isso, de um verdadeiro Ministério da Comunicação. Também vamos precisar de soldados, veículos e aparelhos de rádio em perfeito funcionamento, e eu preciso que alguém se encarregue de organizar dados e informações. Vamos fechar os movimentos dos vampiros por todos os lados. Se cada vila nos reportar um lance que os malditos noturnos derem, teremos suas tocas, seus planos, seus movimentos em nossas mãos. Poderemos usar TUPÃ com precisão. Aliás, tocando novamente nesse assunto, quero que pensem em TUPÃ como um trunfo temporário. Não temos a menor ideia de até quando esse equipamento estará em perfeito funcionamento.

– Bem lembrado, Lucas – disse Amaro. – Eu me peguei pensando nisso outra noite. E quando acabar a bateria daquele treco?

– Franjinha disse que a energia é reciclada por energia solar e que há uma bateria de energia nuclear que vai funcionar por centenas de anos. Por isso, o que eu penso é nas coisas fora do programado. Não sei como são as coisas nas alturas. Alguma peça de TUPÃ pode quebrar...

– Deus nos livre! – emendou bento Célio.

– E não teremos como reparar TUPÃ daqui da Terra. Não teremos uma nave para ir lá nem gente qualificada para um voo desse tipo... – previu o líder Amaro.

– Exatamente – rebateu Lucas.

O trigésimo guerreiro baixou os olhos para o papel.

– Restabelecer e padronizar a comunicação entre as cidades é só o primeiro tópico. Quero deixar vocês pensando em soluções e sugestões. Por isso, pedi que não só os militares estivessem aqui. Quero que vocês, membros da comunidade, também ponham seus conhecimentos e neurônios pra funcionar. Precisaremos de gente para fazer essas coisas acontecerem.

– Próximo item! – pediu bento Francis, afilando o bigode com os dedos.

– Vamos retomar São Paulo, Rio de Janeiro, Belo Horizonte e Curitiba. Essa será a primeira e decisiva fase da retomada. São cidades estratégicas. Precisamos controlar as rodovias: Dutra, Castello Branco, Anhanguera e Fernão Dias. Precisaremos incluir outras rodovias nessa primeira fase, como a Régis Bittencourt, por exemplo. Para conseguirmos isso, vamos precisar de muitos soldados, precisaremos de organização em um nível que vocês nunca experimentaram desde a Noite Maldita. Vamos controlar nossas velhas cidades e nossos caminhos. Vamos acabar com a raça desses vampiros duma figa. Vamos retomar as capitais deste país, cercá-los por todos os lados.

Todos explodiram em comentários de aprovação e entusiasmo. Estavam diante de um líder ousado e que certamente os conduziria à consumação da grande vitória.

– Precisamos de grupos para ir aos velhos quartéis das Forças Armadas e vasculhar por todo equipamento que nos possa ser útil. Veículos velhos, agora que as tecnologias controladas por rádio voltaram a funcionar, passarão a ser úteis.

– Bem pensado! – exclamou bento Ulisses. – Vamos começar agora.

– É para isso que chamei todos. Desta noite em diante, nossas ações serão em cadeia. Temos de plantar um objetivo claro na mente de todo ser humano. Estamos em temporada de caça aos vampiros. Com um novo exército, com TUPÃ sobre nossas cabeças, vamos extinguir esses malditos noturnos. A noite voltará a ser segura para todos os povos da Terra.

Novamente, a maioria dos homens ao redor da mesa entusiasmou-se com Lucas, esbanjando sorrisos, saudações e aplausos de incentivo.

Lucas, ainda com o rosto sério, esperou o silêncio voltar ao galpão para continuar.

– A luta será pesada e temo que a reconquista da noite esteja só começando.

– Ah, Lucas... Bote um sorriso nesse rosto, rapaz! Você é o grande salvador de nossas terras. Fique feliz com o enorme avanço que já nos deu – disse uma mulher.

Os olhos dos homens voltaram-se para o da mulher de cabelos curtos, feições de quem chegou aos cinquenta anos. Apenas ela e Berenice foram escolhidas entre as mulheres para se juntar ao encontro urgente, solicitado pelo bento salvador.

– Desculpe-me, qual o nome da senhora? – gentilmente perguntou o trigésimo guerreiro.

– Rosana.

Lucas abriu a boca e nada disse. Um flash invadiu sua cabeça numa fração de segundos. Uma mulher sentada numa mesa de restaurante à beira da praia. Lucas se viu escrevendo "Rosana" na comanda de uma danceteria à beira-mar. A mulher disse: "Meu nome é Rosana".

Lucas voltou para o presente e olhou para todos um tanto constrangido. Ergueu os olhos para a mulher antes de responder:

– Ainda não consigo sorrir, Rosana. Sei que tenho um trabalho duro pela frente.

– Trabalho duro é sempre uma bênção, Lucas. E quem trabalha demais de vez em quando tem de dar uma paradinha para apreciar a paisagem. Põe um sorriso no rosto e senta, só pra experimentar. Veja o quadro bonito que você pintou, menino. Fazia uns vinte anos que eu não via gente tão sorridente dentro de São Vítor, sorrisos que estão perdurando após o pôr do sol.

Lucas não resistiu à insistência da mulher e um sorriso largo brotou em seu rosto.

– Você nos trouxe os quatro milagres, já estamos felizes – continuou Rosana. – O povo está explodindo de alegria. Nosso querido Bispo sempre propagou que, quando o salvador chegasse, quando o trigésimo guerreiro desencadeasse os milagres, o mundo voltaria a ser nosso.

– Mas ele não disse isso para mim, senhora. Disse que o que via era como uma receita. Disse que tinha visto o que nos levaria ao evento de acontecimentos. E é justamente onde estamos. Pressinto que a batalha será árdua. Alguma coisa está acontecendo do lado de lá. Do lado dos vampiros. Algo que o Bispo e sua profecia não contavam. Não posso deixar que nossos homens baixem a guarda agora. Não quero um clima de "já ganhou" ao meu redor. Temos de trabalhar para reconstruir o mundo todo. Nem com todo meu tempo de vida verei esse trabalho pronto.

– Posso concordar contigo, Lucas – tornou a mulher. – Mas aceite nossa gratidão e cumpra suas tarefas com um sorriso no rosto. Vejo que não é à toa que foste escolhido. Tens visão de sobra, menino. Pensa já na reconstrução do mundo. Vê como tenho razão?

Lucas continuou mudo. Não tinha entendido aonde a mulher queria chegar com a pergunta.

Diante do silêncio de todos, Rosana continuou:

– Se você já está pensando em reconstruir o mundo, é porque acredita que venceremos esses malditos. Se você acredita piamente, nada há de nos deter.

Lucas voltou a sorrir.

– Que assim seja, Rosana! Que assim seja! – arrematou o guerreiro.

CAPÍTULO 10

Ana entrou no laboratório do HGSV. Nada menos que setenta novas amostras de sangue das mulheres da cidade estavam entrando para serem examinadas. O resultado das primeiras amostras ficaria pronto em poucos minutos. Apesar de não crer que fossem dar positivo, todas as amostras estavam passando por uma prova de beta HCG. Havia trinta anos que as mulheres não engravidavam e a explosão inusitada do número de gestantes, dentro dos muros das fortificações, só fazia o povo crer mais e mais nos milagres profetizados pelo velho Bispo.

A injeção de esperança dada pelas sementes de gente, germinando no ventre das graciosas mulheres, tinha feito até mesmo o truculento ferreiro Magal se comover. Por saber que seria pai dentro de oito meses, ele prometeu criar um busto em homenagem ao vidente e cravá-lo no meio da praça central de São Vítor. Vozes cresceram argumentando que o ferreiro tinha de fazer um busto do Bispo e outro de Lucas. O trigésimo guerreiro começava a ser venerado feito santo pela população das alegres fortificações.

Ana passou os olhos pelo relatório de resultados providenciado por um amigo do laboratório. A fertilidade das mulheres era inacreditável. Dos trinta exames da primeira bateria, dezoito marcavam positivo para gravidez. *Mais da metade! Simplesmente incrível.* Ana baixou o relatório e fitou o céu azul além da janela. Uma suspeita começava a cutucar sua cabeça. E se isso estivesse acontecendo em todas as fortificações do Brasil? Evidente que mulheres grávidas seriam encontradas dentro de todas as guarnições, mas será que seriam na mesma proporção que em São Vítor?

Apesar de o milagre ser bem-vindo, de representar a perpetuação da espécie e a chance de os humanos sobrepujarem os vampiros, a possibilidade de tantas mulheres terem seus bebês na mesma época poderia tornar-se um grande desafio dentro dos hospitais. Ana sabia que, naquele momento, trabalhava no mais equipado e adequado hospital brasileiro, mas também sabia que, mesmo assim, o HGSV não estaria preparado para uma situação como aquela. O número poderia chegar a dez partos por dia quando aquelas mulheres chegassem ao final da gestação. Teriam médicos suficientes? Leitos suficientes? Ana sorriu. Era uma benção ter de esquentar a cabeça com aquelas questões, sem sombra de dúvida.

* * *

Enquanto Ana preocupava-se com o futuro das mulheres grávidas que trariam vidas novas para a Terra, Lucas ocupava-se com o primeiro destacamento pronto para partir. Como a região que menos fazia contato via rádio com São Vítor era o sul do Brasil, bento Edgar e bento Teodoro encabeçariam o grupo de doze homens que iria até a região dos pampas, levando aparelhos de radiocomunicação e orientação tática. A missão, basicamente, era distribuir esses aparelhos nas fortificações ao redor de Curitiba, Florianópolis e Porto Alegre. Deveriam também instruir os prováveis operadores de rádio a se comunicar com a base central que tinha sido montada em São Vítor, para colher coordenadas e boletins diários de cunho militar a fim de agirem em sintonia com todas as fortificações do Brasil.

Um segundo destacamento, encabeçado por bento Célio, iria para a região central do Brasil, para levar rádios para cidades afastadas, passando ao norte do Mato Grosso do Sul, depois por parte do Mato Grosso e, então, retornando por Goiânia.

Cidades do estado de Minas Gerais e de estados ao norte costumavam contatar São Vítor em frequência de radioamador e por lá já organizavam seus grupos que visitariam velhos centros em busca de mais equipamentos de radiocomunicação e tratariam de ampliar a malha de fortificações ligadas a São Vítor.

Os operadores de rádio de São Vítor foram orientados a prestar todo tipo de esclarecimento sobre a nova situação para aquelas cidades que faziam um primeiro contato com o centro. Não raro, as pessoas ficavam eufóricas e à beira de perder o controle do outro lado. A grande maioria delas não recebia notícias tão boas há mais de trinta anos. São Vítor pedia que ficassem ao pé do rádio todo dia, naquela frequência, para receber mensagens de cunho militar. Eram orientados a ouvir os boletins civis fornecidos pela rádio São Vítor que transmitia abertamente em AM para as amenidades e os jornalísticos. A euforia crescia cada vez mais.

CAPÍTULO 11

Lúcio secou a boca com as costas das mãos. Como era saborosa aquela bebida! Coisa boa. A barriga pesava. Sentia-se empanzinado. Três pratos cheios de arroz, feijão e carne de capivara. Recostou-se na varanda. A única coisa que faltava era uma pomada cicatrizante e analgésicos. Se tivesse encontrado isso com aquele cara... *Ah! Teria sido formidável!* Lúcio balançou a cabeça, recriminando-se. A comida já estava boa demais! Haveria melhor remédio que aquele para um faminto perdido no mato?! E o sujeito o recebera bem. Só não tinha lhe dado abraços.

Não pensara duas vezes quando viu Lúcio batendo em sua porta. Mandou que entrasse e, sem perguntar, pôs uma xícara com café quente na mesa. Um café cheiroso demais. Um aroma muito parecido com o que fervia nos bules de São Vítor, torrado e moído no dia. Deu-lhe três fatias largas de pão e em menos de dez minutos colocou um prato de louça branca na mesa. Daqueles gordos, de bordas redondas, típicos de restaurantes de grã-finos. Bom sujeito, bom sujeito.

Por volta do meio-dia, o rango estava pronto. Lúcio literalmente tirou a barriga da miséria. Refestelou-se feito um porco. O lacaio do vampiro deixou a mesa com um sorriso agradecido e avisou que recostaria na varanda. Benito, o dono da casa, saiu atrás do andarilho. Parou no assoalho de madeira carcomida do alpendre, mantendo-o sob a vista. Negar comida quando a tinha na panela não era do seu feitio, por isso não se importou em confortar o estômago daquele sujeito. Contudo, não convinha dar muita liberdade para essa gente que vivia perambulando na mata. Tinha cada um...

Benito vivia ali por sua conta e risco. A casa fora de sua família desde sempre. Não queria abandonar o lugar, mesmo sob o risco de ser morto pelos noturnos. Por isso, não dormia ali. Um esconderijo no meio do mato lhe servia de dormitório nas horas escuras. O ruim eram as visitas indesejadas como a daquele cabra sentado na sua varanda. Por conta disso, andava com um revólver na cintura o dia todo. Para os andarilhos, impunha duas regras: não dava pousada nem mais que três refeições. Dizia isso aos visitantes e apontava para uma mangueira longínqua, que ficava na linha do horizonte no alto de um morro. Vivia bem assim. O pior que lhe tinha acontecido fora uma picada de cobra há uns sete anos. Não precisou ir até o Butantã para tomar vacina nem recorrer à Esperança, nem inflamou. Mais um dos mistérios pós-Noite Maldita.

Seu apego àquele lugar rendera frutos à propriedade. Na baixada do terreno, providenciara um desvio do riacho que passava ao fundo para o plantio de arroz. Feijão dava igual a praga. Em quatro cercados, criava uma dúzia de cabeças de gado, meia dúzia de porcos, dois cavalos e um tanto de galinhas. Sua ocupação principal no dia a dia era prover a bicharada de alimentos e cuidar da plantação. Pouco tempo sobrava para o lazer. Ao poente, corria para seu abrigo e há anos tinha a sorte de não ser incomodado pelos malditos. Tinha topado com os desgraçados duas vezes e, por iluminação ou clemência divina, por duas vezes tinha escapado das garras dos infelizes.

Os únicos bichos que incomodavam Benito eram aqueles andarilhos. Três visitantes já tinham crescido os olhos em sua propriedade e, movidos por inveja ou cobiça, quiseram algo mais que um prato de comida do sitiante. Quando brincavam com suas terras, Benito perdia todo o senso solidário e puxava o gatilho. Os três foram conhecer a mangueira. E alguma coisa lhe dizia que talvez hoje fosse o dia do quarto.

Coçou o queixo olhando para o moço que cochilava deitado sobre os balaústres do muro da varanda. Por que ele tinha as mãos feridas e nauseabundas? Moscas verdes e gordas rondavam as tiras de pano enegrecidas por sangue coagulado. O homem parecia ter sofrido algum ataque, ter sido aprisionado ou ter sido feito escravo. Benito caminhou pela varanda de madeira com sua bota de vaqueiro estalando contra o chão. O visitante ressonava pesado, tomado por um sono profundo. Benito coçou de novo o queixo. Por outro lado, um sujeito com culpa no cartório não dormiria assim, pacificamente.

O dono da casa deixou os olhos passearem pela figura adormecida. Calças de couro. Aparência de quem vai chegando aos quarenta anos. Corpo magro e braços de musculatura definida. Uma camiseta cinza fedorenta. Cheiro azedo de suor. Os músculos do braço... ele deveria exercitar-se com frequência. O que fazia por ali? Os visitantes eram poucos, porque sua propriedade ficava afastada da estrada principal, a Rodovia Anhanguera. Quem passava por ali, ou estava perdido, vindo por aquela estradinha ou qualquer outra das dezenas de vicinais que cortavam o velho município rural, ou rumava para Esperança, escolhendo um caminho mais longo e tortuoso. Esses últimos tinham de conhecer bem a região, o que parecia não ser o caso do sujeito. Logo, deveria ser um errante perdido.

Benito voltou para a cozinha e raspou os restos da panela para o lixo. Depois encheu os recipientes com água para lavar mais tarde.

O visitante dormiu profundamente cerca de duas horas e assim que acordou, sem rodeios ou considerações, Benito pediu que ele fosse embora lembrando que não dava pouso a nenhum desconhecido.

– Eu agradeço muito a refeição. Nossa, estou cheio até agora! – exclamou.

Lúcio bateu com as mãos nas calças, como se estivesse se livrando de poeira, e desceu da varanda ao terreiro. Espreguiçou-se barulhenta e longamente, coçando a cabeça, voltando a ser enrolado pelo mormaço do sol, que ainda ia alto no céu.

– O senhor teria aí um chapéu velho pra me emprestar?

– Pra te dar, você quer dizer.

Lúcio ergueu os ombros. E Benito arrematou:

– Não tenho, não, estranho. Nem chapéu nem cama. Tenho só aquela mangueira lá.

Lúcio de novo espichou os olhos para o horizonte, vendo a árvore balançar as pontas dos galhos suavemente ao sabor do vento.

– Se não tem jeito, não tem jeito – disse o lacaio.

Lúcio virou-se e andou dez passos. Depois, lembrando de algo, virou de novo.

– O senhor conhece alguma Tereza aqui por essas bandas?

O dono do sítio meneou a cabeça negativamente.

– Conhece alguma tartaruga que come cobra ou cobra que come tartaruga?

O homem franziu a testa e balançou com maior veemência a cabeça.

– Nunca ouvi falar! Cobra? Tereza? Que conversa de doido!

Lúcio balançou a cabeça como se concordasse.

– De toda forma, obrigado. O senhor é gente muito boa. Devia estar em São Vítor, comemorando os milagres.

– Comemorando o quê?

Lúcio, que já tinha virado as costas no terreiro, parou e voltou-se para o homem.

– Os milagres.

– Que milagres, cabra?

– Dos trinta bentos, dos quatro milagres.

– A profecia do velho Bispo?

Lúcio arrepiou-se ao ouvir o nome do velho que tinha morrido em suas mãos. Se o homem desconfiasse, talvez lhe picasse a balas. Começaria tomando umas duas nos cornos. Sem perceber, já passava a mão na testa.

– Essa mesma – retornou, tirando a mão da cabeça.

– Você não está de brincadeira comigo, homem? – interessado, Benito descia do alpendre ao terreiro, aproximando-se do visitante que, de uma hora para outra, ficara muito mais interessante. – Onde ouviu isso?

Lúcio bateu na testa, lembrando-se de algo subitamente.

– É claro! Você não tem rádio!

– Rádio? Para quê? Você é louco? Tá tirando uma com a minha cara?

– Ouvi no rádio que os trinta bentos se juntaram e que quatro milagres vieram ajudar a humanidade.

Benito tirou o revólver da cintura e engatilhou apontando para o visitante.

– Passa fora, maluco pinel! Rádio não existe. Vai, anda, mentirosão!

– Não tô mentindo, não, moço. Tem um rádio comigo. Deixei meu caixão lá no alto do morro, porque fiquei com preguiça de arrastar até aqui...

Benito cortou as explicações com um tiro para o alto.

Lúcio ergueu os braços, lívido, dando passos para trás. Já tinha achado o cara esquisito, mas daí a pensar que ele lhe apontaria uma arma para a cabeça, ia longe. Virou-se imediatamente e começou a correr em direção à porteira da propriedade. Se o cara não queria acreditar, não ficaria ali para discutir. Agora que estava tão perto de virar imortal, não convinha morrer com um tiro no meio do peito. Quando virasse vampiro, aquele sujeitinho ia ver só. Cantarzo não deixaria barato aquela afronta.

Lúcio passou pela porteira e não se voltou para fechá-la. Continuou caminhando apressado. A barriga cheia pesando. O chão de pedras e barro confundia-se com a beira da estrada, com o mato alto salpicado por poeira vermelha soprada pelo vento. Depois de quatro minutos, o lacaio de Cantarzo alcançou o alto do morro onde vivia a mangueira apontada pelo sitiante. Aproximou-se da beira do caminho e galgou um degrau de terra vermelha. Passou por entre arames farpados velhos e enferrujados e aproximou-se da árvore. Debaixo de sua copa frondosa e de uma sombra agradável repousavam três cruzes de madeira. Pareciam velhas e abandonadas ao tempo. Três cadáveres enterrados. Lúcio olhou de volta à casinha de sítio lá embaixo. Era um pontinho distante novamente. Via todo seu telhado e nada da varanda. A coluninha de fumaça riscando o céu azul teimava escapar da chaminé da cozinha. Devia ter pedido um prato para viagem. Sabia que ao cair da noite seu estômago insaciável voltaria a roncar. Olhou de novo para as cruzes e espantou o pensamento.

Andou mais cinco minutos em linha reta, depois desceu um morro por cerca de trezentos metros e engatou uma nova subida. O chilreio dos pássaros era a trilha sonora. Parou numa pedra e ficou por cerca de dez minutos observando o voo de uma família de corujas. Como eram interessantes! Tinham garras de aves de rapina e um garbo magnético. Misteriosas. Eram cinco no total. Voavam, sem se afastar muito do que Lúcio acreditava ser o ninho dos pássaros, fazendo círculos em torno da campina e de uma árvore de flores vermelhas. Voltavam com rasantes até o topo de um cupinzeiro com mais de um metro e meio de altura, donde alçavam voo mais uma vez.

Ao fim da nova subida, reconheceu a ossada de um equino ou bovino, que lhe tinha servido de principal referencial ao deixar o caminho de terra pelo qual descera ao abandonar o caixão à própria sorte. Arfava quando chegou ao terreno plano onde ficava o casebre em ruínas e as pedras que formavam o que fora a mureta ao redor de um poço. Foi direto para a porta de madeira podre e olhou para o esquife fajuto. Ainda estava lá. Abriu um sorriso de contentamento. Saiu de novo para a tarde abafada e ensolarada. Na madrugada anterior, quando encontrara o abrigo, tinha testado o poço jogando uma pedra pesada ao fundo do buraco. Demorou para ouvir o splash da água. Era fundo. Debruçou-se sobre a abertura e berrou só para brincar com o eco. Poço escuro. Tão escuro que parecia ver coisas mexendo-se na escuridão. Só parecia. Nada vivia naquele poço. Só o lençol d'água, lá no fundo, a minar para o buraco de água cristalina.

Andou ao redor da casa. Tinha sede. Encontrou uma corda velha e uma panela suja de terra e comida pela ferrugem. Amarrou a corda à panela e começou a descê-la ao fundo do poço. Quando sentiu a corda afrouxando, percebeu que ela boiava à flor d'água. Mais um instantinho e sentiu a corda retesar e a panela pesar. Tinha afundado. Começou a puxar. Se não estivesse muito suja, poderia beber. Viu o reflexo da panela e da água que vinha em seu bojo. Um brilho gostoso. Puxou mais. Quase alcançava, quando a corda antiga se partiu e a panela desapareceu outra vez.

– Droga!

Lúcio ouviu um barulho às suas costas. Virou-se e seus olhos se arregalaram. Dois homens, uma espingarda e um facão. O lacaio assustou-se de tal maneira que, ao arrastar-se, derrubou dois paralelepípedos para dentro do poço, quase indo junto com as pedras.

– Não se mexa! – gritou o homem da espingarda.

O outro, um rapaz de olhos verdes e sardas nas bochechas, brandia o facão acima da cabeça.

O da espingarda balançou a cabeça e, obedecendo ao sinal, o rapaz foi para dentro do casebre.

– Eu não tenho nada! Eu não tenho nada! – gritou Lúcio, preocupado.

– Isso a gente vai ver.

Lúcio fez menção de se mexer.

Um tiro espocou no ar e pedriscos da pedra do poço voaram em sua cara.

O lacaio levou as mãos aos olhos e deitou-se no chão.

– Celão, abra essa caixa e veja o que tem dentro – ordenou o homem armado.

– Não! – gritou Lúcio, enfurecido, esquecendo-se do olho ferido que se tinha tornado vermelho-sangue.

* * *

Anaquias abriu os olhos ouvindo gritos. Não era noite. Não era tempo de despertar. Havia urgência naquela voz distante. Algum perigo o cercava. Soltou-se da reentrância no alto da rocha e pareceu voar pela caverna. Os olhos vermelhos acenderam-se e os dentes saltaram. Ouviu novamente os gritos. Correu pelo corredor estreito, batendo contra as pedras. Tomou a direção da boca da caverna para atender ao chamado. Era uma voz distante. Uma voz conhecida. Era Cantarzo, o vampiro que zombava de Raquel! Anaquias balançou a cabeça, sem nada entender. Não podia ir para a boca da caverna. Ainda era dia. Fungou fundo. Não sentia o cheiro do inimigo. Maldito Cantarzo duma figa. Anaquias urrou como que querendo afastar aquela voz fantasmagórica, querendo afastar aqueles pensamentos. Mas havia perigo. O vampiro clamava por socorro.

Lúcio agarrou um paralelepípedo rachado ao meio e pulou para o lado ao mesmo tempo em que ouvia um segundo tiro.

– Celão! – gritou o homem armado.

O disparo tinha novamente passado ao lado do lacaio, levantando poeira do chão. Lúcio arremessou a pedra, que voou certeira, arrebentando em um som oco a testa do atirador.

O rapaz loiro saiu do casebre com expressão espantada vendo seu amigo tombar mole no chão. Varreu a frente do corpo com o facão, indo em direção ao amigo caído.

Lúcio respirava rápido. Seus olhos foram ao encontro da mureta desfeita do poço. Pegaria outra pedra e acabaria com o segundo assaltante.

Celão apanhou a espingarda do chão e flexionou o cano de descarga, retirando os dois cartuchos deflagrados. Tirou do bolso da calça jeans do amigo mais dois e carregou a arma. O homem tinha outra pedra na mão.

Celão correu na direção do assassino do parceiro e encostou o cano duplo em seu peito e disse:

– Quieto, homem!

Lúcio imobilizou-se, mantendo a pedra na mão.

– O que tem na caixa? Por que tá arriscando sua vida? – perguntou Celão.

Lúcio nada respondeu. Respirava com tomadas curtas, estava exaltado e assustado. Não poderia deixar que aquele cara pusesse as mãos em seu...

– Tesouro! É isso! Você tá carregando algum tesouro, não é?

Lúcio só meneou a cabeça negando.

Celão deu um passo para trás.

– Larga a arma!

O grito de uma nova pessoa no meio daquela briga assustou tanto Lúcio quanto o assaltante. Lúcio, no entanto, voltou primeiro a atenção e lançou-se insano para cima do agressor.

Celão gritou e puxou o gatilho. O disparo perdido fez um galho de árvore se partir. Lúcio urrou, bufou e rolou no chão com o homem loiro. Levantou-se vitorioso com a espingarda na mão.

Celão tirou o facão da bainha e avançou contra a vítima. Descreveu um arco duas vezes diante de si, mas viu o homem desviar-se habilmente.

Lúcio agarrou o cano da arma e desferiu um golpe violento com a coronha da espingarda na têmpora do agressor. O loiro cambaleou de lado e foi para trás até bater com as costas no casebre. Seus olhos ficaram baços e sua boca abriu-se. Um fio de sangue minou em sua cabeça escapando do supercílio aberto.

Lúcio ainda respirava fundo e continuamente, olhando enraivecido para o loiro.

– Larga o facão! – gritou novamente o interventor.

Lúcio olhou para o sitiante que lhe dera comida, e que se aproximava pé ante pé, cautelosamente.

– Você também. Larga essa espingarda.

Lúcio obedeceu de prontidão. O loiro também acabou soltando o facão no chão. Benito aproximou-se vagarosamente do homem ferido e abaixou-se para pegar o facão com rapidez.

– Tire as botas – ordenou.

Celão obedeceu. Estava ofegante e parecia lerdo demais para processar as informações. O golpe na cabeça tinha mexido com ele.

Assim que ele jogou as botas para o meio do terreiro, Benito fez um corte em cada braço do rapaz.

– Vai embora. Some daqui.

Celão, sem dizer palavra, desapareceu para trás do casebre e foi embrenhar-se na floresta que surgia logo atrás.

– Se esse filho da mãe não for mulo, tá ferrado quando o sol baixar – disse, jogando a espingarda pelo buraco do poço.

Lúcio concordou com Benito, ouvindo o splash da arma ao afundar na água.

– Por que me ajudou, se me tocou agora há pouco?

– Eu não vim aqui pra te ajudar. Vim aqui de curioso.

Lúcio rodeou a casa, procurando com os olhos outros invasores. Tirando o farfalhar da vegetação tangida pelo vento, tudo era silêncio. Voltou para a frente do casebre. Benito examinava a cabeça do morto. O homem estava de olhos abertos e um fio grosso de sangue formava uma poça rubra junto à boca do cadáver.

– Caraca. Você não queria mesmo que mexessem na sua caixa.

Benito levantou-se e foi até a porta do casebre. Ainda com o revólver na mão olhou para Lúcio antes de entrar. Viu a grande caixa de madeira. Retangular, lembrava um caixão.

– O que você está carregando aí dentro?

Lúcio não quis falar.

Benito viu o radinho de pilha em cima da caixa. Olhou para as cordas que serviam de alças. Lembrou-se imediatamente das feridas na mão do sujeito. Ele estava carregando aquilo pelas estradas, puxando no braço. Era um louco ou dono de um grande tesouro. Pegou o radinho de pilha e voltou para fora.

Lúcio estava parado no meio do terreiro. Tinha um paralelepípedo na mão.

– Solta isso. Chega de confusão. Já tem um morto no chão e tá bom por hoje.

– Você não vai querer abrir a caixa?

Benito olhou de volta ao casebre.

– Queria saber o que você carrega ali dentro.

– Quando anoitecer eu mostro.

– Quando anoitecer?

– É.

Benito olhou de novo para o casebre.

– Você não quer dizer que está carregando... carregando...

– Um vampiro. É isso. Até que você não é burro.

– Não sou mesmo, xará. Não sou burro para sair arrastando vampiro nenhum debaixo do sol e fodendo minha mão. Você que é o burro, nesse caso.

O sitiante andou pelo terreiro um instante e coçou a cabeça com o revólver.

– Eu não quero que você abra essa caixa – disse Benito. – Quando anoitecer, ele vai despertar e virá direto no meu cangote.

– Ele está apagado.

– Apagado?

– É. Ele está... meio... meio morto.

Benito deu com os ombros.

– Todo vampiro é meio morto, meio vivo.

– Tô querendo dizer que, mesmo que eu abra a caixa para mostrá-lo, ele não vai levantar-se. É por isso que eu procuro a tal da Tereza. Ela é uma bruxa.

– Para com esse papo de treze – Benito ergueu o rádio e estendeu-o ao forasteiro. – Como liga isso aqui? Nem me lembro mais como um desses funciona.

Lúcio apanhou o aparelho e ligou. Girou mansamente o dial para sintonizar melhor diante do olhar perplexo de Benito. Uma balada gótica do Jesus and Mary Chain chegou ao ouvido da dupla.

– Essa música vem de São Vítor. Eles montaram uma rádio lá.

Benito ficou com os olhos fixos no aparelhinho. Seria um engodo daquele sujeito estranho? Estaria sendo vítima de alguma armação? As ondas de rádio não existiam mais. Lembrava-se muito bem. Era um rapaz de vinte e dois anos quando, durante a madrugada, no meio da transmissão, com o telejornal pela metade, tudo parou. Na época, tinha achado que fosse problema de seu aparelho de televisão. Que fosse problema com a antena de transmissão daquela emissora. Começou a percorrer nervosamente os canais e nada. Tudo fora do ar. Ligou o rádio. Igual. Nada funcionando. Nada seria mais como antes...

O homem voltou do devaneio e o som cadente da música embalava seus ouvidos. Duas lágrimas peroladas desciam por sua face, unindo-se ao queixo.

– Como isso aconteceu? Quando o rádio voltou a funcionar?

– Foi depois dos milagres.

– Você me falou da profecia do velho Bispo... mas eu não acreditei.

– Senta aí que eu te conto tudo. Conto inclusive porque estou arrastando esse vampiro duma figa pelas estradas de terra. E prepare-se.

– Pra quê?

– Eu vou pedir sua ajuda.

Benito cerrou os olhos e fez uma expressão de asco. Não queria ajudar aquele maluco nem aquele vampiro.

– Se você nos ajudar, você viverá para sempre.

CAPÍTULO 12

Bento Vicente, refeito da última contenda, caminhava entre o povo de São Vítor. Sabiam que ele tinha protagonizado um dos momentos de maior bravura nas linhas escritas da já famosa Batalha do Grande Covil. Sua passagem entre jovens e velhos era uma festa.

Vicente, mesmo com toda a festa, seguia a passos largos em direção à forja de Magal, o ferreiro de São Vítor. O alfaiate Paulo lhe dissera que Magal queria vê-lo sem falta e com urgência.

A forja ficava distante do pátio central da fortificação, longe dos galpões e do Hospital Geral. Vicente atravessou o gramado do campo de futebol, agora acompanhado apenas da algazarra das crianças.

A noite, que tinha sido de uma garoa insistente, tinha dado lugar a um dia de céu azul e calor intenso. O campo gramado de futebol mantinha um ou outro tufo verde ainda encharcado pela água da noite, tornando a marcha barulhenta. As crianças foram ficando para trás conforme Vicente se aproximava da forja.

Ele coçou a cabeça de cabelo raspado e passou a mão na nuca. Sentiu uma leve fisgada no ombro, resquícios do ferimento antigo, ganho na batalha da Barreira do Inferno. O som de martelos contra o metal forjado foi se intensificando a cada passo. Uma coluna negra de fumaça subia para o céu, singrando pelo azul-celeste. Vicente estranhou o movimento. *O que estava acontecendo?* Magal, que normalmente trabalhava sozinho, fazendo as espadas e armaduras dos bentos e providenciando também reparos quando os peitos de prata voltavam lascados das batalhas, estava rodeado de gente.

Percebia de longe que o velho ferreiro de São Vítor tinha mudado. De onde estava, contou cerca de quinze homens e duas mulheres trabalhando ao redor do forno, muitos deles com os braços e rostos sujos de fuligem e carvão. Carregavam lingotes vermelhos incandescentes e iam, às pressas, em direção à bigorna de algum trabalhador que começava a descer o pesado martelo para espalhar o metal amolecido pelo forno. Mulheres colocavam objetos de prata dentro de grandes refratários destinados ao fogo, onde derreteriam e para dar origem à matéria-prima de novos peitos de prata, de espadas ou do banho dos projéteis destinados às armas de fogo dos soldados.

Uma correria anormal que fugia de seu entendimento.

– Magal! – berrou o guerreiro.

Um dos auxiliares indicou com o braço coberto por fuligem a parte de trás da forja. Vicente atravessou uma área coberta, onde tinham agora coisas o suficiente para oito grandes bigornas. Ali, o mormaço beirava o insuportável. Mesmo estando distante da boca do forno, as paredes de tijolos de barro irradiavam muito calor. O som das marteladas dos trabalhadores em plena atividade era compassado e tão alto que incomodava. Gritos de ordens urgentes e de carrinhos de mão, com os rolamentos rangendo ao transitar pelo terreno, completavam a sinfonia.

Caminhou em direção ao tanque d'água, que ficava nos fundos. A surpresa foi maior. Se tinha contado cerca de quinze pessoas trabalhando debaixo da cobertura de telhas, ali nos fundos tinha mais de cinquenta homens! Meia dúzia deles era de pedreiros que levantavam paredes. Outros traziam areia em carrinhos e despejavam próximo aos pedreiros. Mais gente parecia estar ajudando com a lida da forja. Nunca tinha visto aquilo tão agitado. Aproximou-se de Magal, em silêncio. O ferreiro musculoso olhava para o alfaiate Paulo, que estava ajoelhado ao lado de uma garotinha. O alfaiate passava um barbante de um ombro ao outro da garota, depois passou do pescoço à cintura. Anotou alguma coisa em um papel e estendeu-o ao ferreiro. Magal sorriu para a menina e afagou seu cabelo. Paulo deu a mão para a garota de pele negra e retirou-se do meio daquela bagunça.

Magal estava com os braços, o avental de couro e o rosto cobertos por fuligem. Abriu um grande sorriso quando viu bento Vicente.

– Que parada foi essa aí com o Paulo? – perguntou o bento.

– Tá falando da bentinha?

Vicente arqueou os olhos. As surpresas daquele dia pareciam vir de uma cartola ainda cheia.

– Bentinha?

– É. É a segunda criança esta semana.

– E tu vai fazer armadura pra ela também?

– Mandaram fazer, eu faço.

Vicente coçou a cabeça.

– Uma bentinha... essa é boa.

– Benta Gisele – completou Magal.

– E espada?

– Apronto hoje mesmo.

– Parece piada.

– Piada? Olhe pra esse corre-corre – disse o ferreiro, apontando para o movimento.

– O bicho tá pegando.

– Depois que vocês desencadearam os milagres, isso aqui virou foi um inferno – emendou o ferreiro, começando a rir para deixar claro o tom de brincadeira.

Vicente sorriu.

– Depois que começou essa onda de quem acorda, acorda bento... não sei como vamos conseguir manter essa produção – completou o ferreiro. – Só esta semana, o Paulo me trouxe nove guerreiros. Isso apenas aqui em São Vítor. Tem pedidos de fora chegando pelo rádio todo dia. Nova Prudente, Nova Natal, das bandas de Porto Alegre, Curitiba e Rio de Janeiro.

– Por isso que tá essa loucura – Vicente fez uma pausa admirando o trabalho daquela gente. – E esses pedreiros?

– Isso foi um toque do seu amigo Lucas. O cara é fera, hein, Vicente!

– Tem dúvida ainda?

– E pensar que tu achava que ele era um bostão.

– Cê vê, rapaz? Impressionante.

– Ele chegou aqui quando pedi ao Amaro pra me descolar uns ajudantes. Veio com o Amaro e ficou só de bizu. Eu expliquei que agora não ia ter jeito. Antes, aqui em São Vítor, essa coisa de bento era um, dois por ano e olha lá. Dois em um mesmo mês eu só vi uma vez. Agora toda semana vem um, dois, três... pode calhar de vir até mais. Não tenho matéria-prima nem disposição pra fazer tudo sozinho. Além de ele mandar o Amaro arrumar os ajudantes pra forja, já pediu pra verificar como poderiam ampliar isso aqui. Vão cobrir esse lado também e fazer mais dois fornos. Um pra trabalhar e outro só pro caso de precisar mais. Tá pensando na frente.

– E tu? Me chamou aqui pra quê? Só pra mostrar a correria?

Magal passou a mão pelo bigode que emendava com a barba.

– Promete não rir desse seu velho chapa?

Vicente riu antes mesmo de responder.

– Pô, mas eu nem falei e você já tá rindo! – esbravejou o ferreiro.

– Calma, lá, Magal. É que nunca ouvi você falando assim. O que tá pegando?

– É o seguinte. Eu tive um sonho.

Bento Vicente arregalou os olhos. Via outro coelho pulando da cartola.

– Eu sei que parece papo de maluco e que ninguém tem sonho... mas eu TIVE um sonho.

– Caraca, velho!

– Foi um sonho danado de esquisito, cara. Sonhei com vocês.

Vicente passou a mão pelo cabelo raspado.

– Cê tá de sacanagem comigo?

– É, tá vendo! Eu sabia que você ia tirar sarro.

– Não tô tirando sarro, não, Magal. Pega leve. Eu tô é impressionado, velho. Ninguém sonha. Tá virando o novo Bispo, é?

– Nada. Deus me livre. Não quero ficar vendo coisas, não. Deus me livre. Nem é esse o caso. É que eu fiquei impressionado. Acordei suado e tudo. Vem cá – chamou o ferreiro, convidando o bento a acompanhá-lo.

Afastaram-se do tanque d'água e chegaram a um gramado. Vicente deparou-se com três hastes terminadas em tridentes, espetadas no meio da grama. Eram longas feito lanças, tendo mais de dois metros cada uma.

– Tridentes? – indagou o bento.

– É. Sonhei com isso aí e com vocês. Fogo e fumaça.

– Pra que servem?

– Sei lá. Achei que você poderia ter alguma ideia.

Vicente aproximou-se e arrancou um dos tridentes que estavam no gramado. Era pesado, mas utilizável. Baixou e segurou com ambas as mãos, apontando para um inimigo imaginário e imitando um golpe para a frente.

– Olha! – disse Magal, tirando outro tridente da grama.

O ferreiro começou a girar uma parte do cabo, desrosqueando e dividindo a haste. Repetiu isso numa última emenda.

– Dá pra dividir em três partes. Fica com setenta centímetros cada uma, mais ou menos – disse o ferreiro, enquanto Vicente coçava a cabeça, admirado com o instrumento. – Eu não sei o que significa esse sonho, mas fiquei encafifado. Só parou de martelar na minha cabeça quando eu comecei a martelar o aço.

– O que você viu nesse sonho?

Magal ficou quieto e engoliu em seco.

– Eu vi... eu vi areia nos seus pés. Eu vi Lucas branco feito um fantasma... mas ele tinha os olhos diferentes... como se ele... como se ele tivesse passado para o outro lado.

Vicente meneou a cabeça negativamente e Magal continuou:

– Eu vi fogo e fumaça. Vi uma casa em chamas e estouros. Estouros do mar. Vi os tridentes batendo os demônios.

– Impressionante – exclamou o bento –, e que coisa mais louca, visto à bento.

– Agora é com você. Quer que eu faça mais?

– Faz. Mais vinte e sete. Se tu viu isso em um sonho, não deve ter sido em vão. Ninguém mais sonha nessa joça de mundo perdido.

– Perdido? – indagou o ferreiro, levando os olhos para o amigo.

– É. Perdido.

CAPÍTULO 13

Benito ouviu toda a história da boca de Lúcio. Era algo inacreditável. É bem verdade que Lúcio narrou suas desventuras com critério e óbvias ressalvas. Omitiu o fato de ele mesmo ser o assassino do velho Bispo, entre outras particularidades. Frisava a todo instante que era amigo de Cantarzo e que, com a ajuda da bruxa, o vampiro despertaria como o rei de sua espécie. Seria mais poderoso, mais forte, mais arretado. Seria o vampiro-rei.

Benito estava confuso. Não sabia o que pensar. Estava hipnotizado pelo entusiasmo do lacaio, que devotava sua existência àquela inusitada aventura. Seria verdade tudo o que dizia? Seria verdade que o vampiro lhe daria a vida eterna? E, por conseguinte, seria verdade que, se ele, Benito, ajudasse aquele ser das trevas, também seria brindado com vida eterna?

A proposta vinha em boa hora. Há meses, Benito girava em torno de pensamentos sombrios. Imaginando-se morrendo sozinho em seu sítio, lugar que jamais abandonaria. Daí seria encontrado por um viajante tresloucado feito aquele Lúcio... Aliás, seus restos mortais, talvez um corpo estufado e com a barriga estourada, após ter virado comida de vermes, ficando repleta de moscas gordas e verdes, fosse a fotografia desse encontro. E se alguém chegasse mais tarde encontraria apenas seu esqueleto no terreiro ou no alpendre. Viver para sempre poria fim àquela angústia. E à outra, que seria perder suas terras. Aquele que achasse seu esqueleto provavelmente se sentiria no direito de ficar por ali, tomar sua casa e suas coisas.

Assim, confuso e atormentado, Benito decidiu ajudar Lúcio.

– Eu tenho uma picape escondida há quatro horas de caminhada daqui. Tem etanol e está funcionando bem. Eu te levo até a bruxa.

Lúcio abriu um sorriso e abraçou de supetão o novo companheiro de viagem.

CAPÍTULO 14

O novo bento voltou ao Hospital Geral de São Vítor. Mesmo dentro do imenso prédio, e com o sol poente, sentia-se tonto e derretendo dentro daquela roupa pesada. O pescoço estava empapado de suor e a pele, em contato constante com o colete de couro sob a cota de malha de prata e a couraça metálica, estava ardendo pelo insistente raspar. Tinha esperado dois dias, conforme pedira o funcionário, quando fora até lá com o líder Amaro.

Era a primeira vez que andava sozinho na cidade fortificada. Os olhos ainda não tinham se acostumado com os muros nem com a falta do movimento dos grandes centros onde vivera trinta anos atrás. Aquele novo mundo era assustador. As coisas que diziam que tinham acontecido e que estavam para acontecer enchiam seu coração de temor. Sabia que em torno de mais dois dias partiria dali, em companhia de Lucas e seus homens, ao encontro de sua primeira campanha. Atacariam um covil de vampiros. Iriam acabar com seres que tinham se transformado em monstros. Sabia que entrariam em cavernas para resgatar o que eles chamavam de Rios de Sangue. Gente adormecida, tomada pelos vampiros para servir de comida. Às vezes, tinha vontade de fechar os olhos e não os abrir de novo. Se já tinha dormido tanto, por que não continuara daquela forma, inerte? Preferia ainda estar tomado pelo sono a ter de aceitar a nova verdade, o novo mundo. Vampiros... adormecidos... muros... milagres... eram "fábulas" aglutinadas em demasia para qualquer ser humano absorver tão repentinamente. Para piorar, seus pensamentos nublavam toda vez que tentava lembrar uma particularidade de sua vida pré-Noite Maldita.

Lembrava-se de morar em São Paulo. Isso lembrava. Lembrava-se de passear no Parque Ibirapuera e de que gostava de correr. Lembrava-se de fazer uma espécie de dança, com o braço estendido. Mas não era dançarino. Disso tinha certeza. Mas o que era aquela dança de braço estendido? Alguma arte marcial, talvez? Não se lembrava do próprio nome. Tinha dificuldade para se lembrar do nome de alguns objetos. Tudo enegrecia quando forçava a mente, quase o levando a um desmaio. O coração acelerava e ele se sentia mal.

Quando a porta da sala em que aguardava se abriu, o novo bento foi tirado desse estado de ansiedade. Era Suzete novamente, a moça que se prontificara em encontrar seu prontuário. Suzete entrou com um sorriso de ponta a ponta no rosto. Tão franco e radiante que o novato achou estranho... incômodo.

– Desculpe-me se demorei, mas foi por um bom motivo – disse ela.

– Imagina, não tem problema. O que você está fazendo por mim vale toda a espera do mundo.

Ela apertou a mão do homem e fitou-o longamente.

– Nossa, eu não sei nem por onde começar!

O novo bento notou que a mulher estava nervosa, muito diferente do ar calmo e quase displicente com que o recebera em sua mesa de trabalho meia hora atrás.

– O senhor deve estar estranhando esse meu jeito, né? – perguntou ela.

– Vou ser franco, estou estranhando e já estou ficando nervoso. O que acontece?

– Você não lembra nadica de nada da sua vida?

O bento balançou a cabeça negativamente, franzindo os lábios.

Suzete bufou, espantada.

– Como pode ser?!

– Olha, dona, a senhora tá me matando de curiosidade. O que a senhora trouxe pra mim?

– Seu prontuário está aqui – disse a mulher, exibindo uma pasta de arquivo de papel pardo.

O bento apanhou a pasta da mão da colaboradora do hospital e afastou-se dois passos. O nome grafado era protegido por papel adesivo. Um frio percorreu sua espinha.

– Rogério... – chamou a mulher, repetindo o nome que o bento acabara de ler no papel.

O bento sentiu o peito acelerar. *Rogério!* Era esse o seu nome.

– Sabe... eu sempre fui sua fã – continuou ela. – Nossa, quando você aparecia na televisão... nossa! Todo mundo em casa parava pra ver. Era que nem falar do Popó, do Guga, do Senna.

Rogério passou a mão na cabeça. Ainda não abrira o prontuário. Sua luva ainda percorria o papel adesivo, tentando desvendar aquele nome. Sorriu. Com as palavras da auxiliar do hospital, um turbilhão de coisas veio de uma vez à sua cabeça. Fãs... Sentou-se no sofá da saleta. Abriu o prontuário. Dezenas de fotos caíram no chão. Apanhou uma, ainda com dificuldade por causa da luva e das superfícies lisas do papel fotográfico. Virou. Era ele, com sunga, na praia. Abriu um largo sorriso. Não estava sozinho. Os olhos brilharam. Uma mulher de uns sessenta anos, cabelos tingidos numa tonalidade de caju. Ao lado dela, um senhor da mesma faixa de idade.

– Cara! Meus pais! – disse, feliz em vê-los na fotografia e por reconhecê-los de prontidão. – Dona Nair e seu Nelson. Cara! Como é que eu não me lembrava deles?

A auxiliar aproximou-se e ele continuou:

– Olha. A gente estava em Santa Catarina nesse dia. Praia da Joaquina... Lugar lindo! Muito surfe. Quanto tempo...

Um par de lágrimas escorreu de seus olhos.

– Se ficou emocionado com essa foto, pode preparar o peito, porque tem um montão aí. – E veja só – disse a moça, voltando à porta e pedindo para dois homens entrarem. Diante dos olhos surpresos de bento Rogério, os dois entraram com carrinhos de duas rodas. Em cima de cada um deles havia três caixas. A sala, que era pequena, ficou praticamente sem espaço. – É tudo seu. Você é um dos sortudos famosos que os caçadores de memória acabam beneficiando. Tudo isso quem trouxe pra cá foi o Caranguejeira.

– Caranguejeira?

– É. É um danado tresloucado que vive rodando de cidade em cidade. O bando dele tem alguns carros-fortes, enfrentam vampiros e mulos na unha. Um bando de loucos.

– É bastante coisa, Rogério – disse um dos carregadores. – Se você ainda não se lembrou de nada, putz, vai adorar tudo isso aqui. Vai lembrar-se de toda a sua vida.

– Podem levar pro quarto dele. Você está no alojamento dos bentos novos, não é? – perguntou Suzete.

Rogério aquiesceu, ainda hipnotizado pela fotografia, e ela acrescentou:

– Sugiro que você vá com eles, Rogério. Assim eles não erram de apartamento.

Rogério, ato reflexo, saiu da sala e caminhou pelo hospital, seguido pelos dois carregadores. Estava tonto. Queria chegar ao apartamento e tirar toda aquela indumentária de bento, tomar um banho frio, deitar e olhar todas aquelas fotos com calma. Olhar todas aquelas caixas. Não aguentava mais a espada pesada pendurada na cintura. Tinha alguma coisa de estranho com ela. Longa demais, larga demais, pesada demais. Aquele barulho constante da malha de prata vindo da touca sobre a cabeça. Não se sentia diferente o suficiente para estar dentro daquela roupa, mesmo com todo mundo dizendo que ele era.

Do lado de fora do HGSV, o sol se deitava no poente, tingindo o céu de púrpura e cobrindo a antiga cidade que fora erguida para sediar uma universidade, seus professores e alunos. Os vinte minutos que a caminhada tomou até seu apartamento foram suficientes para a luz minguar rapidamente e salpicar o céu de estrelas. Rogério, absorto na recente descoberta de seu nome e de seus pais, nem tinha percebido que se adiantara um bocado dos dois carregadores. Olhou para trás e identificou-os passando por um corredor entre um punhado de casas. Viu alguns moradores de São Vítor assomando às janelas e colocando para fora lamparinas a álcool. Olhou para os eventuais transeuntes que se aproximavam e cumprimentavam-no com um aceno de cabeça.

Duas senhoras viram-no de longe e vieram em sua direção. Rogério fingiu um sorriso. Estava com a cabeça pesada, sufocando com a lembrança de seus pais. As mulheres chegaram perto e puseram-se de joelhos. Rogério já tinha passado por aquilo. Era a parte mais estranha da história. Apesar de ter acordado e sentir-se comum como sempre, as pessoas o tratavam como um guerreiro... um guerreiro santo. As senhoras tomaram sua mão direita e a selaram com um beijo. Levantaram-se, fazendo o sinal da cruz, e afastaram-se em silêncio, respeitosamente, com um sorriso nos lábios. O bento novo esforçou-se para retribuir o sorriso.

Olhou na direção dos carregadores. Estavam bem próximos agora.

– É nesse aqui? – gritou um deles, perguntando.

Rogério respondeu que sim com um meneio de cabeça.

O bento ajudou o primeiro deles a puxar o carrinho de carga escada acima. Teriam de subir até o último andar pelas escadas. As escadarias eram em zigue-zague, do lado de fora do bloco de três andares.

Depois de todo o esforço, Rogério mantinha o sorriso nos lábios. Era como se estivesse a ponto de matar a fome numa mesa de banquete. Como matar o desejo nos braços e nos seios da mais bela das mulheres. Contudo, toda essa expectativa e prévia alegria desvaneceram. Um rojão de tiro único espocou alto e ribombou sobre o céu de São Vítor. Enquanto Rogério permanecia inocentemente sorridente, os dois carregadores tomaram expressões tensas e voltaram suas cabeças na direção do muro. Rogério entrou em seu apartamento despreocupado.

– Você não vai correr para o muro?

Rogério, em cima do assoalho com forração cinza, voltou-se para os carregadores.

– Quê?

– Você não ouviu o rojão?

– Ouvi.

– O senhor deve correr para o muro enquanto nos escondemos.

Rogério coçou seus cabelos negros e curtos.

– Esse rojão, senhor... os vampiros estão em São Vítor.

Os olhos verdes desbotados do guerreiro se arregalaram.

– Vampiros?!

– Corra ao muro, senhor! Una-se aos outros bentos!

Rogério levou a mão ao cabo da espada e permaneceu olhando para os dois carregadores.

Um rojão de três tiros soou tonitruante no céu.

Os dois carregadores trocaram um olhar rápido. O da direita disparou pelo corredor rapidamente, atingindo o lance de escadas e começando a descer aos saltos.

O segundo pôs as mãos nos batentes e projetou a cabeça para dentro do quarto.

– Pelo amor de Deus, senhor! Corra! Eles estão vindo para cá!

Terminado o alerta, o carregador desapareceu do campo de visão de Rogério.

O bento, letárgico, foi até a porta do quarto. Saiu para o corredor e recebeu um vento frio no rosto. O céu estava azul-escuro e a noite ia tomando conta do firmamento. Os últimos raios de luz resistiam na linha do horizonte e o céu cheio de estrelas trazia um cheiro junto com o movimento do ar. Um cheiro acre, azedo. Um cheiro ruim e maldito.

Os olhos de Rogério brilhavam amarelos e o bento emitiu um suave grunhido. Ao contrário dos carregadores, Rogério saltou para cima da grade do corredor de seu andar, equilibrando-se ali um ligeiro instante, e saltou para o patamar da escadaria no andar de baixo, repetindo o salto para ir, em seguida, do patamar do segundo andar para o corredor do primeiro, e então para o chão.

Correu veloz na direção de onde vinha aquele cheiro. O muro de São Vítor foi ficando maior à medida que se aproximava. Viu homens armados correndo e picapes com soldados também armados saltando das caçambas, indo em direção à estreita porta que dava acesso às escadas e chegando ao corredor de manobras do grande muro. Disparos começaram a explodir. O som da metralhadora deita-corno encheu seus ouvidos. Rogério olhou para o lado e viu uma mulher negra e poderosa correndo ao seu lado. Sabia seu nome. Benta Marcela. Assim como ele, era uma novata. Arregalou os olhos ao perceber que os dela emitiam um suave brilho amarelo.

– Parem! – gritou Lucas.

Marcela e Rogério pararam imediatamente. Seus olhos encontraram-se com os de Lucas. Era o trigésimo guerreiro, o líder dos bentos.

Bento Danilo juntou-se a eles, fechando o trio de novatos. Em instantes, mais bentos foram aglutinando-se ao redor de Lucas. Dois bentos negros postaram-se ao lado do trigésimo guerreiro e por fim chegou o imenso e musculoso bento Vicente. Esse último, em vez da espada, empunhava um longo tridente. Vicente decidira experimentar a arma sonhada por Magal.

Os gritos de cima do muro não cessavam. As metralhadoras e os fuzis trabalhavam sem parar.

– Agora é a nossa hora! – bradou Lucas, desembainhando e erguendo sua espada.

Lucas levou um walkie-talkie até a boca e pediu que o guarda do muro abrisse os portões do muro dois. Os bentos se postaram em frente ao portão de madeira e chapas de ferro e passaram a respirar de forma curta e ansiosa. Estavam prestes a se bater mais uma vez com seus inimigos naturais. Todos desembainharam as espadas.

Marcela apertou o cabo de sua arma e esvaziou a mente. Nunca tinha feito aquilo. Jamais tinha erguido um dedo contra um ser humano. Mas o que tinha do outro lado não eram humanos. Eram monstros. Sanguessugas.

Rogério sentiu um frio na barriga quando sacou sua espada. Não que fosse o ineditismo. Era justamente o contrário. Uma sensação de que já havia feito aquilo muitas e muitas vezes o sobressaltou. Um incômodo. Estava segurando a arma errada. Aquela espada era muito pesada e não tinha o formato que queria. Mas como essa sensação poderia ser legítima e possível? Nunca lutara com espadas! No entanto, incomodava-se com a arma, queria algo mais leve e ágil. Contudo, aferrou-se à empunhadura de lâmina prateada e começou a contar mentalmente. Assim, conseguiria tirar todos os pensamentos da cabeça. Conseguiria focar o adversário. Mais um ponto. Só mais um ponto.

Amintas somou-se aos guerreiros. Postou-se ao lado de Marcela. Não ficou hipnotizado pelas curvas, pela beleza ou pelo garbo da benta. Não tinha tempo nem olhos para isso. Toda sua atenção havia sido fisgada pelo nariz, com o cheiro odiento dos vampiros. Seus dedos experientes e seu corpo forjado nas inúmeras batalhas sabiam o que fazer. Era só o portão se abrir.

Os portões correram de lado e mostraram o vasto areião aos contendores. Bentos e vampiros foram postos frente a frente.

Os vampiros, quando viram inacreditavelmente os portões de São Vítor franqueando passagem, preferiram tomar aquela direção. Centenas deles agruparam-se, vencendo os disparos e avançando. Seus semblantes resolutos e fechados, concentrados na batalha, deram lugar a expressões de espanto. Além dos portões, corria ao encontro dos vampiros um grupo de bentos, coisa de vinte e cinco guerreiros.

Muitas das criaturas da noite vinham armadas com facões que sacaram da bainha nesse instante. Bentos não eram comida nem reles soldados. Tinham de confrontá-los com toda a força e todo o cuidado.

Vicente, correndo, tinha se destacado do grupo. Foi o primeiro a bater contra a avalanche de inimigos. Empunhou o tridente e estocou o vampiro que vinha à frente. Ergueu agilmente a haste da arma e arremessou o vampiro sobre sua cabeça. A criatura, gritando, voou sobre o guerreiro e caiu no meio dos bentos. Quatro espadas transfixaram seu corpo e cessaram sua existência.

Rogério, bento novato, ergueu sua arma contra um vampiro armado. O facão da fera foi aparado e a lâmina do bento abriu um rasgo no peito do inimigo. O vampiro recuou, ferido, gritando e urrando, com um rastro de fumaça formando-se no peito. Outro entrou na frente de Rogério e, também munido de facão, descreveu um arco visando o pescoço do guerreiro. Com uma esquiva lateral, Rogério se livrou do ataque e ergueu a espada acima da cabeça, descendo a lâmina afiada no meio da testa do guerreiro das trevas. O vampiro tombou, inanimado. Rogério cortou o braço de um terceiro atacante e girou o corpo, decepando a cabeça de um quarto. Seus movimentos eram ligeiros, e seus golpes, bem endereçados. Em menos de dois minutos, um amontoado de corpos inertes se juntou aos seus pés, obrigando Rogério a sempre dar longas passadas para o lado, afastando-se dos cadáveres que deixava ao decorrer do combate.

Bento Amintas, apesar de ser o guerreiro mais velho, não era um que poderia ser subjugado. De músculos maciços como rocha e espada afoita e destemida, fazia tombar cada ser que ousava postar-se à sua frente.

Lucas tinha esvaziado completamente a cabeça de pensamentos. Um par de garras fechou-se ao seu pescoço, fazendo com que golpeasse para trás, usando o cotovelo. Girou o corpo e estocou com a espada prateada. Tirou-a do abdome do vampiro inativo e lançou-a contra outro inimigo. Seu bailado mortal abriu espaço para que outros bentos invadissem a turba de vampiros e espalhassem golpes de espada.

Danilo, assim que cruzou os portões e avistou o numeroso batalhão de feras rumando de encontro a São Vítor, levou a mão ao cabo da espada. O cheiro das feras entrava por suas narinas e parecia ir além dos pulmões, invadindo sua corrente sanguínea junto com o oxigênio, fazendo seus músculos inflamarem e seu corpo todo reagir.

Lucas tinha gritado para atacarem. A voz do guerreiro também agia como adrenalina lançada no sangue. Mas mesmo sob influências tão poderosas, por mais que tentasse, Danilo não conseguia sacar a espada da bainha. Por mais que puxasse, a lâmina continuava engripada na proteção. Um puxão mais forte fez com que o cinto de couro se soltasse da cintura. Danilo, ainda correndo junto dos bentos, viu-se em apuros. Os vampiros estavam cada vez mais perto. Livrou a bainha do cinto e nada de a espada ser sacada. Ouviu os urros da primeira fera que vinha em sua direção. Correr de volta aos muros de São Vítor não era alternativa. Depois que a voz de agulhas do monstro noturno perfurou seus ouvidos, também não quis saber de mais nada. O bento novato empunhou a espada com bainha e tudo e, quando o vampiro saltou para agarrá-lo, foi atingido na fuça pela arma embainhada. Um "croc" estrondoso encheu o ar. Danilo, de olhos amarelos brilhantes, viu o inimigo tombar fora de combate com o rosto moído. Ergueu a arma e partiu para cima das dezenas de vampiros que vinham por perto. Quebrava-lhe os ossos a cada investida violenta. A espada não era um shape de skate, mas estava servindo.

O combate durou menos de quinze minutos. Quando o som dos tiros terminou, tinham cessado também os urros das feras. Os bentos respiravam resfolegantes no meio do areião.

Os olhares de todos os combatentes convergiram para a figura de Rogério. Sem sombra de dúvidas o novato fora o bento que mais eliminara inimigos, deixando atrás de si um trilho de corpos picados e paralisados por sua espada guerreira. O amontoado de corpos era maior do que o que Lucas e Vicente tinham produzido. Todos olhavam-no com expressão de surpresa, mas certamente ninguém estava mais surpreso do que o próprio Rogério.

– Deus do céu! Como eu fiz isso? – perguntou-se o bento novo.

Vicente caminhou até Lucas e, dando-lhe tapinhas nas costas, brincou:

– Sabe aquele recorde que você tinha? Pois é. Já era, meu irmão. O truta aí humilhou geral.

– Que baixinho arretado! – exclamou bento Duque, embainhando a espada, admirado com o primeiro desempenho do novo guerreiro.

Lucas sorriu para Vicente e olhou novamente para a gigantesca pilha produzida por Rogério. Realmente era assombrosa a habilidade que o guerreiro tinha com a espada. Não seria pouco dizer que a batalha tinha sido quase ganha sozinha pelo novato. Ele parecia ter dizimado mais vampiros que todos os outros vinte e quatro bentos juntos. Tão rápido tinham dado conta do serviço que, quando o fogo de TUPÃ varreu a areia, só o que fez foi queimar todos os cadáveres de vampiros, espantando qualquer surpresa possível, matando os feridos que eventualmente poderiam causar ferimentos ou criar resistência.

Conforme o facho de luz solar ia varrendo a areia, os bentos caminhavam para dentro dos portões, afastando-se dos corpos. Uma língua de fogo formou-se momentaneamente e uma fumaça branca e malcheirosa ganhou os céus. O facho de luz passou sobre a ex-cidade universitária, que fora a fortificação, e fez brilhar os vidros do imenso HGSV. O calor incomum que o facho de luz concentrada causava era desconfortável, mas imensamente bem-vindo. Quando a luz se foi, a temperatura caiu rapidamente.

Rogério ia cercado por bentos e soldados que, efusivamente, cumprimentavam-no e rendiam-lhe vivas por conta da façanha recém-perpetrada.

O bento novato caminhou até a escadaria do prédio de alojamentos e foi deixado em paz. Subiu lentamente os degraus até o terceiro andar. Estava exausto. Caminhou vacilante pelo corredor, tentando relembrar onde era seu quarto. Abriu a porta e livrou-se da capa e da armadura. Tirou o colete e a cota de malha de ferro e por fim a camiseta de algodão branco, ficando com o tórax magro nu. Sentou-se na cama e só então tomou tento dos carrinhos com seus pertences trazidos pelos carregadores bem quando começara o ataque.

Levantou-se mais uma vez e apanhou a caixa do topo. Colocou-a sobre a cama e rasgou a fita adesiva que lacrava o papelão. Tirou uma caixinha preta de cima de tudo e mais uma pasta azul, bem volumosa. Abriu a caixinha, curioso. Seus olhos brilharam. Era uma medalha. Lembrou-se de Suzete dizendo que era sua fã. O coração bateu mais rápido quando leu as palavras em inglês. Era uma medalha de ouro. Uma medalha olímpica de ouro! Ele era um campeão olímpico.

Sentindo um arrepio erguer os pelos do braço e da nuca, tirou uma caixa retangular de dentro da caixa de papelão. A caixa era de madeira e forrada com um tipo de camurça. Tirou o conteúdo e abriu um sorriso. Era um uniforme. Um uniforme branco e esguio. Tirou um protetor de dentro da caixa. Uma espécie de capacete branco com uma proteção facial em tela negra. Era um uniforme de esgrimista!

CAPÍTULO 15

Lúcio estava preocupado com seu novo companheiro de viagem. O carro tinha parado no sertão de Minas Gerais, numa cidadezinha dragada pelo esquecimento por imposição da Noite Maldita. Lúcio, cada vez mais enfiado nos confins do Brasil, chegava a sentir arrepio ao cruzar as velhas cidades. Uma sucessão sem fim de ruas e bairros fantasmas. Apesar de agora encontrar-se em um vilarejo, pequeno e bucólico, essa sensação de assombração permeava seu pensamento. Ultimamente batia os olhos nas janelas e nas portas das moradias e pegava-se imaginando que tipo de gente tinha morado ali. Olhava para praças desertas, enfeitadas com fontes há muito secas e tomadas pelo mato, e botava-se a ver espectros passeando pelas alamedas fartamente arborizadas e a ouvir risos de crianças e sinos de bicicletas.

Lúcio passava longe de um sentimental, mas, curiosamente, esse sentimento nostálgico tornava-se cada vez mais recorrente. Seus olhos pairaram sobre as casas da vila que pareciam pintadas de vermelho, mas na verdade estavam cobertas com camadas e mais camadas da terra carregada pelo vento. Seu amigo ficara mudo a manhã toda e, agora que a noite começava, parecia tremer e evitava os olhos de Lúcio.

Coçando o queixo, Lúcio se perguntava o que Benito teria. Parecia arder em arrependimento por ter deixado o estimado sítio e as redondezas conhecidas para trás. Parecia doente.

O pôr do sol trouxe um vento gelado e insistente. Não tinham cobertores na bagagem e, apesar de o lacaio de Cantarzo viver solto no mundo, acostumado com adversidades e afastado da sacal atmosfera "agradável" dos prestativos e solidários cidadãos das fortificações, experimentava agora uma vontade humana e fraternal de confortar aquele que confiara em suas promessas e lhe estendera a mão. O sitiante não estava fisicamente doente, mas parecia padecer de alguma tormenta psicológica. Lúcio não lhe viraria as costas naquela hora.

O carro de Benito, além de cortar a distância, sempre buscando o norte, ainda lhe trazia benefícios curativos. Lúcio olhou para as mãos. A pele voltava a crescer sob as feridas e a superfície estava bem menos dolorida aquela noite. Nada de pus, nada de odor ruim. Não era à toa que se compadecesse e se preocupasse com o amigo. Caso Benito passasse daquela para melhor, não saberia pilotar a picape. E dá-lhe puxar caixão por aí. Tinha de agir, antes que Benito se enfezasse com aquele revés.

Lúcio deixou o trêmulo acompanhante deitado sobre o chão de ardósia embaixo da marquise do que fora um supermercado e saiu para vasculhar o vilarejo em busca de agasalhos para o amigo, valendo-se da lanterna de bateria recarregável trazida por Benito. Uma daquelas casas poderia ter um guarda-roupas cheio de cobertores ou edredons. Benito se aqueceria e acordaria refeito para seguir viagem. Seguiriam para o norte.

Lúcio sabia que esse destino incerto, uma marcha meramente ao norte, também estava incomodando o parceiro. Mas que fazer? Cantarzo pouco lhe dissera. Nunca mais se manifestara. Tudo o que dissera foi: "Vá ao norte e encontre a bruxa Tereza. Vá até onde a tartaruga é engolida pela serpente". Lúcio balançou a cabeça. Não sabia para onde ir.

Depois de entrar em mais de uma dúzia de casas e só encontrar armários e guarda-roupas vazios, Lúcio e a lanterna foram à frente de um prédio municipal. Era pequeno. Frente de cinco ou seis metros. Muito pobre. Na fachada, suja pelo abandono e pelo tempo, liam-se algumas letras, a partir das quais se fazia adivinhar a palavra inteira. Era uma biblioteca. O lacaio atravessou o portão enferrujado que guarnecia a calçada pública. O chão, também em ardósia, estava rachado, e a grama crescia alta, sem a intromissão de quem quer que fosse. A porta dupla de entrada da pequena biblioteca tinha uma grossa camada de terra vermelha a seus pés. O mato era viçoso também na parte interna da varanda. Lúcio apontou a lanterna para a maçaneta. Girou o mecanismo sem sucesso. Bateu com o ombro na porta e ouviu a madeira podre estalar. Chutou a porta na altura do antigo trinco, que se desprendeu das tábuas velhas e fragilizadas pelo tempo.

Ergueu novamente a lanterna. Era uma casa de um cômodo só. Podia ver no chão os recortes bem nítidos donde teriam sido as paredes de separação dos cômodos. Um quarto, sala, banheiro e cozinha. Tudo tinha sido derrubado para virar um salão único, nada muito grande. Via três mesas com doze cadeiras no total. As paredes eram cobertas por prateleiras que iam do chão ao teto, abarrotadas de livros empoeirados, exceto onde existiam as janelas.

No meio do salão, três prateleiras de um metro e meio tinham caído e esparramado livros por quase todo o assoalho. Em alguns lugares, o piso estava rachado, dando passagem a grossas porções de raízes de árvores que cresciam aos fundos da repartição pública. Lúcio arqueou as sobrancelhas. Era justamente isso que precisava para ajudar seu amigo: livros.

Deixou a lanterna vagar novamente pelo ambiente. Logo encontrou outra coisa útil. Uma caixa de madeira. Encheu-a com livros, dos mais diversos. Não gostava de ler mesmo, então o gênero não ia interessar muito. Apenas um lhe despertou a curiosidade. Era um grande. Bem grande. Com uma espécie de rosa dos ventos na capa. Leu o que estava na capa: *Atlas geográfico. Melhoramentos*. Colocou ele também dentro da caixa. Se aquilo não fosse o bastante, faria nova viagem.

Lúcio levantou-se e enfiou o fundo da lanterna na boca. Precisou abrir ao máximo as mandíbulas para segurar o objeto. Ergueu a caixa com as mãos. Estava pesada pra cachorro. Saiu caminhando com dificuldade. Precisava apressar-se. Benito podia ter dado por sua falta.

O caminho que tinha feito em cinco minutos levou quinze na volta. Parou umas duas vezes, colocando a caixa no chão, soltando a lanterna da boca. As mãos doíam e as palmas voltaram a sangrar, manchando os trapos velhos que faziam as vezes de curativos. As paradas tinham sido mais pelos barulhos que deixaram o lacaio encafifado do que pelo peso desconfortável dos livros.

Lançou o facho de luz para as árvores que tinham tomado as calçadas do vilarejo. Podiam ser eles. Os malditos vampiros. Não confiava neles. Eles poderiam querer tirar o vampiro-rei de sua posse. Poderiam querer acabar com sua vida e com a de Benito em troca de uns poucos litros de sangue. Demorou quase dois minutos examinando as árvores, os ouvidos atentos. O vento soprava frio, arrepiando a pele. Voltou a carregar a caixa e a morder a lanterna, para manter o caminho iluminado. A luz alcançou a picape de Benito. Podia ver os pés do companheiro de jornada. Largou a caixa, deixando alguns volumes caírem ao chão.

Lúcio afastou-se mais uma vez, agora para voltar com algumas pedras. Levou-as até perto de Benito, que se encolhia e ainda tiritava de frio. Ajeitou as pedras, fechando um pequeno círculo. Tirou um isqueiro do bolso e apanhou um dos livros. Depois de friccionar duas vezes a pedra do isqueiro, uma chama alaranjada acendeu-se. Ateou fogo em um *Vidas secas* e arremessou-o ao centro das pedras. Apanhou um exemplar de *A montanha mágica* e esfacelou os cadernos, jogando-o na fogueira. As labaredas ganharam volume quando começaram a arder *O monte cinco*, *Reinações de Narizinho*, *A revolução dos bichos* e *As melhores receitas de Ofélia*.

Lúcio ficou quieto um instante, como que tomado pelas chamas, como que vendo no meio das labaredas um outro mundo. Estava cansado daquela jornada. Estava cansado daquele vampiro e do destino vago que o aguardava cada manhã. Rumavam para o norte, mas uma hora Benito se cansaria daquela papagaiada e babau carona. Lúcio olhou para o parceiro de viagem. Notou que aos poucos Benito foi se virando na direção do fogo. O homem arregalou os olhos e se achegou. Estendeu as mãos e começou a passá-las pelos braços.

– Graças a Deus! Graças a Deus... – murmurou o homem.

Lúcio sorriu.

– Tá com fome? – perguntou.

Benito aquiesceu.

O lacaio do vampiro levantou-se e foi até a traseira da picape. Soltou as tiras da lona que recobria o compartimento e destravou a tampa traseira. O caixão estava lá, amarrado. Perto de sua mão, estavam os sacos com mantimentos. Apanhou uma broa de milho, um vidro com pó de café e uma garrafa d'água. Colocou tudo ao lado de Benito e voltou para a picape. Apanhou um canecão de ferro e fitou o caixão demoradamente. Um frio percorreu-lhe a espinha. Como seria quando encontrassem a tal de Tereza? Ela realmente traria Cantarzo de volta à vida?

Lúcio fechou a traseira da picape, cortando sua visão do caixão. Só assim para se ver livre daquela repentina paralisia. Às vezes, achava que o vampiro estava mexendo com sua cabeça, só assim para explicar a decisão tresloucada de contar o segredo para Benito e convidar o homem para aquela jornada tenebrosa. Às vezes, de manhã, queria jogar aquela caixa numa ribanceira e esquecer a promessa. Sentia-se enfraquecido. Quando chegava a noite, ficava mais dividido, mas, invariavelmente, o desejo de manter o caixão e continuar rumando para o norte prevalecia. Se estivesse errado ou terminasse perdido, paciência. A vida nunca lhe fora um passeio agradável mesmo... Mas e se tudo fosse verdade? Se as palavras de Cantarzo deslindassem, se realmente tudo acontecesse? Seu prêmio seria a vida eterna! Valia ou não valia o risco? Valia.

Lúcio apanhou a lanterna ainda ligada e foi até uma das ruas próximas ao acampamento improvisado. Apanhou um punhado de gravetos e voltou. Sentou-se junto ao fogo e despejou um bocado da água dentro do canecão. Apoiou a vasilha de ferro junto às pedras para que a água fervesse.

A cara de Benito já estava melhor. O homem estendia eventualmente as mãos junto ao fogo.

Lúcio olhou para os livros esparramados na boca da caixa e apanhou três volumes para alimentar o fogo. Lá se foram *A vida e a morte de Quincas Berro D'Água*, um volume de *Os sertões*, bem gordo, e um de *O xangô de Baker Street*. Assim que as chamas ganharam força, dispôs alguns gravetos para que o fogo durasse mais. Os livros, apesar de imortais, queimavam rápido.

Dividiu a broa em duas partes e estendeu um pedaço para o companheiro.

– Coma devagar. Ainda vou passar o café.

Benito só aquiesceu novamente. Ainda tremia de frio.

Lúcio, olhando para os lados, impaciente com a demora da água em ferver, bateu os olhos no vistoso *Atlas geográfico*. Puxou o livro de capa grande e escura, enquanto mordia um naco de sua broa de milho. Lembrou-se vagamente de seus tempos de escola. Ia forçado, porque a mãe queria que ele fosse alguém na vida. Que fosse homem. *Homem!* Ora bolas, para que servia aquele pinto no meio das pernas? *Não precisa estudar porcaria nenhuma para ser homem*, pensava às vezes. Mas gostava da mãe. Então fingia que gostava de ir para a escola. A mãe ralhava com as notas baixas, com o boletim vermelho que não mentia nunca. Dizia que não queria o filho igual ao pai, um vagabundo covarde que morria de medo da vida. Nessa lembrança, Lúcio balançou a cabeça negativamente. Nunca tinha visto o pai. Ele ligara uma vez. Conversara com ele por três minutos em um Natal. Talvez o velho estivesse morrendo de remorso... talvez estivesse cachaçado. Vai saber. Ver, que é bom, nunca tinha visto. Em pessoa? Nunca. Viu uma foto. O pai era alto e rechonchudo. Simpático. Safado.

Os dedos passavam nervosamente as páginas do *Atlas*. Parou quando viu duas páginas ocupadas de ponta a ponta com bandeiras do mundo inteiro. Demorou uns bons minutos conferindo as bandeiras e curtindo certa nostalgia. Voltou a folhear o *Atlas*. Só parou de admirá-lo feito menino da terceira série primária quando percebeu que a água tinha fervido. Tirou o canecão do fogo e despejou o pó negro em seu interior. Mexeu o líquido com um graveto e foi para o fundo da picape, voltando com uma colher cheia de melado de cana de açúcar e dois copos. Serviu um copo da beberagem para Benito e um copo para si mesmo.

Tornou a se sentar junto ao *Atlas* para voltar a examiná-lo. O fogo tinha diminuído, dificultando a leitura e a observação das figuras. Lúcio apanhou outro livro e arremessou-o ao fogo. Sempre gostara de olhar os mapas. Gastava horas quando menino folheando atlas. Onde será que estavam agora? Tinham passado por Teófilo Otoni algumas horas antes de chegar àquele vilarejo. E qual era o nome mesmo daquele lugarzinho? Procurou na última página do *Atlas*, onde a bibliotecária fazia os registros de retirada e devolução da obra. Era um pedaço de papel mimeografado e colado. Estava muito apagado para ler. Ficou procurando Teófilo Otoni no mapa de Minas Gerais. A luz da fogueira era fraca e seus olhos começaram a arder.

CAPÍTULO 16

Ana acordou com o bater na porta. Era cedo ainda. Lucas já tinha saído para cuidar das coisas da vila e da nova jornada que se aproximava. Isso significava que ela teria de levantar e deixar o calor das cobertas para atender o visitante.

Bateram novamente.

– Já vai – gritou a médica.

Ana foi até a penteadeira e ajeitou o cabelo. Passou no banheiro e escovou os dentes rapidamente. Lavou o rosto e secou-o. Detestava ter de atender a porta logo após pular da cama. Lembrava-se da cara amassada de sono que via nos rostos das pessoas aos domingos quando acompanhava sua mãe na incansável missão de levar a palavra da Bíblia aos impuros. Pensava na mãe quando abriu a porta.

– Oi, Ana! – sorriu Marisa do lado de fora.

Ana arqueou as sobrancelhas encarando a enfermeira do HGSV.

– Chegou a sua vez, doutora.

– O que é isso? – indagou, vendo a colega do hospital entrando com uma cesta térmica.

– Só estou cumprindo ordens. Ordens suas.

Ana passou as mãos sobre as pálpebras que cobriam seus olhos cinzentos e ardiam com a entrada súbita de luz solar.

– O que é isso? – repetiu.

Marisa abriu a cesta térmica, deixando à mostra vários tubinhos de vidro, devidamente tampados, etiquetados e identificados.

– Vou te recomendar um neuro amigo meu, doutora. A senhora dá um comando dois dias atrás e já está esquecendo? Ou está precisando de um médico ou de um café forte.

– Café forte, Marisa, café – disse a médica indo para a cozinha para colocar água no fogareiro elétrico. – Ainda não acordei.

O fogareiro movido a eletricidade era artigo de luxo. Poucas pessoas em São Vítor podiam ter um em casa. A energia elétrica era destinada a praticamente todas as residências, mas o controle do consumo era rigoroso e racionado.

Ana voltou para a sala e viu Marisa preparando uma seringa.

– O que é isso, Marisa?

– É a coleta geral de exame de sangue que a senhora solicitou. Todas as mulheres. A senhora foi bem clara, todas as mulheres.

– É, mas...

– Sem mas. Até onde eu posso ver, a senhora é mulher. E médica. Chata, às vezes. Chefe bicuda... Mas, acima de tudo, é mulher e tem de fazer.

– Tá, tá, Marisa – resmungou a médica, impaciente. – Só acho que você podia ter esperado eu chegar ao hospital.

– Eu já estava aqui na sua vizinha mesmo... Como sei que o bonitão do Lucas está com os homens no galpão dos soldados, sabia que não ia interromper nada – completou, com um sorriso malicioso no rosto.

Ana retribuiu o sorriso.

– Sua boba. Boba e invejosa. Ai! – reclamou a médica, quando a agulha atravessou a pele.

Segundos depois, Marisa, ainda brincando com a colega, retirava o tubo de vidro da seringa e etiquetava, colocando-o junto com as outras amostras.

– Bem, pra você não preciso explicar, né? O resultado sai amanhã. Eu mesma te levo, ok?

– Depois eu é que sou bicuda. Pode deixar que eu mesma passo no laboratório para pegar meu resultado negativo, viu?

– Negativo? Pelo que sei, pode vir é um belo positivo. Positivo com "pê" maiúsculo.

– Ai, Marisa! Vai caçar outra vítima pra tomar sangue, vai! Deixe-me tomar meu banho em paz e logo a gente se vê, vampirinha sanguessuga.

– Cruz-credo, doutora! Nem fala uma barbaridade dessas. Do jeito que São Vítor está cheio de bento, eu não ia durar duas horas por aqui.

As duas riram e se despediram.

Ana fechou a porta, trancando-a por dentro. Sempre fazia isso quando ia para o banho. Tirou a roupa e mirou-se no espelho por uns instantes. Olhou o corpo de perfil e passou a mão pelo ventre. Sem chance. Não estava grávida. Abriu o chuveiro e deixou a água quente, outro luxo bem-vindo para os médicos do HGSV, afagar sua pele. Grávida ou não, amanhã saberia.

Lembrou-se de que teria um encontro às dez horas com o doutor Mendonça. Teriam de trazer o equipamento reserva e empoeirado de ultrassonografia do subsolo dois para a recém-criada área de obstetrícia do HGSV. Ana sorriu. Tinha muito trabalho pela frente. Tinha uma maternidade inteira para inventar em menos de nove meses. Em seis, tinha de estar tudo em cima. Eles não sabiam como as mulheres, apanhadas pelo quarto e maravilhoso milagre, se comportariam durante todo o período gestacional, talvez dois ou três casos requeressem um parto de emergência, um parto fora de hora, lá pelo sétimo mês de gravidez. Sem sombra de dúvidas, haveria muito trabalho pela frente. E também muito chorinho de bebês, se Deus assim permitisse.

CAPÍTULO 17

O guarda em cima do muro um levou o walkie-talkie à boca e conversou com as sentinelas da torre norte. Aguardou até que eles contatassem de volta, avisando que o caminho estava livre; não havia nenhum sinal de mulos até onde os binóculos alcançavam. Nesse instante, o guarda fez um sinal para que os portões fossem abertos. Soldados puxaram as grossas correntes, que fizeram as chapas de metal se separar.

Bento Lucas e bento Francis, que iam à frente do batalhão de bentos e soldados montados, fizeram um sinal. Assim que os portões deram passagem, os oitenta cavaleiros deixaram os muros de São Vítor, ganhando o campo de areia que cercava a fortificação.

Bento Ulisses seguia o caminho ladeado pelos bentos Augusto, Amintas e Justo. Logo atrás vinha bento Duque, acompanhado de mais três bentos recém-despertos: o já famoso bento Rogério, que após o último confronto em frente ao muro de São Vítor havia subido de forma estupenda no conceito dos guerreiros; bento Danilo; e também Marcela, a primeira mulher benta de São Vítor, vestindo uma armadura preparada para a jornada. O imponente bento Vicente cavalgava solitário, afastado e vigilante. Seus olhos vasculhavam a paisagem e interpretavam os sinais. Sabia que o comboio poderia prosseguir tranquilo. Além de quinze guerreiros bentos, vinham sessenta e cinco soldados de São Vítor.

A marcha tinha como primeiro destino a cidade de São Pedro, a fortificação mais próxima da Velha São Paulo. Mensagens de rádio haviam sido enviadas para todas as fortificações da região. Muitas tinham confirmado recebimento, aquecendo o coração de Lucas, que via os contornos de seu plano se firmarem. Tinha pedido que toda vila que recebesse a mensagem enviasse quantos soldados fosse possível. Sabia o significado que teria para todos os brasileiros a notícia de que a maior cidade do país havia voltado ao controle dos humanos. Isso estimularia e firmaria ainda mais no coração das pessoas a certeza de que os quatro milagres mudariam o mundo. Um dia, todos os humanos estariam livres daquelas criaturas noturnas.

Francis aproximou-se do trigésimo guerreiro.

– Tudo em ordem, Lucas? – perguntou.

– Tudo, amigo.

– E o pessoal motorizado? Será que eles já estão no ponto de encontro?

– Ainda não sei. Mas vamos saber já. Agora temos a vantagem do rádio, Francis. Saber é só uma questão de sintonia.

Francis sorriu para o amigo, vendo Lucas dar meia-volta com o cavalo e ir até o soldado Gabriel, que trazia um dos rádios da unidade. Por recomendação do próprio Lucas, tinham trazido três aparelhos. Caso um deles fosse danificado, sempre haveria um de reserva para que o grupo não fosse lançado à temida surdez de informações.

Francis olhou para a frente. Chegariam em questão de minutos ao primeiro planalto do caminho, com vegetação rasteira e densa dos dois lados do asfalto. O passeio faria bem aos bentos novos, que ainda não haviam tido a oportunidade de apreciar o vigor e a beleza dos filhos da natureza, trinta anos depois que os homens praticamente interromperam, de maneira avassaladora, a sua influência sobre o restante do planeta.

Lucas voltou para a frente do grupo, postando-se ao lado de Francis. À frente deles, destacado uns trezentos metros, só viam Vicente, cavalgando, com a capa balançando ao sabor do vento. O som da marcha dos oitenta cavalos era cadenciado e interessante, quase uma melodia. Francis indagou-lhe a respeito do rádio. Lucas deu a boa notícia de que o batalhão motorizado já estava postado a quatrocentos metros do primeiro e único alvo antes de São Pedro. Os motorizados, incluindo aí Adriano e os motoqueiros de Nova Luz, tinham saído com horas de antecedência. Iriam como batedores, verificando o terreno à frente e preparando o primeiro acampamento. Lucas revelou que, quando chegassem ao ponto de encontro da estrada, seriam recebidos por um revigorante almoço *à la* Paraná, o cuca de Adriano.

* * *

Seis horas se passaram desde que atingiram a planície à frente de São Vítor. Lucas divisou o terreno que se estendia até o horizonte e reconheceu algumas particularidades daquela região, que visitara uma única vez. Seria ali a primeira parada de seu batalhão. Poderia considerar uma jornada ininterrupta até aquele ponto, posto que tinham feito uma pausa ligeira para dar de beber aos cavalos e para ajeitar um soldado desmaiado na garupa de Matias. Tinha sido um dia puxado no lombo dos animais, e o almoço seria servido já com a tarde em sua metade.

Os quatro caminhões vindos de São Vítor estavam junto ao acostamento, em formação estratégica, conforme recomendara Lucas. Adriano, que comandava aquele pelotão motorizado, havia colocado os caminhões de carretas fechadas e longas em semicírculo. Os dois da ponta tinham uma parte no acostamento e outra parte invadindo o terreno que beirava a estrada, enquanto os dois do meio estavam em linha reta, formando uma parede extensa. O acampamento tinha sido montado numa clareira ao lado, com os caminhões servindo de escudo. Em cima de cada um dos dois caminhões do meio, um soldado caminhava sobre o tampo da carreta, com fuzis de prontidão. Caso algum mulo metido a besta desse as caras, certamente fugiria cagando nas calças ao notar a organização dos soldados.

Para boa parte dos grupos que acompanhavam Lucas e Adriano, aquele local escolhido para o descanso era bem conhecido. Sabiam que a decisão do guerreiro salvador não tinha sido feita ao acaso. No entanto, as lembranças da última visita não eram as melhores.

Os que já conheciam o local avisavam aos demais que atrás da clareira havia um riacho de água limpa, boa para matar a sede dos animais e perfeita para um banho refrescante.

Lucas saltou da sela do tordilho e deixou os olhos vagarem pela paisagem. Sabia que, depois da curva adiante, o asfalto falhava e eles teriam quilômetros de caminho de terra. Mas a estrada era boa; não teriam dificuldade alguma, uma vez que a viagem era feita no dorso de cavalos. Olhou para o céu. Faltavam cerca de três horas para o pôr do sol. Sorriu, admirando seus seguidores. Da primeira vez que estivera ali, os bentos viajavam envoltos em capas marrons para não despertar a atenção. Ficava feliz em ter contribuído para abrandar esse temor. Agora eram viajantes livres, sem medo da noite. E era isso que queria, que a noite viesse. Cumpriria uma promessa feita a si mesmo.

A cerca de cinco quilômetros dali, no meio da mata, havia um covil de vampiros. Uma gruta. A caverna que o velho Bispo lhe mostrara em um sonho. Tinham sido atacados por mulos atiradores e vampiros ali, naquele lugar, da primeira vez. Não fora nada bonito. Lucas tinha se esforçado e sua habilidade para dizimar os malditos noturnos fora posta à prova. Acabou com a raça dos inimigos, mas muitos fugiram e, na ocasião, os bentos e soldados tinham decidido seguir viagem sem lhe dar a chance de resgatar os seres humanos debilitados que estavam aprisionados no interior da gruta. Lucas tinha prometido a si mesmo que, assim que aquela sua primeira jornada fosse encerrada, com milagres ou sem milagres, voltaria ali, naquele lugar, para arrebentar o covil e resgatar os adormecidos encerrados no fundo da caverna.

Era para isso que Lucas tinha pedido os caminhões a Adriano. O líder de Nova Luz, quando soube da destinação, sequer pensou. Manteve o olhar fixo nos olhos do trigésimo guerreiro. Não havia por que censurar Lucas daquela vez. Não haveria argumentos. Adriano pôs a mão no ombro de Lucas e, sem dizer palavra, aquiesceu.

O cheiro da refeição preparada pelo velho Paraná despertava roncos na barriga e muitos comentários e elogios. A maioria dos soldados tinha feito um pit stop rápido quando passaram por um pomar à beira da estrada e, enquanto os cavalos bebiam água, eles apanharam goiabas, jabuticabas e caquis silvestres. Aquilo não tinha matado a fome do grupo, mas tinha servido para que o estômago não colasse às costas.

A benta Marcela tinha sido cercada de atenção pelos viajantes, que raramente viam mulheres nessas jornadas de guerrilha. Conheciam, sim, uma ou outra soldada, mas era muito difícil vê-las na estrada junto dos homens. Marcela recebera frutas frescas e era sempre consultada. Durante o caminho, muitos dos homens tinham pedido a ela que suplicasse a Lucas por uma parada para descanso e refresco. O sol forte sobre a cabeça de todos castigava a marcha e, além do desconforto, ia tingindo a pele dos mais claros com vergões vermelhos, transformando os rostos de alguns em legítimos pimentões. Marcela, apesar de ainda confusa com aquela realidade, recusava as paradas. Não seria ela, com a desculpa de que era mulher, a culpada por algum atraso ou imprevisto. Se queriam parar, que os homens o fizessem. Aguentaria firme na sela do cavalo. Quando todos parassem, aí, sim, ela também descansaria. Estava resolvida a ser tratada de igual para igual.

Por conta de tão brava determinação, a nova benta estava com os músculos da perna tremendo de tanta dor quando chegaram ao acampamento. Mal conseguiu andar ao desmontar. Os músculos da coxa tremiam e parecia que não iriam funcionar direito nunca mais, faltando-lhe forças na hora de dar os passos.

Percebendo a dificuldade da mulher, o atencioso e bem-humorado bento Amintas acudiu-a e disse:

– Pode apoiar-se no meu ombro, Marcela. Você já aguentou esforço demais por hoje.

A mulher não recusou a ajuda por parte daquele bento, respondendo:

– Me leva até aquele tronco de árvore. Acho que preciso sentar um pouco antes de me lavar. Tenho certeza de que é só descansar um pouco com vocês que estarei prontinha para continuar.

Amintas praticamente carregou-a até a árvore caída. E precisou empregar força nos músculos. Marcela era um belíssimo exemplar de mulher. Alta, com cerca de um metro e oitenta, era forte, de corpo robusto e de rosto belíssimo, carregado de traços indígenas de nossa terra, com a pele negra, cabelos pretos e escorridos, quase no meio das costas. A boca carnuda da mulher chamou a atenção do instinto masculino que corria nas veias de Amintas. Era difícil não notar e não se encantar com a exuberante feminilidade que emanava daquela mulher.

– Acho melhor você tirar isso aí um pouco. No começo, a gente pena com o calor, mas logo você se acostuma. Depois não quer tirar o peito de prata por nada nesse mundo – disse o guerreiro, apontando para o fecho do ombro da armadura.

Marcela massageava as pernas com vigor, tentando aliviar um pouco o desconforto.

– Obrigada, Amintas. Vou seguir sua experiência – disse.

Ao receber a resposta de Marcela, Amintas sentiu queimar por dentro. A moça o encarou com olhos doces e um sorriso maravilhoso. Ele tomou coragem e disse:

– Você é uma gata!

Marcela abriu ainda mais o sorriso.

– Obrigada.

Amintas endireitou-se e afastou-se, dando as costas à moça benta. Caminhou em direção ao riacho. Precisava tomar um banho de água fria antes que dissesse outra besteira e fosse inconveniente. Passou a mão pelo cabelo curto e grisalho. Era um senhor sessentão; se forçasse a barra com Marcela, que devia ter no máximo vinte anos, iria parecer um palhaço.

Marcela acompanhou Amintas com o olhar. Viu-o afastando-se e passando a mão na cabeça, como se estivesse se sentindo mal. Manteve o sorriso no rosto e balançou a cabeça suavemente. Conseguiu puxar as travas do ombro, sentindo a armadura afrouxar. Passou a mão pelos belíssimos dragonetes, também nos ombros, para tirar a capa vermelha. No entanto, seus esforços estavam mais perto de render-lhe uma unha quebrada do que de abrir a boca dos dragonetes.

Bento Duque, já livre da capa, aproximou-se e apertou os dois dispositivos ao mesmo tempo, fazendo as bocas das peças se abrirem. Marcela, agradecida, puxou as pontas dos tecidos, deixando a capa cair atrás de si, e agradeceu.

Duque respondeu com um sorriso e afastou-se sem nada dizer.

Marcela conseguiu finalmente livrar-se do peito de prata, ficando com a cota de malha de prata e o colete de couro. A indumentária dela e dos bentos homens seria idêntica não fosse a diferença na forma feminina de sua couraça prateada, que era mais fina conforme descia para a cintura e mais pronunciada no peito para que os seios da mulher não fossem esmagados. Olhou para o riacho, observando os soldados fazerem a festa dentro d'água. Os cavalos se refrescavam, sorvendo o líquido cristalino e buscando repouso à sombra das árvores que escapuliam da floresta do outro lado do riacho. Voltou os olhos para a estrada. Do lado de lá do asfalto, a mata era fechada, contando com espécies sem fim de árvores floríferas altas e vegetação rasteira densa. Precisaria de um facão para avançar mata adentro e explorar o terreno.

Ela ergueu os olhos, atraída pelo chilreio dos pássaros, e abriu um largo sorriso ao notar pela primeira vez um bando de tucanos atravessando o céu. Como era lindo! Quando voltou a olhar para o acampamento, encontrou os olhos do novato bento Danilo sobre os seus.

– São maravilhosos, não são?

– Cara, são de tirar o fôlego! – respondeu a benta.

– É difícil acreditar que isso aqui tá acontecendo... Que, apesar de toda essa desgraça, o mundo está assim, tão arretado de bonito.

Marcela seguia em direção à estrada.

– Nem me fale, Danilo. Eu tava levando uma vida maneiríssima e, então, *catapum*. Tudo some e, quando abro os olhos, o mundo está assim.

– Você é carioca?

– Sou, sim. Da gema – respondeu Marcela, com o sorriso constante. – E tu?

– Ser, ser, mesmo, eu sou de Fortaleza, Ceará.

– E como veio parar em São Vítor, cearense?

– Olhe, não faço a mínima ideia. Tô doido pra encontrar alguém que me explique isso.

– Você se lembrou de tudo quando acordou?

– Acho que tudo, tudo mesmo, não me lembrei, não... Achava que tinha lembrado, porque quando me perguntaram nome, nome de pai, nome de mãe... eu me lembrei de um monte de coisas. Mas não sei como vim parar aqui nas bandas de São Paulo. Só me lembro mesmo é de Fortaleza.

– Quantos anos você tem, Danilo?

– Pelo que me disseram, tô com cinquenta anos redondos – respondeu o rapaz, caindo na risada. – Tô inteiraço!

– Eu também sou cinquentona! – emendou Marcela, caindo no riso.

Os dois riram até ter lágrimas nos olhos.

– Olhe, Marcela... uma coisa eu posso te afirmar com certeza. Tu é a cinquentona mais sarada que eu já vi na minha vida.

A moça riu.

– Quantos anos você tinha antes adormecer?

– Tinha vinte – disse o bento.

– Igual.

– Estranho isso, né?

– Sinistro – respondeu Marcela, com seu acento peculiar. – Mas quero dizer sinistro de sinistro mesmo. Não é sinistro de carioca.

Danilo riu da emenda. Colocou a mão no cabo da espada. Marcela acompanhou com os olhos o movimento.

– Já se acostumou com isso aí? – perguntou o bento, olhando para a espada da mulher.

Marcela desembainhou a arma.

– Eu nunca tinha segurado uma dessa na minha vida, mas naquela hora em que o Lucas gritou para atacarmos... – a guerreira fez uma pausa, sentindo o braço arrepiar todinho – ... foi como se eu tivesse nascido para isso. O cheiro ruim daqueles bichos me tomou, me deixou ceguinha.

– Pode crer. Também senti isso.

– Foi como se esse pedaço de aço e prata fizesse parte do meu corpo.

– Louco... senti a mesma coisa. Todo atrapalhado, mas a mesma coisa.

– Tu viu o Rogério?

– Vi. O baixinho estava escondendo o jogo, cê viu? O cara manda muito bem com esses bagulhos aqui – disse Danilo, virando o punho e olhando as duas faces da lâmina prateada.

– E você? Matou algum?

– Matei nada. A espada enroscou. Espanquei um monte de bicho, isso sim. Depois, quando fui dar por mim, o guloso do Rogério já tinha mandado ver. O Lucas e os outros caras, então? Nem precisava daquele TUPÃ, os vampiros iam rodar bonito.

– Não matou nenhum?! – espantou-se Marcela.

– Nenhum. Com essa espada aqui... não sei usar isso. Agora, se tivessem me dado um skate, aí a chapa ia ficar quentíssima. Ia dar *sheipada* em tudo que é vampiro. Um skate de prata, hein? Nada mal! – animou-se Danilo, com a própria brincadeira.

– Você é skatista?

– Era, né? Agora eu sei lá. Primeiro que não achei nenhum skate até agora. Depois, vivendo assim, no mato, vai ser foda conseguir descolar um corrimão.

Marcela riu da graça do amigo.

Na outra ponta da parada feita pela marcha, Duque estendeu o prato para Paraná. O soldado encheu-o com arroz fresquinho e uma generosa concha com uma mistura de paio, toucinho e feijão preto, tirada de um bojudo caldeirão.

– Tem vinho lá na mesa – lembrou o cozinheiro.

Duque agradeceu e caminhou pela clareira, à procura de um lugar para se sentar. Antes de começar a comer, lançou um olhar para os caminhões e para as sentinelas que se mantinham andando sobre o baú de carga. Olhou em volta pela floresta. Estava tudo tranquilo... tranquilo como estivera a primeira vez que passara ali com Lucas.

– Cuidado com o banho involuntário, hein, bento Duque! – brincou o soldado Carlos.

Duque sorriu para o soldado e balançou a cabeça, lembrando-se do episódio de sua última passagem por aquelas bandas. Tinha escorregado à beira do riacho e virara motivo de troça por parte dos companheiros de jornada.

Já Lucas tirou a capa vermelha e livrou-se da couraça de prata, pronto para encarar um banho refrescante que vinha muito a calhar. A maioria dos soldados e dos cavalos afastava-se do riacho, diminuindo a bagunça dentro d'água. Lucas retirou as luvas de couro e soltou os cordões que prendiam a cota de prata ao seu punho. Tirou a peça e ficou com o colete de couro. Bento Vicente, trajando apenas o saiote e a calça escura, aproximou-se do líder do batalhão, trazendo dois pratos na mão.

– Tá na hora do rango, xará.

– Pô, Vicentão, parece que agora você que é adivinho. Minha barriga tá roncando – Lucas aproximou o prato do nariz e inspirou fundo. – E tá tão cheiroso que acho que vou deixar o banho pra depois do rango.

– O Paraná podia abrir um restaurante. Aposto que até vampiro ficava na fila.

Lucas riu da piada do amigo e sentou-se ao lado do guerreiro. Enquanto comia, o trigésimo guerreiro reparou na série de tatuagens que recobria os braços e as costas do parceiro. Eram tantas que pareciam formar um só desenho. Corriam dos cotovelos aos ombros, espalhando-se pelas costas e tomando quase toda a pele da parte anterior do guerreiro.

Vicente, no meio de uma garfada de feijão, percebeu o olhar demorado do trigésimo.

– Êh... que foi, meu irmão? Tá pagando pau pra homem, agora?

– Não é nada disso, não, ô, garanhão. Até parece. Você é que deve gostar dessas coisas.

– Êh!

– Eu tava vendo as suas tatuagens, lembrando do que você falou quando estávamos indo pra São Pedro da última vez.

– Da minha cana? Que é que tem?

– Você botando essa panca pra cima de mim, dizendo que eu tava pagando pau... mas você é que deve ter tido uns contatos bem íntimos com uns caboclos lá dentro.

– Êh! Você é o bacana, o salvador, mas eu te arranco os dentes, se ficar com graça pro meu lado.

– Tô brincando, Vicentão! Você é que começou...

– Fiquei trancado, sete anos, mas rapaz nenhum chegou perto dessa bunda aqui, não. Nem eu fui afogar minhas mágoas na cadeia.

– Quando eu me lembrei dessa história, perguntei-me como é que você foi parar lá.

– Longa história, Lucas... É uma história muito longa.

– A gente só vai sair daqui de madrugada mesmo... Por ora, o tempo está sobrando. Conta aí!

– Me meti numas paradas loucas, meu irmão. Tenho o sangue quente, daí pra cair no crime foi um pulo.

– Tu disse que matou gente, Vicente. Tá certo que você é casca grossa, mas daí a matar gente...

– Corta essa, Lucas. Desde que nos conhecemos já taquei na sua cara que não sou santo. Nunca fui santo. Nunca.

Lucas engoliu duas garfadas em silêncio. O grandalhão também ficou calado, raspando o que sobrava de comida.

– Isso aqui tá bom – murmurou o trigésimo.

Vicente arrotou em alto e bom som, chamando a atenção de uns cinco soldados, deitados no gramado que dava no riacho, em busca de descanso. Ninguém riu, não por indignação, mas por amor aos dentes.

– Sabe, Lucas, eu era novo ainda quando perdi meu velho. Se tu acha que eu sou grande, precisava ver o meu velho. Ele tinha um negócio de caminhão, trabalhava com todo tipo de carga que pintasse. Dava vida boa pra mim, pra minha mãe e pros meus dois irmãos pivetes.

– Dois irmãos?

– É. O Sandrinho e o Amaral.

Vicente fez uma pausa e tirou um maço de cigarros enrolados artesanalmente da cintura; com um isqueiro, acendeu e deu a primeira tragada. Em seguida, retomou o que dizia:

– Meu velho foi assassinado, no acostamento da estrada. Dois tiros no peito. Os bandidos eram ladrões de carga.

– Seu pai reagiu ao assalto?

– Meu pai era macaco velho, Lucas. Só trabalhava com carga assegurada. Ia reagir pra quê?

Vicente soltou uma baforada longa, espalhando a fumaça na frente de seu rosto.

– Também... esse lance de se ele reagiu ou não pouco importa. Um cidadão tem o direito de reagir. O que não pode rolar é vagabundo agir na crocodilagem. Se a vida botou na frente dele o ofício de roubar, que roube, mas não mate pai de família.

– Papo difícil, esse, Vicentão. Ninguém tem de roubar coisa alguma. O negócio é trabalhar. Construir seu futuro.

– Futuro? Tô vendo que sua memória ainda não voltou direitinho, não. Que futuro a rapaziada tinha no Brasil velho, Lucas? O pessoal da perifa, a grande maioria, vivia sem perspectiva, velho. Ninguém ensinava a molecada que ralando o couro se consegue as coisas. Muito da molecada da favela não tinha instrução, não sabia o que tava perdendo quando metia um berro na mão e caía no crime. Na cabeça deles, era só assim que se chegaria a algum lugar. Acho que, se a sociedade se preocupasse em colocar perspectiva na cabeça da garotada, se mostrasse pra eles que pra tudo tem saída, acho que mais gente cairia na real antes de cair na malandragem.

– Tá ficando filósofo?

– Foi a cadeia, meu irmão. Fiquei muito tempo guardado, muito tempo livre pra conversar. Conheci uns dois cabeças-feitas que me falaram esses baratos e acabei concordando com os caras. O problema da época era bem esse mesmo. Sem instrução, sem leitura, os caras não sabiam o que iam perder lá na frente, daí pra entrar no crime era um pulo. E o que sempre repito quando me pergunto é isso: para aqueles moleques da periferia, das favelas, sem instrução de porra nenhuma, aquilo era o certo. A violência e o roubo eram a chave para uma vida melhor. É uma merda, mas é a pura verdade. Eles não viam que era entrar pro crime e tu perdia o resto de dignidade que tinha. Se rodava com os gambés, já era, ia pra Febem melhorar as técnicas da malandragem. A Febem não ensinava ninguém a ser melhor, a ser humano. Uma cambada de mãos atadas, um ou dois com boas intenções, e o resto só queria era ver o holerite no final do mês. Tava se cagando se a cabeça da molecada tava piorando e se enchendo de merda.

– E você? Como você entrou pro crime?

– Entrei porque quis. Entrei de raiva.

– Raiva?

– É. De raiva. Fiquei louco em saber que meu pai tava sete palmos debaixo da terra, com minha mãe chorando todo dia, e que os pilantras que tinham feito isso com ele andavam soltos por aí. Nunca achei os filhos da puta. Mas botei as caras deles numa par de noia que trombei na vila onde fui morar. Sem chance, velho. Sem chance. Olhava pros vagabundos e viajava, botava na cabeça que eles é que tinham feito o meu velho.

Lucas colocou a última garfada na boca e deixou o prato ao seu lado.

– Depois que meu pai morreu – retomou Vicente –, a gente teve de mudar pro Velosão, na época em que o bairro era punk. Pô, não tinha nem dois meses que a gente tava morando lá, um dia, eu mais meus dois manos chegando em casa e não é que a gente pega dois vagabundos dentro de casa, com minha mãe trancada no banheiro, enquanto os filhos da puta estavam rapelando a sala? A gente viu um carro estranho na garagem, daí ganhamos a lança. Entramos em silêncio, e eu percebi que os vagabundos estavam bem loucos. Entrei pela cozinha, na manha do gato, e peguei uma faca de churrasco do meu velho. Catei pelos cabelos o primeiro deles e levei a faca na garganta do infeliz. O cabra largou a arma dele e começou a chorar. O segundo ficou paradão na nossa frente, no meio da sala. Era um pivete, mano. Um moleque, daqueles que eu te falei... sem vida nos olhos, sendo comido pelas drogas e pela falta de perspectiva

Vicente fez outra pausa para uma nova tragada. Deixou os olhos vagarem um instante, olhando para os soldados e bentos que zanzavam no acampamento.

– Falei que ia rasgar a garganta do filho da puta e o comparsa acabou largando a arma também. Meus irmãos pegaram os canos e descemos com os vagabundos pra garagem. Fiquei com um revólver na mão, apontando pra cabeça dos dois, que ficaram ajoelhados no cimento. Mandei meus irmãos acudirem a mãe. Quando voltaram pra garagem eu já tinha zarpado. Negão, eu tava com sangue nos olhos. Taquei, sozinho, os dois filhos da puta no porta-malas do meu Passat, na base das mais gorda bicuda no meio do rabo. Soquei a cara dos lazarentos ali na frente de casa mesmo. Soquei com gosto. Quando apagaram, eu tranquei o porta-malas e vazei. Vaguei sem rumo. O sangue quente. Primeiro iria levar os lazarentos pra uma delegacia. Ia entregar na mão dos homens. Mas daí já fui me roendo por dentro, imaginando aqueles dois vagabundos indo pra rua de novo, porque naquela época era assim... Qualquer ladrão pé de chinelo conseguia um jeito de sair da cadeia, molhando a mão do guarda com qualquer merreca. Só de imaginar os filhos da puta na rua de novo, roubando de novo, trancando mãe dos outros no banheiro de novo... rodei sem rumo até achar uma várzea em Carapicuíba. Um deles já tava acordado quando abri o porta-malas. Começou ameaçando, falando que era truta de não sei quem, que era parente de não sei quem mais... Falou que vendia os baratos prum tal de Caveira e que o cara não ia deixar barato. Depois, quando viu que tava em um lugar deserto e que o berro tava na minha mão, ah, filho... o carinha chorou que nem criança. Fiz ele ajoelhar e enfiei o cano na cara dele. Ali foi onde me transformei, velho. Ali foi a "hora H". Ou eu liberava o vagabundo, dava um tiro no saco dele, sei lá, ou eu partia pro abraço.

Lucas nem respirava, tomado pela crônica do amigo.

– No primeiro tiro eu fechei os olhos. Fechei, porra. Não era assassino. Nunca tinha matado ninguém, porra. Foi foda, Lucas. Foi o minuto mais foda da minha vida. Olhei pro moleque, pro ladrãozinho filho duma puta. Ele foi caindo devagar, pro lado. A mão dele ficou erguida uns vinte segundos, o dedo apontando na minha direção, tremendo. O sangue vazava da cabeça dele e cobriu todo o rosto dele, todo o lado – disse o homem, passando a mão sobre a orelha direita. – Quando ele bateu no chão, eu atirei de novo. Morreu na hora. Não fechei o olho e parei de tremer. Agarrei o segundo pelo cabelo e pela roupa. Joguei o cuzão do lado do amigo dele. Olhei em volta. Tudo escuro e sem barulho de nada. Enfiei umas bicas pro filho da puta acordar. Nada. Queria que ele visse. Queria que ele soubesse que tava indo pra casa do chapéu. Dei dois tiros no peito do maluco. Dois dias depois veio a confirmação. Guardei o recorte do *Notícias Populares*. A foto dos dois não rendeu primeira página.

– Ha-ha-ha! – riu Lucas. – Pô, Vicente, até na hora de falar uma coisa dessas você vem com brincadeira.

Vicente deu outra baforada.

– Brincadeira? Brincadeira, nada, Lucas. Eu tava obstinado. Eu fiquei puto. A primeira página veio duas semanas depois.

– Fala sério.

– Vê só a treta. Lembrei-me do nome do receptor dos caras.

– Foi atrás do Caveira?

– Na miúda. Na moral. Rodei uns botecos do Velosão. Só de orelha nas conversas. Um dia, ouvi o que queria. Enquadrei um ladrãozinho, que tomô chumbo quando deu o trampo, daí cheguei no Caveira. Meus irmãos ficaram loucos. Minha mãe só faltou se matar quando soube que eu apaguei os dois ladrões que tinham entrado em casa, mas ouviram minha conversa, ouviram meu desabafo. Comprei mais balas pro cano e fui pro barraco do Caveira. Cheguei lá de madrugada. Quando tomei coragem, desci do carro, atravessei a rua, entrei na favela; não tinha ninguém de bituca. Chutei a porta do barraco e, enquanto o cara ainda pulava de susto, sapequei dois tiros no vagabundo. Era um a menos no bairro pra infernizar a vida dos honestos, dos pais de família. E era um troféu dos bons. O cara era receptador de bagulhos roubados. Os vagabundos iam patinar uns dias sem ter pra quem vender nem de quem comprar. E pra garantir que os caras iam pensar duas vezes antes de tomar o lugar do cara, catei uma faca e arranquei o bucho do vagabundo. Tirei duas balas do tambor do revólver e enfiei uma em cada narina do cara. Essa virou a minha marca.

Nesse momento, Lucas teve um lampejo. Uma imagem formou-se em sua cabeça. Via-se no Largo da Batata, em Pinheiros, parado na frente de uma banca de jornais olhando para o *Notícias Populares*. A foto da capa era o close de um homem morto com balas nas narinas. "Assassino serial", era parte da manchete.

– Sua capa... – balbuciou Lucas.

– Isso mesmo. O vacilão virou celebridade.

Lucas passou a mão pelo queixo. A lembrança do Largo da Batata, céu azul, buzina dos carros no trânsito lento da Faria Lima e da Teodoro Sampaio. Depois veio outro flash. Viu os prédios, como tinha visto na Batalha da Teodoro. Os prédios tomados por heras, por trepadeiras e bromélias. Tomados por vampiros.

– Antes de eu sair, peguei a pistola do cara, que tava em um caixote, do lado da cama. Foi minha primeira pistola. Uma petezona da hora. Revirei umas caixas e fui enfiando em um saco tudo o que fui achando de valor. Relógios, munição, uns pacotes de cigarro e, a sorte grande, achei dois maços de dinheiro moqueados numa lata de pêssegos. Era muita grana, cara.

– Peraí, tu começou essa merda toda por ser contra o roubo e acabou virando ladrão?

– Ladrão, nada, xará. Aí você força a amizade. Você tem de ver o meu lado. Eu larguei emprego, larguei minha vida pra azarar esses caras. Então, quando eu estourava um maluco desses, tinha de buscar um ressarcimento, descolar um troco pra financiar meu trampo. Como é que eu ia viver? Depois do Caveira, eu nem quis mais morar com minha mãe e meus manos. Não podia colocar o deles na reta se eu mesmo, por minha vontade, tava colocando o meu.

Lucas coçou a cabeça.

– Um dia, Lucas, tu pode acabar caindo na mesma situação. Pode acabar fazendo uma coisa que a maioria vai achar errado, mas que, no seu coração, tu sabe que tá fazendo o certo. É por isso que comecei a pagar um pau pra você. Tu não vacila na hora de tomar um rumo. Tu dá força pros caras entrarem no combate. Isso tem valor, Lucas. Ter coragem não é pra qualquer um.

– E como foi que você rodou?

– Tá falando da primeira ou da segunda vez?

– Pegou cana duas vezes?

– Duas, zangão. Duas.

Lucas sorriu ao ouvir Vicente chamá-lo de zangão. Sabia por que o amigo dizia aquilo, lembrou-se da primeira vez que Vicente chamou-o para conversar e revelou que passara a acreditar na profecia do Bispo e em Lucas. Na ocasião, mencionou a célebre frase de Muhammad Ali, quando disse que Lucas movia-se como uma borboleta e ferroava como um zangão.

– A primeira foi uma história mais longa ainda, mas a que me deu mais raiva foi a da segunda vez – prosseguiu o grandalhão. – Foi numa parada besta. Eu já tava há três anos nessa vida. Três anos. Tinha feito uma par de bandidos. Mais de sessenta homicídios nas costas. Foi quando rolou aquele caso de um rapaz sequestrado... Um lance que a mídia toda correu em cima. Como era o nome mesmo... – Vicente baixou a cabeça, pensativo. – Acho que era chamado de "O Caso Roberto". Uma parada louca.

O episódio soou familiar para Lucas, a ponto de fazer os pelos dos braços eriçarem. Aquele nome não lhe era estranho.

– Era aquele lance de um rapaz que tinha desaparecido, tinha se afogado, sei lá. O cara sumiu na praia e a imprensa toda ficou em cima do irmão dele, que tinha pirado, que não aceitava que o irmão estava morto, saiu dizendo que tinha sido sequestrado.

– Eu me lembro disso... – murmurou Lucas, um tanto inseguro.

– Pois é, calhou de eu estar, naquela época, atrás de um cara que era sequestrador. E sequestro era coisa de peixe grande, ainda não era aquela merda de sequestro-relâmpago, que pegavam qualquer um pra fazer a fita. Eu sabia que o vagabundo era bem armado e, o pior de tudo, era inteligente, era matreiro. Tinha sempre uns três caras com ele. Fiquei mais de um mês estudando a casa do infeliz pra sacar a hora certa de arrepiar. Fiz o serviço de dentro pra fora.

Lucas ergueu os olhos sem entender. Vicente explicou:

– Quero dizer que o melhor lance não era entrar e pegar o cara no susto, como eu curtia fazer. Tive de fazer o caminho contrário. Esperei o malandro sair pros rolos dele. Tinha colocado grampo na linha dele e sabia que o cara ia voltar pro cafofo na mesma noite. Quando ele virou a esquina, fui pra rua de trás, porque sabia que a casa atrás do esconderijo dos malandros tava vazia. Pulei o muro e, da casa vazia, pulei pro telhado do cara. Nem arrombei porta nem nada. Arranquei umas telhas e entrei pelo telhado. Achei o alçapão e caí pra dentro. Quando eles voltaram, foi moleza, deixei os quatro entrarem na casa. Nessa época eu já tinha silenciador no cano. Um veio direto pro banheiro e foi o primeiro a beijar o azulejo. Peguei o segundo na cozinha, e o líder safado, mais o capanga, na sala. *Pou, pou*. Rapidão. Mas o sinistro nem foi a ação. Foi o que eu vi na casa enquanto esperava os bacanas. A casa era grande, com quatro quartos, em bairro de classe média. Os caras armavam o cativeiro ali mesmo. Em um dos quartos, encontrei um papel e um panfleto pregado com durex na parede. No papel, tinha um endereço. O panfleto era com a foto do tal do Roberto desaparecido e um telefone para contato em caso de informações... Era um dos meios que o irmão do cara descolou pra ver se achava o irmão afogado. Eu fiquei grilado com aquilo. Peguei o endereço e resolvi ir no lugar, na hora. Me deu a louca. Era como se eu tivesse alguma coisa a ver com aquilo. Podia ser que eu encontrasse o tal do Roberto.

– E aí?

– Aí que até hoje acho que esse foi o maior vacilo da minha vida. Por um azar da bexiga, eu fui enquadrado na rodovia. Estavam fazendo uma blitz da rodoviária, ensinando a molecada nova como proceder. Pediram meu RG. Puxaram meus dados. Como eu tava perdido na área, fui algemado e me tacaram em um camburão.

– Fala sério.

– Não teve nem chance de acerto. Eram tenentes instrutores, não teve como. Os professores têm de dar bom exemplo pra quem tá entrando.

– Que zica da grossa.

– Fui pra cadeia de Caraguá. Depois me trouxeram de volta pra Osasco, pra aguardar julgamento. Na época, ainda funcionava a cadeia do Pestana. Penei muito ali. Fiquei treze meses guardado naquele cafofo. Aquilo ali não era vida, meu irmão. Superlotado. Mais de vinte sangue ruim por metro quadrado. Se caía um trouxa lá dentro, carinha fraco, já era. Ou morria ou ficava piolho, pior do que quando entrou. Coisa feia.

– Descobriram que você tinha feito os caras no cativeiro?

– Nada. Mas a consciência pesou por causa do moleque sequestrado. Fiquei lá pagando por morte de outros malandros, vagabundos mesmo. Mas aqueles quatro sequestradores... Investigando com um truta aqui, outro truta ali, descobri que eles não tinham sequestrado o tal do Roberto, mas poderiam ter informações valiosas. Eu passei o endereço que tava no panfleto pro meu irmão, que acionou um mano nosso. Não deu em nada. Fiquei com aquilo atravessado, mas, se eu desse um toque nos meganhas, corria o risco de tomar o sequestro nas costas. Tenho certeza de que se eu tivesse chegado lá, eu teria achado alguma coisa, alguma pista pra continuar ou algum mané pra abrir o bico.

– Depois disso ficou mofando no presídio?

– Fiquei, cara. Dia e noite, cercado da raça que eu mais detestava. E tinha de ficar ligeiro, porque caiu na boca da comunidade que eu era justiceiro. Acontece que o couro do Vicentão aqui é coisa dura. Como eu já tava escolado, tinha ficado muito tempo preso da primeira vez, já fui logo pondo respeito na bagaça e não tinha um infeliz que viesse na mão limpa e na hombridade. Todas as três vezes que tentaram me apagar foi na crocodilagem.

Vicente fez nova pausa na narrativa. Então retomou:

– O tempo passou, Luquinha. Dia após dia, tudo igual. Tu vai ficando marrom feito as paredes de concreto daquele lugar. Lá dentro você vai perdendo a noção da vida. A noção do mundo. Teu mundo passa a ser o dali de dentro. É estranho pra cacete. E então, uma bela noite, esse inferno começou. Pra mim não foi inferno nenhum, não é? Vi uns cara gritando dentro das celas, dizendo que tava cheio de morto. Aquela primeira noite eu não preguei os olhos. Tava cismado com uns lances que tavam rolando, então tinha ficado de olho aberto. Antes do sol raiar, os agentes penitenciários começaram a abrir as celas e recolher os adormecidos. A enfermaria da penitenciária lotou e as primeiras remoções para os hospitais começaram. Só ouvia os agentes gritando uns com os outros e deixando informação vazar. Ficamos sabendo que São Paulo inteira tinha pirado. Os hospitais estavam lotados de gente com aquele mesmo problema. Ficamos o dia todo trancados. O dia todo sem sair da cela. Nem sei como vim parar em São Vítor, mesmo sabendo que não podia dormir, não aguentei. Quando pisquei os olhos, já era, embarquei no Expresso Noite Maldita.

CAPÍTULO 18

Lucas foi acordado às quatro e meia da manhã, como solicitado. Desceu do alojamento improvisado no caminhão e deu uma volta pelo acampamento. Em cima de cada carreta, via um soldado indo e vindo, vigilante, de arma em punho. Tinha dado certo. Nenhum mulo, nenhum vampiro tinha chegado perto do comboio. Olhou ao redor. Uma neblina, ainda espessa, tomava o campo, sendo mais intensa onde o terreno baixava e corria o riacho. Os cavalos zanzavam de lá para cá, sumindo e ressurgindo do meio da bruma como se fossem espíritos da floresta que se deixavam observar por instantes. Lucas prendeu o peito de prata sobre a cota de malha prateada e, agilmente, prendeu a capa vermelha aos dragonetes. Estava na hora. Pediu ao soldado Carlos, que o tinha acordado, que despertasse todo o conjunto. Partiriam para o covil imediatamente, pois o sol se levantaria em uma hora.

Lucas tinha considerado a invasão durante a madrugada, pensando também na utilização de TUPÃ para arrasar com os vampiros que se retirassem da toca. Mas podia acontecer de nem todos saírem e, então, seria necessário invadir o covil para liquidá-los. Conseguiriam, tinha certeza, mas, no desespero, os vampiros poderiam voltar sua sanha contra os adormecidos. Poderiam rasgar o pescoço de todos os aprisionados no Rio de Sangue. Lucas não tinha ido lá para colocar a vida de seus soldados em perigo extremo e ainda por cima correr o risco de perder todas as vidas encerradas naquela toca. Ele fora ali para resgatá-los e levá-los de volta à humanidade. Não seriam mais rebanho de um bando de monstros da noite. Lucas, como os demais, se perguntava como seria quando aqueles pobres perdidos acordassem no fundo de uma caverna. Com certeza seriam assassinados. E agora que todos acordavam bentos, deveriam ser tratados com maior fúria e liquidados com grande selvageria pelos vampiros.

Em meia hora a tropa estava de pé e o café preto e quente fumegava junto às brasas. Os grupos de soldados dividiam o pão da manhã e alguns deles saíram à cata de frutas silvestres para o desjejum.

Quando o vermelho do alvorecer cingiu o horizonte, os motores dos caminhões roncaram alto. Em todo o acampamento viam-se soldados apertando selas e estribos e conferindo os apetrechos colocados nos lombos das montarias. Outra parte dos homens verificava as condições de suas armas de fogo e munição. Sabiam que em pouco tempo poderiam ter de usá-las para valer.

As motos do grupo de Nova Luz encheram a manhã com o repetido acelerar dos motores. Quilômetros à frente, na curva da rodovia, seguiriam por um trecho acidentado e sem asfalto. Um pouco de diversão e treino para os ousados motoqueiros de Adriano. Marcela, Amintas e Danilo cavalgavam lado a lado, avançando rapidamente com a massa de cavalos e soldados. Rogério mantinha-se com o experiente bento Duque. O balançar do cavalo enchia seus ouvidos com o tilintar costumeiro da cota de prata. Bento Augusto, com seus olhos azuis e cabelos longos, lisos e negros, destacou-se do grupo montado, atiçando o cavalo para que corresse mais. Parecia brincar, querendo alcançar as motos de Adriano e seu bando, que disparavam à frente.

Em ritmo acelerado, chegaram em meia hora até o lugar indicado por Lucas. Adriano e seus homens conheciam bem o local. Desligaram os motores e desmontaram das motos.

Adriano tirou seu rifle do coldre preso ao guidão da motocicleta, sendo imitado por Paraná, Zacarias e Sinatra, que se postaram ao seu lado imediatamente. Marcela, Raul e Joel continuaram montados nas motos, olhando para a mata. A estrada era cheia de cascalho, que raspava e fazia barulho com o pisar das botas dos soldados.

Adriano foi o primeiro a entrar no mato. Seus olhos percorreram as árvores. Sabia que com o sol naquela altura não havia chance alguma de vampiros estarem perambulando por ali. Mulos, no entanto, poderiam facilmente estar por perto, dando proteção aos noturnos.

O líder de Nova Luz abaixou-se, buscando proteção no mato alto. Sinalizou para os demais buscarem abrigo também. Não convinha dar sopa logo agora que estavam tão perto. Adriano sorriu. A grande virada com a chegada de Lucas e o despertar dos quatro milagres deixava os soldados relaxados. Isso não era bom. É sempre em um momento tranquilo que cabeças estouram com uma bala passando de ouvido a ouvido. Esses mulos desgraçados eram ruins de tiro, mas também danados de sortudos. Adriano passou a mão pelo cavanhaque e olhou para Paraná que vinha logo atrás, caminhando abaixado.

– Você lembra onde fica a gruta? – perguntou o grandalhão paranaense.

Adriano gesticulou que sim e depois apontou repetidamente para uma grande pedra.

– Atrás daquela pedra tem uma touceira alta, junto daquelas árvores. Dá pra você ver?

Paraná aquiesceu.

– A boca da merda é ali.

Paraná balançou a cabeça.

– O que foi?

– Não sei, Adriano. Tô achando isso aqui calmo demais.

Adriano levantou-se um pouco e olhou para as árvores novamente. Ouviu o trotar de um cavalo se aproximando. Olhou para a estrada. Era bento Augusto que chegava, destacado do grupo, sinal de que o comboio estava perto. Voltou a olhar para as árvores. Nenhum sinal de vigilância.

– Da última vez foi um mulo que recebeu a gente aqui. O bento Vicente quase tomou um teco na orelha.

– Sei lá, Paraná. Eu também acho estranho um covil desprotegido de mulos, ainda mais um que tem gente adormecida dentro. Mas da outra vez era um cara só.

– Pode crer. Foi um cara só que o Raul abateu.

O som do tropel dos cavalos chegando encheu a estrada de terra batida. Com a chegada do reforço de oitenta homens, Adriano sentiu-se seguro para aproximar-se ainda mais da boca da gruta. Levantou-se e foi em frente, seguido por Paraná, Raul e Sinatra. Os três caminhões chegaram por último, mantendo-se estrategicamente afastados.

Os quinze bentos, comandados por Lucas e Francis, avançaram até alcançar Adriano e seus homens, e desembainharam as espadas. Eram os melhores guerreiros para a incursão no covil. Eram rápidos com as armas e não temeriam os malditos. A luz do sol refulgia sobre os tórax prateados rebatendo a luz para o chão gramado. O trigésimo reconheceu de pronto o terreno. A touceira de mato alto perto da pedra indicava a boca da gruta.

O resgate dos adormecidos começou de maneira tranquila e sem sobressaltos. Sabiam da presença dos vampiros, mas àquela altura do dia estavam completamente tomados pelo transe das horas de sol.

Os bentos Amintas, Ulisses e Duque foram os primeiros a entrar, carregando um fio de lâmpadas ativadas por gerador a motor. Foram os primeiros a abrir caminho até os adormecidos. Ficaram impressionados com a quantidade de gente estocada na terceira galeria que adentraram. Poucos vampiros tinham a propriedade de despertar durante o transe e, até o momento, não tinham topado com nenhum a apresentar essa característica.

– Essa caverna é enorme, caras. A boca pequena do covil só é para enganar – comentou Amintas.

Duque ergueu mais a luz na terceira galeria. O cheiro era horrível. Teriam de voltar e apanhar máscaras para respirar um pouco melhor. Continuando daquele jeito, seria um festival de soldados vomitando, o que dificultaria ainda mais o transporte da carga.

As espadas prateadas dos bentos transfixavam os vampiros que estavam ao alcance e iam memorizando, graças aos seus olhos, onde estavam outros, escondidos e distantes, enfiados nas reentrâncias de pedra.

Ulisses, olhando detidamente para as paredes, estava em dúvida se aquela era uma formação natural ou se as criaturas da noite tinham escavado tanto a rocha. As dimensões das galerias eram assombrosas.

CAPÍTULO 19

Benito freou a picape, fazendo o veículo derrapar. Lúcio bateu a cabeça no console e despertou da soneca.

O motorista desceu e bateu a porta, sem dar ouvidos aos gemidos do carona. Olhou para o rio. Tinha apenas quatro metros de extensão, mas a correnteza, de profundidade incerta, lhe enchia de temor. Benito desceu o barranco à margem do rio e aproximou-se da água. Ela era escura e não era possível ver o fundo. Andou cerca de dez metros até encontrar um galho longo o suficiente para a inspeção. Olhou para trás, ouvindo o barulho de Lúcio se aproximar. Afundou o galho no leito do rio, confirmando sua suspeita.

– Acho que é o fim da linha, parceiro – disse Benito.

Lúcio franziu a testa, incomodado com o inconveniente. O dono da picape explicou:

– Se tentarmos atravessar, acabou. O carro afunda e perdemos a carga.

– Merda! – gritou o lacaio, inconformado.

Estava frio. Não havia nuvens nem garoa. Era uma manhã de céu azul e sol brilhante, mas ali, debaixo das árvores, o ar estava congelante. Lúcio abaixou-se à beira do rio e levou a mão à água. Gelada! Não dava vontade de banhar-se. Fez uma concha com a palma enrugada e tomou um gole do líquido. Olhou para os dois lados da margem. O rio era estreito e cercado por árvores. Viu dois macacos a dez metros de distância. Estavam parados. Não estavam com medo. Estavam curiosos. Abaixou-se e apanhou uma pedra. Arremessou certeiro. Os bichos correram e dependuraram-se nos galhos de uma jabuticabeira. Fizeram barulho e guincharam, procurando árvores mais altas. Lúcio olhou sorrindo para Benito, que perguntou:

– Pra que você fez isso?

Lúcio deu de ombros. Andou rio acima, tomando cuidado com as pedras lisas, tomadas por limo. Viu algumas toras de árvores caídas, soltas no meio do mato, e teve uma ideia:

– E se a gente fizer uma ponte?

Benito coçou o cocuruto.

– Ponte? Como?

– A gente pega uns troncos, tô vendo três só aqui – disse o lacaio, continuando a caminhar rio acima. – Se andarmos mais uma hora, acho que dá pra encontrar o suficiente.

– Caralho, Lúcio. Por que a gente não desvia, não volta pra trás?

Lúcio parou e virou-se para encarar o motorista.

– Porque a merda do norte não faz curva. Se a gente volta, a gente desce. Temos de subir. Cantarzo disse norte. Então a gente baixa as orelhas e vai pro norte.

– Eu não vou! Cansei dessa pataquada. E tem outra, não adianta bosta nenhuma a gente passar esse rio...

– Que é? Que foi agora?

– O ponteiro tá no vermelho faz uma hora. Tô cansado de ficar procurando gasolina e álcool nesses cantos.

– Quando a gente sair do mato e achar outra estrada, vai ter uma cidade velha ou uma fortificação. Eu peço combustível. Isso eles não regulam.

– Cidade velha! Desde que passamos Brasília essas cidades sumiram. Foi tudo engolido pela floresta. Nem a estrada a gente acha mais.

– Mas tem de ter estrada, homem. Onde já se viu? Os soldados não iam ficar sem caminho para Palmas. Em Palmas tem aquela fortificação enorme. Como é que chama, mesmo? – perguntou Lúcio, passando a mão pelo queixo. – Esqueci o nome.

– Nova Palmas.

– É. Isso mesmo. É só “nova” na frente. Eu tava pensando em Trindade. Trindade não é no Tocantins?

– É. Mas é longe de Nova Palmas.

– Tá vendo, Benito. Você tem de continuar. Olhe um bom aqui! – exclamou, encontrando um tronco de eucalipto.

Ergueu uma extremidade com dificuldade.

– Você tem de me levar em frente. Foi "ele" que te botou no meu caminho... ou o contrário, me botou no seu caminho... o que for... – falava com a respiração entrecortada, por causa do esforço que fazia ao tentar arrastar o tronco de eucalipto para perto da margem do rio.

Benito perdeu o ar zangado. Passou a olhar incrédulo ao ver aquele sujeito mirrado conseguir erguer um tronco pesado daqueles. Não era de uma árvore adulta, mas tinha mais de dez metros de comprimento e deveria pesar uma barbaridade.

– Ele tem planos pra você, Benito... tem... Ele me prometeu a vida eterna e, quando me transformar em vampiro, eu aprendo logo e transformo você também... Afe! Que trem pesado!

Benito correu e começou a ajudar Lúcio. Era a terceira vez que isso acontecia. Sempre quando pensava em cair fora, o carregador de vampiro lembrava do prêmio prometido. Era o tipo de prêmio que mexia com seu bom senso. Era do tipo que valia a pena pagar para ver. Ficava remoendo por dois segundos e a vontade de abandonar o pobre diabo à própria sorte acabava escorrendo feito areia entre os dedos. Vida eterna. Era disso que estavam falando. Era isso que estava em jogo. Seria essa a sua paga. O que seria carregar vinte ou trinta troncos pesados como aquele diante da possibilidade de gozar do prazer da vida eterna? Ficaria em suas terras para sempre. Não seria mais uma criatura de passagem sobre a crosta terrestre.

Que viessem as árvores caídas e os troncos derrubados. Duro ia ser encontrar combustível naqueles cafundós do Judas. Já podia se ver na estrada, revezando a corda com a qual aquele diabo arrastava o caixão. Mas esse martírio seria regiamente compensado quando o louco do Lúcio descobrisse finalmente para onde tinham de ir e onde encontrar a tal da bruxa Tereza. O vampiro-rei lhes honraria com o cumprimento do prometido.

O dia passou rápido. Depois das onze da manhã, o vento frio abandonara o planalto e o sol constante tinha enchido o ar com um sufocante mormaço. A travessia do rio dera o que fazer. Depuseram exatas vinte e oito toras atravessadas de margem a margem para dar firmeza suficiente para tentar seguir caminho. Com as cordas que vinham na traseira da picape, conseguiram amarrar as extremidades esquerda e direita dos troncos de árvore, deixando os ramos do meio soltos; eles só precisavam ficar ali para calçar as vigas improvisadas. Já passava do meio-dia quando ganharam coragem para tentar a travessia. Mesmo crendo que passariam, Lúcio tomara a precaução de retirar o caixão de Cantarzo da carroceria do veículo. Benito, bom de braço, tivera bom senso e atravessara rapidamente e, mesmo sem muita confiança, mantivera a picape firme. Derrapou um pouco do outro lado, mas venceu o barranco escorregadio com a tração nas quatro rodas e alcançou o caminho seco e cheio de folhagens.

Benito olhava a poeira erguida no retrovisor. O caminho tinha ficado vermelho com a aproximação do poente. Mais duas horas e a noite chegaria. Estava aflito. Já tinha colocado os dois galões de reserva no tanque da picape e nada de fortificação ou cidade velha no caminho. Tinham cruzado com dois veículos abandonados, mas totalmente enferrujados, cujos tanques tinham sido comidos pelo tempo e pelo abandono.

Ele coçou a nuca, quando Lúcio se queixou:

– Vamos parar um pouco. Minha bunda já tá quadrada.

O motorista concordou, fazendo um sinal com a cabeça, e avançou durante mais quinze minutos, até encontrar uma paisagem agradável para o descanso. Conduziu o veículo para baixo de uma árvore. O sol não castigava tanto, ainda mais com a proximidade do ocaso. Só achava gostoso e reconfortante buscar abrigo debaixo de uma aroeira carregada de flores pequenas e brancas.

Benito foi o primeiro a descer e a se espichar. O terreno era alto e dava para ver uma boa faixa de terra que se perdia no horizonte. A condição geográfica trouxe algum ânimo ao homem, que foi até a traseira procurar um instrumento.

Lúcio desceu e correu para o mato. Precisava aliviar-se, a bexiga estava estourando. Desceu um barranco ao lado da árvore florida e afastou-se do parceiro. Ninguém precisava ficar olhando enquanto ele se livrava do que não aguentava mais no corpo.

Quando voltou ao veículo, o lacaio do vampiro sentiu a barriga roncar e disse:

– Que tal uma refeiçãozinha para nos revigorar?

Benito, um tanto apático, apenas aquiesceu.

Lúcio foi até o compartimento traseiro da picape e baixou a tampa da caçamba. Ficou olhando por alguns segundos para o caixão de seu mestre. Apanhou o último resto de pão seco e um gordo pedaço de caça. Escolheu um canto do terreno propício ao acampamento e começou os preparativos sem a ajuda de Benito.

A verdade é que Benito vinha ficando cada vez mais distante. Parecia alguém roído pela dúvida. Não tinha mais ânimo para a jornada e o broto do arrependimento germinava em seu peito. Tinha abandonado suas terras em troca de uma utopia. Vida eterna! Sentia estar à mercê de um doido varrido que nem sabia para onde o estava levando. Aquele Lúcio era pinel, isso sim. Essa conversa de bruxa Tereza, de cobra comendo tartaruga, era tudo asneira. Ele estava inventando isso. Benito esperava uma oportunidade, um vacilo, para dar uma guinada no volante da picape e voltar para sua terra. Aquela história de vampiro-rei nunca ia dar em algo.

Depois de quinze minutos, o fogo estava forte; tanto a caça quanto um bule aqueciam-se em suas chamas. Lúcio adorava um café fresco. Por sorte, o sitiante tinha fornecido um fardo bem grande, cheinho de grãos torrados e moídos.

Benito, vencido pelo frio, deixou a cabine do veículo e juntou-se ao lacaio à beira do fogo. Viu o atlas jogado perto da fogueira.

– Posso?

– É claro! Adoro esse troço. Veja as bandeiras.

Benito começou a folhear o *Atlas geográfico* e a se entreter com os mapas. Onde será que estavam a essa altura? Já teriam deixado Minas Gerais? Não encontrara sequer uma placa inteira o dia todo. Podiam estar no Mato Grosso ou no Tocantins, já que as placas tinham sido corroídas pelo tempo e se tornado ilegíveis. Uma lástima para os incautos viajantes. Pior para aqueles que, como os dois, viajavam sem um destino muito claro.

Benito foi passando o dedo pelo mapa do Mato Grosso e subiu para o Pará. Caso tivesse a sorte de encontrar mais combustível e continuasse a jornada rumo ao norte... A boa notícia era que não faltava muito para o norte. *Está certo que o estado do Pará era imenso, acho que perde, em tamanho, só para o Amazonas*, pensou. *Quanto tempo levaria a travessia em estradas tão precárias como aquela? Vinte dias? Talvez um pouco menos. Talvez um pouco mais.* Passou suavemente o dedo sobre a Ilha de Marajó. Coisa engraçada. Provavelmente de tanto Lúcio falar, Benito estava achando a Ilha de Marajó parecida com a cabeça... a cabeça de uma tartaruga!

– Lúcio! Olha isso aqui!

O lacaio do vampiro-rei arrepiou-se só de ouvir a energia na exclamação.

– O quê?

– A Ilha de Marajó... parece a cabeça de uma tartaruga!

– Me dá isso!

Lúcio carregou o mapa até perto da fogueira. Olhou os contornos da ilha. Demorou até enxergar, mas Benito tinha razão. A ilha tinha um formato que parecia com a cabeça de uma tartaruga; todos os veios hidrográficos à sua esquerda davam a impressão de formar o pescoço enrugado do animalzinho. Lúcio sentiu seus pelos eriçaram ainda mais ao notar que o formato do estado do Amapá parecia a parte superior do focinho de uma cobra. Uma cobra que estava de boca aberta, engolindo uma tartaruga! Marajó era a parte final da refeição. A cabeça do bicho. Finalmente tinha encontrado seu destino! *O norte! Onde a cobra engolia a tartaruga.* O centro dessa imagem não poderia ser outro. Era a Ilha de Marajó. Era lá o lugar onde a bruxa morava!

CAPÍTULO 20

Janete chacoalhou Orfeu, incrédula. Não era possível. Os malditos estavam ali, dentro da caverna. Se tivesse um coração vivo, o daquela vampira estaria saltando pela boca.

Para os outros vampiros era raro despertar no meio do transe antes do pôr do sol, no entanto, Janete gozava dessa vantagem; eventualmente abria os olhos e mirava a caverna escura, observando os irmãos de covil recolhidos, aguardando a escuridão para sair à caça. Mas dessa vez foi diferente. Os ouvidos dela, acostumados aos barulhos imutáveis do covil, foram surpreendidos por barulhos que pareciam passos e vozes estranhas. Desconhecendo os invasores, ela chegou a pensar que algum maluco incauto cogitara fazer da gruta abrigo para a noite que se aproximava. Chegara a passar a língua sobre os caninos pontiagudos, experimentando mentalmente o gosto do sangue vivo descendo pela garganta. Sangue caçado era muitas vezes mais saboroso que o sangue frio dos corpos estocados no fundo do covil. Não iria matá-los de prontidão. Iria observá-los sorrateiramente. Contaria quantos eram e deixaria o poente se aproximar o máximo possível. Talvez se revelasse faltando alguns minutos para o pôr do sol. Isso agitaria mais a refeição, fazendo-os fugir em disparada pela floresta e acelerando o coração deles. Iriam gritar de desespero quando sentissem as unhas da vampira, afiadas como cacos de vidro, cortando a pele. Iriam tremer ao ver os dentes pontiagudos. Faria isso. Mas tinha decidido, naquele instante, apenas espiar.

Janete esgueirou-se, caminhando sem fazer barulho, subindo pelas reentrâncias da rocha que formava a caverna, subindo pelas paredes feito aranha. Tinha chegado a uma nova galeria, de onde ouvia as vozes. Quieta, silenciosa feito uma aranha. Inspirou fundo, colhendo o odor de querosene. A luz tremeluzente aproximava-se por um dos corredores entalhados na pedra. Foi essa a primeira estranheza que notou, imediatamente assumindo uma postura defensiva. Que merda era aquela?! Os "incautos" viajantes não estavam na boca da caverna. Se a luz de uma tocha vinha no corredor à sua frente, significava que tinham passado da gruta da entrada e tinham encontrado o primeiro corredor escavado e já tinham passado por duas galerias subterrâneas... Tinham passado por pelo menos seis dúzias de vampiros! Só podia significar uma coisa: eram bentos que vinham ali, bentos buscando o Rio de Sangue que jazia no fundo do covil.

Após recuar por corredores e galerias, Janete retornou para aquilo que lhe servia de dormitório. Só ela e Orfeu repousavam ali. Olhou para o amigo e caçador recostado a uma cavidade. Passavam as horas de transe em pé, como duas estátuas vigilantes, guardando as centenas de corpos que eram mantidos naquele cômodo.

Janete chamou o parceiro. Ele não se moveu. O transe era pesado para a grande maioria dos de sua espécie. Postou-se à sua frente e chacoalhou--o. Nada. Virou-se para a passagem da galeria. Ainda estavam em outro pavilhão, mas logo chegariam ali. Só havia um caminho para deixarem a gruta, que era passando pelos invasores. Tinha conseguido distinguir ao menos quinze vozes diferentes. Teriam mais soldados do que isso? Quantos bentos? Olhou para Orfeu e deu um novo tranco no amigo. Dessa vez o vampiro abriu os olhos.

Orfeu sentia-se tonto. Era horrível ser despertado no meio do transe. O vampiro estava atordoado e mal conseguiu distinguir o vulto à sua frente. Arreganhou a boca, exibindo as presas.

Janete agarrou Orfeu pelos colarinhos esfarrapados e retirou-o da reentrância na pedra, levando-o ao chão, onde caiu sobre os corpos adormecidos.

– Guarde esses dentes, Orfeu! Sou eu!

O vampiro reconheceu a voz da amiga. Seus olhos acenderam como brasas.

– Que está acontecendo? Por que me chamou antes da hora?

– Sei que não gosta, Orfeu, mas a urgência é grande, pode crer.

Orfeu apagou os olhos cintilantes. Passou a mão sobre o corpo de uma adormecida que lhe estava próxima. Em seguida, pelo pescoço ressequido. Vozes chegaram a seu ouvido. Olhou para Janete, que fitava, apreensiva, a passagem para o salão de pedra onde se encontravam.

– O que é isso? Que vozes são essas?

– É esse o problema, Orfeu. Eles estão vindo pra cá.

– Eles quem?

– Soldados!

– Ah! Essa é boa! Soldados dentro do covil?

– Pelo menos quinze.

– Quinze é pouco. Vamos comê-los.

Janete olhou para o amigo e disse:

– Não vê que há algo diferente acontecendo? Eles não seriam doidos de entrar em um covil, mesmo durante o dia. Estão matando nossos irmãos. Querem o Rio de Sangue.

– Então vamos atacá-los. Acabamos com essa festa – disse o vampiro, inflamando-se, impetuoso.

– Não vamos atacar, vamos observar primeiro. Temos de saber quantos são para tramar.

– Podemos com eles, Janete. Juntos já matamos um bando de vinte e seis soldados.

– Vamos observar.

O vampiro concordou com um movimento de cabeça.

A dupla passou por cima do amontoado de corpos da última galeria da caverna. Esgueiraram-se pelo corredor estreito de pedra. Nenhum irmão dormia ali, o que era normal. Alcançaram a outra galeria. Agarraram-se nas saliências das rochas e escalaram silenciosamente a parede da caverna. Era uma galeria enorme, com dez metros de altura. Percebendo a luminosidade das tochas vinda pelo corredor, subiram mais, embrenhando-se nas estalactites, ocultando ao máximo seus corpos envoltos em roupas negras e velhas.

O silêncio ganhou a galeria. Gotículas d’água desprendiam-se das pontas das estalactites e respingavam sobre os corpos dos adormecidos. A luz tremeluzente das tochas intensificou-se. Cinco soldados chegaram ao salão de pedra.

Orfeu sorriu para Janete, mostrando a mão espalmada, e indicando que eram cinco. O sorriso era para encorajar a mulher e dizer que seria fácil dar cabo daquele bando. Mais barulho vindo da fenda, mais quinze soldados passaram e começaram a descer para a parte mais funda do salão. No meio desses quinze, havia cinco bentos, com seus peitos prateados e espadas desembainhadas, sujas de sangue escuro.

O sorriso de Orfeu sumiu e, com medo de escorregar e denunciar sua posição, as unhas cravaram mais firme na pedra.

Janete também engoliu em seco. *Cinco bentos? Cinco! Deus!* Mas iriam acabar com todos os invasores. Provavelmente, todos os outros do covil já tinham ido para o escambau.

Lá embaixo, bento Amintas franziu o cenho, incomodado. Ergueu a tocha acima da cabeça e olhou para o alto da caverna.

– Odeio esse cheiro de vampiro – ralhou, passando os olhos pelas estalactites.

– Ah! Cheiro de vampiro é o que não vai faltar hoje, Amintas – brincou Sinatra.

– Quantos você já matou? – quis saber Carlos.

Amintas olhou para Carlos e deu de ombros.

– Até onde contei... uns vinte.

Carlos ergueu mais sua tocha, iluminando até o fim da galeria. Centenas de corpos empilhados, jogados de qualquer jeito uns sobre os outros. Um cheiro horrível entrava pelo nariz. Uma mistura de carniça com azedume. Difícil de suportar.

– Santo Deus! – exclamou o soldado. – Tem umas duzentas pessoas aqui nesta galeria.

– Se juntarmos com as outras, acho que salvaremos mais de duas mil almas nesta operação.

Todos concordaram com Sinatra.

– Vamos começar a carregar os desta galeria. Se não começarmos logo, não terminaremos antes do pôr do sol. Ainda tem muito trabalho – lembrou Amintas. – Vou com os outros bentos na frente. Temos de saber onde essa caverna acaba e se tem mais vampiros aqui dentro. O ambiente ainda não está seguro.

Amintas novamente levantou os olhos para as estalactites. Moveu a tocha, mudando as sombras de posição. Sentia-se observado, o que era improvável. Todos os vampiros que tinham decapitado estavam em transe vampírico, nenhum deles estava preparado para a invasão.

Mesmo que o bento ficasse de olhos grudados no teto da galeria, Janete e Orfeu não seriam vistos. A vampira tinha chamado o parceiro e, com cautela, eles aproveitaram a distração dos homens que examinavam os adormecidos para conseguir voltar silenciosamente para a fenda ao fundo do salão de pedra. Arrastaram-se novamente para o último cômodo da caverna, que também estava abarrotado de gente adormecida. Foram para o fundo, agitados e temerosos.

– O que vai ser agora, Janete? Não temos por onde sair. Estamos fodidos!

A vampira franziu o cenho e exibiu as presas, soltando um grunhido gutural por entre os dentes.

– Ouviu o maldito? Disse que matou mais de vinte! E ele é apenas um... os outros devem ter acabado com o restante dos nossos.

– Eles virão pra cá, Janete. Temos de nos preparar para o combate. Não vou deixar que me apanhem de graça. Você fica aqui no fundo, eu ficarei acima da boca do corredor. Quando aquele bento velho entrar aqui, acabo com ele. Você pega o próximo... lutamos o quanto aguentarmos. Rasgaremos a garganta dos desgraçados.

– Seremos mortos...

– Ha-ha-ha! – riu em voz baixa o parceiro.

Janete franziu a testa, consternada.

– Do que ri, Orfeu?

– Mortos já estamos, querida – ele apanhou a mão da vampira e a espalmou sobre seu peito. – Vê, meu coração não bate. O seu bate, por acaso?

– Não é hora para brincadeiras, Orfeu.

O vampiro baixou a cabeça. Sua expressão mudara completamente. Janete, notando a mudança de humor, perguntou:

– Que foi, criatura? Que cara é essa?

As luzes das tochas chegavam pela abertura. Amintas e os demais bentos estavam vindo.

– Que foi, Orfeu?

– Tire a roupa.

– Quê?

– Tire a roupa, Janete.

A garota sorriu.

– Não temos tempo para brincadeiras eróticas agora, meu amigo.

– Não é nada disso. Não temos tempo é para pensar em outra coisa – rebateu o rapaz vampiro, livrando-se de seus trapos velhos e escuros, rapidamente ficando nu.

Ao ver o tremeluzir das tochas quase alcançando o salão, Janete repetiu o gesto e também ficou completamente nua.

– Rios de Sangue... – murmurou o rapaz vampiro.

Janete, incrédula, viu Orfeu abrir caminho na pilha de corpos, escavando entre os adormecidos e misturando-se a eles. O vampiro ficara debaixo de uma porção de gente que parecia morta. Abriu um sorriso, exibindo suas presas. O plano era estúpido, mas poderia dar certo. Se ficassem entre os adormecidos, quando os soldados chegassem talvez os tomassem por humanos. Não lhes fariam mal algum. Não lhes arrancariam a cabeça com espadas de prata empunhadas por bentos. Viveriam. Viveriam para dar o troco. A destruição de seus irmãos não passaria impune.

* * *

Bento Vicente avisou as horas para o Duque. A luz do sol vinha baixando e em pouco tempo seria noite. Duque foi até Gabriel, o soldado salvo na Teodoro Sampaio, que agora guardava o equipamento de rádio, e pediu que estabelecesse comunicação com a Barreira do Inferno. Sempre de prontidão, Franjinha, do CLBI, respondeu. Duque apanhou o comunicador do rádio e instruiu:

– Franja, estamos carregando duas carretas com adormecidos. Uma está em trânsito, vindo de São Vítor até aqui, para a última carga.

– Entendido.

– Estamos na mesma posição do último contato, só quero que você não desgrude desse rádio de agora em diante. Deixe TUPÃ em alerta...

– O sol tá baixando.

– Isso mesmo, meu amigo. O sol tá indo embora. Lucas, Amintas e os demais varreram a caverna de cabo a rabo, mas eu tô com um pressentimento ruim. Quando anoitecer, podemos ter surpresas por aqui. Se formos cercados, mande sol sobre nossas cabeças.

– Pode deixar, meu amigo. Estou com vocês na tela e não desgrudo.

Na Barreira do Inferno, Marco Franjinha olhou para o lado e depois para a grande tela.

Explicou rapidamente a seus assistentes, Tânia e Everton, como manter o satélite um com a lente objetiva acompanhando o movimento das tropas.

– Os códigos desse satélite só eu tenho, por enquanto. Assim que vocês se familiarizarem com os procedimentos, darei acesso a vocês dois.

Everton sorriu. Tânia nem desviou o olhar, continuando a contemplar, deslumbrada, o acampamento no interior de São Paulo.

* * *

Em São Vítor, Marisa bateu na porta do consultório de Ana e entrou, mas a médica não estava em sua mesa. A enfermeira arqueou as sobrancelhas e balançou o envelopinho que trazia nas mãos. Ouviu um barulho vindo duma porta lateral, depois o som da descarga. Ana saiu pálida, com uma mão na barriga e outra na boca.

– Tudo bem? – perguntou a enfermeira.

Ana assustou-se com a presença da colega de trabalho e levantou a cabeça rapidamente.

– Quer ajuda? – tentou Marisa mais uma vez.

– Não. Estou só um pouco indisposta.

– Indisposta... indisposta como? Tipo vômitos e náuseas constantes?

Ana aquiesceu e deixou o peso do corpo cair em sua cadeira estofada de couro. Marisa disse:

– Acho que nem precisamos ler isso aqui, não é mesmo?

A médica olhou para a enfermeira que, sorridente, balançava um envelope branco na mão.

– Que é isso?

– O resultado. O *seu* resultado.

Marisa estendeu o envelope para Ana, que o abriu rapidamente. A médica desdobrou a folha escrita à caneta. Não queria ler seu nome nem ler sua idade. Queria o resultado.

Resultado... positivo!

– Estou grávida do Lucas! Estou grávida, Marisa!

– Eu já sabia.

Ana soltou um grito de felicidade e colocou o resultado sobre a mesa. Inspirou fundo e correu para o banheiro de novo.

* * *

Gabriel abriu a barraca e introduziu a cabeça.

– Senhor?

Lucas sobressaltou-se, pois acabara de adormecer. Enfim, disse:

– Diz, Gabriel.

– Tem uma pessoa no rádio querendo falar com o senhor.

– Vou em um instante.

Quando Lucas chegou à cabana do rádio, foi direcionado a uma cadeira de madeira. Tomou o microfone do aparelho nas mãos e pressionou um botão vermelho para falar.

– Aqui é Lucas. Na escuta, prossiga.

Silêncio por um momento.

– Oi, Lucas.

O guerreiro surpreendeu-se. Apesar da distorção por conta do rádio, reconheceu a voz.

– Ana...

– Desculpe-me pela hora, meu amor. Mas tinha de falar com você.

– O que aconteceu? Você está bem?

– Estamos bem. Mas espero que você esteja sentado – e fez uma pausa. Enfim, disse: – Vamos ter um bebê, Lucas. Eu estou grávida! – revelou a voz da médica, cheia de alegria e emoção.

Agora o "estamos" fazia sentido para Lucas.

– Ana... eu nem sei o que dizer.

– Está feliz com a notícia, não está?

– Estou, Ana. Só fiquei surpreso. Ainda estou meio tonto de sono e não esperava...

– Cuida bem da retaguarda nas batalhas, meu amor. Agora, além de mim, você tem um bebê para quem voltar.

– Para quando é o bebê?

– Estou entrando no segundo mês, como a maioria das minhas pacientes.

– Faltam sete meses.

– Tudo correndo bem, faltam sete meses.

– Você está bem?

– Só ando enjoada pra caramba, mas isso é supernormal.

– Ana...

– Eu te amo!

CAPÍTULO 21

A noite ia alta quando a buzina do caminhão tocou à frente do portão. O soldado do muro de São Vítor ordenou que a passagem fosse liberada. Já tinha recebido o aviso, pelo rádio, da proximidade do veículo, mas, mesmo com todo aquele clima de vitória exalando de cada humano, os anos de experiência em cima do muro clamavam por prudência. Enquanto a passagem era franqueada e o motor dos dois possantes caminhões voltava a roncar, o soldado mantinha contato via rádio com as sentinelas das torres encravadas no meio do areião branco.

Os caminhões encostaram na lateral do HGSV para entregar o último carregamento de corpos recolhidos naquele Rio de Sangue. A contagem já passava de dois mil e seiscentos resgatados e as macas não paravam de sair pelas largas portas do hospital, em direção à doca onde os soldados deitavam os corpos. A maioria das pessoas usavam máscaras para filtrar o ar e se proteger do odor. A maior parte dos corpos amontoados nos Rios de Sangue dos vampiros adquirira um cheiro azedo e penetrante. Uma parcela deles tinha algumas partes dos membros tão maltratada pelos repetidos ataques dos malditos noturnos que chegavam a exalar um cheiro pútrido pelas feridas. Se não fosse o inexplicável fenômeno da cura sobre todos os seres humanos da Terra, grande parte deles já teria perecido com membros gangrenados ou mortos por asfixia e inanição.

Os vampiros Janete e Orfeu, na tentativa desesperada de manterem-se vivos até uma boa oportunidade para escapar e vingar seus parceiros mortos na caverna, tinham ido no compartimento de carga do caminhão.

Estavam separados e não se comunicavam na tentativa de burlar os soldados e não perder seus disfarces de adormecidos.

Janete sentiu quando os humanos puseram-lhe as mãos. Foi carregada por dois metros. Depois, sentiu o balanço e o movimento. Devia estar deitada numa maca. Não abriria os olhos, mas bem que queria. Gostaria de ver Orfeu, saber onde o amigo estava. Tinha medo de ser separada ainda mais, agora que adentravam o coração de São Vítor. Não tinha certeza, mas, pelo que conseguira ouvir até então, estava sendo conduzida para dentro do legendário Hospital Geral, o alvo mais buscado pelos vampiros.

A vampira não sabia até quando aquela farsa de última hora duraria, mas bastava, por ora, que não fosse descoberta, para que pudesse se unir ao amigo e, juntos, conseguissem dar o fora dali.

CAPÍTULO 22

Bento Lucas subiu a escada de madeira, chegando com facilidade à cobertura de concreto. Abaixo daquela cobertura, com um intervalo de quatro ou cinco metros, aproximadamente, ficava o palco do teatro de arena do Parque Villa-Lobos. O palco era circundado por uma arquibancada igualmente feita de concreto, toda cinza, onde no passado skatistas e patinadores exercitavam suas habilidades na falta de espetáculos a céu aberto. Lucas olhou para a calibre cinquenta instalada no concreto. Um soldado lustrava o cano da deita-corno com esmero, enquanto outro homem verificava a fita de projéteis que descia ao lado e enrodilhava-se no chão. O céu estava limpo e decorado com um azul encantador. Lucas sentia o vento forte batendo em seu rosto, provocando o costumeiro tilintar de sua cota de malha. Sem saber o porquê, sua mão foi à imagem de São Jorge que restava em seu peito, e ele suspirou. Pensou em Ana e no bebê que crescia no ventre da mulher amada. Sentiu saudades de casa como nunca tinha sentido. Afugentou os pensamentos. Tinha uma missão. Era preciso reconquistar São Paulo antes de pensar em São Vítor.

Colocou as mãos em concha acima dos olhos para poder enxergar melhor, evitando os raios de sol. Toda a faixa de concreto que se estendia até os fundos do magnífico parque fora tomada por soldados, equipamentos e barracas, formando um acampamento avançado dentro da Velha São Paulo. Cravar aquele posto ali na região, no entorno da Ponte do Jaguaré, da Praça Panamericana, da Marginal Pinheiros e de onde era a Ceagesp não fora tarefa exatamente fácil. Tiveram de enfrentar um grupo de mulos armados, escondidos no meio do mato que tomara o asfalto, e também outros, que se abrigavam dentro de velhas mansões e apartamentos ao redor do parque. Na primeira noite, receberam visita de vampiros. O enxame de noturnos foi debelado pela espada dos combatentes e a providencial cobertura de TUPÃ.

Desta vez, novamente os soldados e os bentos veteranos foram surpreendidos pela desenvoltura do novato bento Rogério, o "baixinho arretado", como o chamavam alguns dos soldados. Não era à toa que aquele rapaz tinha chegado ao tricampeonato mundial e levara dois ouros nas Olimpíadas. Ele era uma fera com a espada. Tinha um domínio quase mágico da contenda. Os que testemunharam o bailado do espadachim entre as feras armadas tinham dito que parecia impossível a qualquer inimigo se aproximar do guerreiro novato sem ter o corpo atingido pela lâmina prateada. Por isso, ao redor de Rogério o amontoado de vampiros destruídos, feridos, gritando e agonizando era no mínimo três vezes maior que junto aos demais. Rogério era rápido e ligeiro como os bentos costumavam ser, mas seus movimentos eram diferentes, mais argutos e certeiros. Destemido, como a magia em torno dos de sua raça os fazia ser, era ainda um artista com a espada, algo insuperável.

Juntando o esforço dos bentos, dos soldados com as armas de fogo e do glorioso TUPÃ, os vampiros recuaram, debandaram de forma estrondosa, vergonhosa e previsível. Sim, previsível. Lucas estava orgulhoso de seu exército. Aqueles homens, outrora acuados pela noite e pelas horas de sombra, agora se viam de cabeça erguida e, paulatinamente, retomavam seu lugar de origem. As ruas da Velha São Paulo, em pouco tempo, voltariam a ser transitáveis; habitáveis até, se assim o quisessem os mais saudosistas. Os soldados estavam confiantes e, com o milagre do surgimento cada vez maior de guerreiros bentos, crescia no coração de toda a população uma certeza de que os anos ruins teriam chegado ao fim.

O sorriso de Lucas morreu no rosto quando se voltou para as mansões do outro lado do rua, além das grades do Parque Villa-Lobos. Seria pouco provável que alguém quisesse voltar a viver naquele lugar. Não voltariam tão cedo. As ervas daninhas tinham tomado as casas e a cidade toda transpirava abandono, envelhecimento e tristeza. Quantas memórias não teriam morrido dentro daqueles casarões? Quanta gente não deveria ter vivido seus derradeiros minutos nas ruas enlouquecidas da cidade nas primeiras e apocalípticas noites pós-Noite Maldita? Inúmeras. Lucas tentava imaginar, mas sabia que não poderia alcançar o horror que fora instaurado ao seu redor. Enquanto ele, como tantos milhares, fora apanhado pelo sono inexplicável, muitos viveram uma realidade pavorosa, tendo de fugir, abandonar seus lares, ameaçados desde então por terríveis demônios da noite, criaturas de dentes longos e sedentas por sangue humano. Esses bichos das sombras tinham empurrado a humanidade um andar para baixo na cadeia alimentar.

Aparentemente, os vampiros eram como gente, como seres humanos. Mas não era bem assim que a coisa funcionava. Na verdade, eram monstros que, impelidos por uma sede assassina, caçavam seus "quase" semelhantes para cravar-lhes os caninos e tomar-lhes a vida. Vida... vida que tinha cessado daquela noite em diante. Seus iguais passaram a viver outra realidade, assistindo a toda a estrutura social mantida por eras ruir em questão de semanas. Distribuição de água, luz, Internet, sistema bancário e econômico... tudo indo ao chão. A palavra de ordem era fugir e se esconder. Sobreviver aos malditos noturnos. Retomar o fôlego nas horas de sol e rezar e lutar nas horas de escuridão. Mas, graças ao cumprimento da bendita profecia, agora a humanidade estava virando o jogo. Com o retorno das ondas de rádio e a atividade de TUPÃ, estavam botando as feras para correr.

Lucas olhou para a outra face do Parque Villa-Lobos, "os fundos" da área verde. Os maravilhosos edifícios que se perfilavam próximos ao shopping, que também levava o nome do maestro, tinham sido reduzidos a imensos carvões consumidos pelo grande incêndio pós-Noite Maldita. Mesmo assim, não via um cenário triste diante de seus olhos. O sol que descia no horizonte parecia indicar às aves o caminho dos ninhos feitos nos esqueletos dos edifícios. De onde estava, Lucas via dezenas de bandos de garças brancas voando baixo, próximas ao leito do Rio Pinheiros. Depois, elas subiam e tomavam um dos edifícios ao fundo do complexo. Outras aves, de tantas cores, obedeciam ao mesmo ritual: voando em bandos numerosos, viam e passavam pelo rio, dirigindo-se às sacadas dos prédios e aglutinando-se, formando blocos vivos e barulhentos.

Os olhos de Lucas desviaram-se dos prédios queimados e do voo dos pássaros, indo parar em uma torre dentro do parque. A torre servia de observatório e também de defesa, pois viu o cano longo de outra calibre cinquenta escapando de uma das grandes aberturas da construção.

Ao mesmo tempo, pensara que não demoraria muito até a noite chegar, quando talvez os noturnos voltassem. Por isso, seria boa ideia passar revistando o acampamento todo, para verificar se tudo estava em ordem e pronto para a luta.

* * *

Não muito longe do parque, os bentos Ulisses, Amintas, Danilo e Marcela, e mais cinco soldados recém-chegados ao crescente exército de Lucas, cavalgavam lentamente, admirando a paisagem. Tinham dado uma escapadinha para "passear" pela Velha São Paulo. Antes de deixar o acampamento, passaram por Lucas, que estava na cobertura do teatro de arena. Fizeram os cavalos descer um barranco e chegaram no estacionamento do parque, tomando a direção de uma descida suave que acabaria na avenida.

– Era aqui, nesse estacionamento, que se fazia a vistoria do Detran – disse Alex, um dos soldados.

Os bentos e os soldados chegaram a olhar para o lado. O asfalto do estacionamento contava com inúmeras rachaduras, onde heras e mato saltavam, tomando tudo. O curioso era que a pista de acesso à avenida mantinha-se praticamente intacta, com pouco mato e o asfalto negro cobrindo o caminho.

– Quanto carro que eu já não trouxe aqui, minha mãe? – continuou o soldado.

– Você foi despachante? – perguntou Amintas.

– Despachante, despachante mesmo, eu não era. Era auxiliar. Foi meu primeiro emprego aqui nesse raio de cidade.

– Você não é daqui, então? – foi a vez de Marcela entrar na conversa.

– Não, minha linda. Eu não era daqui, não. Eu vim logo cedo dos cafundós do Judas pra cá. Na minha terra eu não tinha dinheiro e era doido para ter minhas coisinhas, sabe? Ver esse mundo fashion de São Paulo que só chegava pela televisão.

Amintas olhou para Ulisses e abriu um sorriso achando graça no jeito de falar do rapaz.

O grupo chegou ao asfalto da avenida. Um pouco à esquerda, viram os restos mortais do que fora um imenso Carrefour; à direita, viam a Praça Apecatu, que dava acesso a tantas outras avenidas e caminhos. Amintas e Ulisses ficaram indecisos por onde continuar o passeio. Foi o soldado Alex que levou o cavalo adiante e sugeriu que tomassem a esquerda, rumo à ponte.

– Olha, se eu fosse vocês, ia para o lado do Jaguaré, que deve ser mais sossegado pra um passeio.

– Por quê? – quis saber Ulisses.

– Porque, se subirmos pra direita, podemos ir para a Praça Panamericana, sentido bairro de Pinheiros, Largo da Batata e Teodoro Sampaio. Me disseram que o Lucas e vocês passaram por uma chapa quente daquele lado, que vai ficando cada vez mais perto do Hospital das Clínicas. Melhor não arriscar. Tem muito prédio, muito canto pra emboscada.

Como os demais bentos pouco conheciam as peculiaridades do caminho, não contestaram. E bento Alex continuou:

– Agora, se formos pra baixo, lá pra depois da ponte, vamos cair no Jaguaré. Dá pra fazer um passeio por essa avenida aqui e fazer um reconhecimento leve do território. Só queria era ter um protetor solar pra tacar no meu rostinho porque o sol tá bravo.

– Protetor solar?! – espantou-se Marcela.

– É. Protetor solar e hidratante. Ninguém merece essa temperatura na cara.

Amintas e os demais riram do comentário.

– Alex, e se formos por ali?

O soldado olhou para onde apontava bento Danilo.

– Ali, meu bem... ali a gente vai seguir para o Alto da Lapa. Tem muito prédio e casa velha. Cavalgando uma hora, vamos passar pela frente do Hospital das Clínicas também e chegar na Avenida Paulista. Acho que ir para esse lado dá azar. Deixe as coisas melhorarem.

– Tá bom, Alex. Vamos passar pela ponte. Só não podemos é ficar parados aqui, porque em duas horas anoitecerá. Se vamos dar um rolê, tem de ser agora – determinou bento Ulisses.

– Tá todo mundo armado?

Os soldados deram um tapinha em seus rifles em resposta à pergunta de Amintas. Marcela e Danilo, como os bentos veteranos, contavam com suas espadas de prata. Alex conduziu o grupo pelo asfalto rachado da Avenida Jaguaré. No minuto seguinte, viam-se cruzando o Rio Pinheiros sobre a Ponte do Jaguaré. Lá embaixo, diante do queixo caído de todos, viam águas cristalinas descendo pelo leito e podiam distinguir de quando em quando grandes sombras escuras se locomovendo. Eram cardumes de peixes de muitos tipos e tamanhos.

– Caraca! Não acredito nisso! – explodiu o jovem Danilo. – Dá até vontade de fazer um rapel daqui de cima. Se rolar uma folguinha arretada amanhã, não tenham dúvidas de onde me encontrar.

– É muito lindo... – balbuciou Marcela.

Amintas postou seu cavalo ao lado da benta de pele morena e cabelos longos. – Quem é que precisa de uma paisagem dessa quando se tem uma formosura feito tu aqui ao lado?

A novata abriu o sorriso maravilhoso do qual era dona e ofereceu-o ao galanteio do veterano.

– Aposto que você diz isso para todas as bentas quando vêm aqui.

– Não. Não digo, não. Você é a primeira e única benta que passa aqui. E também é minha primeira vez em cima dessa ponte... mas, quem sabe? Com um acampamento permanente aqui do lado e com mais bentas despertando... quem sabe? – disse Amintas, fingindo-se de sério.

Marcela riu alto, chamando a atenção dos demais.

– Seu bobo. Pensei que ia dizer que eu seria a primeira e única. Mas você já tá contando com as outras que vão chegar!

Os dois estugaram os cavalos, indo em direção a Alex, que chegava ao final da ponte. As árvores que tomavam o canteiro central da avenida tinham crescido ainda mais; os ramos e as raízes se esparramavam pelas pistas que serviram aos carros um dia. Danilo passou Alex e viu à direita surgir um complexo que trazia na portaria um logotipo conhecido. Era ali que funcionara no passado algum escritório da editora Globo. Repentinamente lembrou-se de seu pai. Costumavam disputar a tapas os volumes da revista *Galileu*. Tinha também a *Monet*, revista que ficava sempre na mesa de cabeceira da mãe, debaixo do abajur bege. Um sorriso surgiu de soslaio, quando lhe veio fresca à memória a menção ao bairro Jaguaré no expediente da revista. A redação certamente havia sido ali há trinta anos.

Continuou com o cavalo. O som monótono dos cascos enchia a avenida e parou quando chegou a quatro veículos abandonados. Provavelmente tinham se envolvido no mesmo acidente e terminaram ali, engavetados, retorcidos e colados uns nos outros. O da ponta traseira tinha sido um Corsa Wagon; os dois do meio estavam irreconhecíveis, tomados pela ferrugem e por trepadeiras que se aninharam em seu interior; o da ponta dianteira era um Nissan Pathfinder. Ao passar pelo veículo da frente, Danilo reteve a atenção sobre a placa do veículo. Ele sentiu um frio na espinha percorrendo seu corpo. Lia na placa que o Pathfinder era de Campinas. Apertou os olhos. A imagem de um parque veio-lhe à mente. Uma casa com um muro pintado de verde. Que era aquilo? Uma lembrança de Campinas? Como seria possível? Nunca tinha estado naquela cidade. Não que se recordasse. Cidade que conhecia como a palma da mão era Fortaleza. Fortaleza e seu calor intenso. Fortaleza e os Dragões do Mar. Os brothers do skate. O half que a prefeitura tinha colocado à beira-mar. Alguém fazendo uma manobra radical com bicicleta. Gente boa. O concreto da área de manobras ficava tão quente que dava pra fritar ovos. Lembrava do suor descendo em bicas pelos cabelos e indo para a testa; quando batia nos olhos, ardia. Olhos vermelhos. Às vezes até errava a manobra quando acontecia. A sensação do vento cortando e diminuindo o mormaço. Era bom aquilo. Sentiu uma vontade incrível de ter um skate debaixo dos pés naquele exato momento. *Mané cavalo que nada!* Talvez conseguisse dar uma nova escapada com aquele tal de Alex para tentar encontrar alguma velha loja de esportes e skate. Se desse sorte, poderia encontrar algum equipamento abandonado naquele imenso cemitério de cidade. E se o soldado viesse com saliências só porque estavam dando um rolê sozinhos, ia tomar *sheipada*.

Alex voltou para a frente do grupo. Era a primeira vez que voltava a São Paulo desde que despertara do sono. A cada metro avançado a nostalgia enchia-lhe os olhos e o coração. *Quanta coisa pra lembrar!* Ele conhecia muito bem aquelas ruas. Tinha morado por muitos anos no Rio Pequeno e a grande avenida do bairro não estava a mais de três quilômetros de distância.

Amintas e Marcela vinham lado a lado. A garota benta estava sorridente e falante, ainda embasbacada com a natureza à sua volta. Estranhava a quantidade de aves e a variedade de espécies voando rente às águas cristalinas do Rio Pinheiros. Os bandos de tucanos eram seus favoritos, achava-os mais bonitos do que as ararinhas-azuis. Ficava fascinada com aqueles bichos. Lembrou-se de quando viu um grupo deles pela primeira vez. Tinha sido logo depois de deixarem São Vítor, no primeiro acampamento que fizeram à beira do riacho, quando Amintas a chamara de gata.

Marcela olhou silenciosa para o guerreiro. Não podia ser verdade que aquele homem tivesse mais de sessenta anos. A maturidade e experiência estavam patentes em seu rosto, sua pele, mas não em seus olhos. Aquele homem másculo e de musculatura invejável a qualquer rapazote de dezoito anos não parecia condizente com um senhor sexagenário. Amintas era robusto e seus cabelos, curtos e grisalhos, eram um charme. Só não tinha coragem de dizer tudo aquilo para ele. Era estranho. Não se sentia à vontade para falar, não agora. Ela, que sempre fora de chegar chegando quando ficava interessada em um carinha, sentiu um frio na barriga quando os olhos dele pararam nos seus. Ele tinha percebido seu silêncio e a encarava.

Amintas fez o cavalo parar e perguntou:

– Que foi?

– Nada.

– Você ficou quieta de repente.

– Só tava pensando numa coisa.

Amintas sorriu e bateu com os calcanhares na barriga do cavalo. O animal voltou a cavalgar, fazendo o dela ir junto. Em poucos minutos chegaram em um grande largo. Era o balão do Jaguaré.

Bento Ulisses chegou primeiro ao meio do balão. Já tinha passado ali uma vez, quando visitara um parente em Osasco. Os quatro soldados que vinham logo atrás pararam ao seu lado. Ulisses deixou os olhos vagarem pela marquise de um grande supermercado da rede Extra. Tudo parado. Podia ver uma dúzia de veículos abandonados no estacionamento. Mais adiante, do outro lado do balão, prédios e mais prédios residenciais. Como os outros, eram apenas esqueletos largados ao tempo. Prédios tristes, em decomposição. Viu mais à esquerda uma loja do McDonald's. *Uma tortinha de banana até que não cairia mal.* Mais para baixo, o 93° Distrito Policial, e mais adiante, os restos de um batalhão da polícia militar. Tudo deserto e silencioso.

Ulisses já estava calejado de chegar nas cidades fantasmas. Parte de sua sensibilidade tinha sido carcomida pelo tempo. Mas na Velha São Paulo esse sentimento aflorava. Eram tantos pontos comerciais mortos, tantas carcaças de carros e restos de histórias de vidas perdidas, que o velho e palpitante sentimento de desolação lhe assombrava a alma. Olhou para os prédios de frente ao McDonald's. Centenas de apartamentos. Milhares de pessoas que tinham deixado de viver ali. O que encontraria dentro daqueles apartamentos abandonados? Cinzeiros, retratos na parede, samambaias gigantes, ratos, insetos em profusão, banheiros com louças tomadas por vegetação, caixas d'água podres, roupas nos armários, cozinhas empoeiradas, liquidificadores, aparelhos de barbear da Bic, frascos de xampu da Natura, perfumes d'O Boticário, chinelos Havaianas largados ao lado da cama, mochilas escolares do Bob Esponja, DVDs, discos de vinil. Restos de vida. Lembranças perdidas.

– Vamos por ali – gritou o soldado Alex, que vinha atrás. – Vocês vão gostar do que vou mostrar.

Marcela abriu outro largo sorriso quando chegou ao balão do Jaguaré.

– Eu conheço esse lugar! Eu estudava aqui perto! – exclamou, olhando com olhos brilhantes para Amintas.

– Vem gente! – gritou Alex, conduzindo o cavalo estacionamento do McDonald's adentro.

Ulisses virou seu cavalo negro para o sentido da lanchonete e foi seguido pelos soldados, abandonando os devaneios para trás.

– Acho melhor pararmos por aqui – advertiu Amintas.

O grupo parou e olhou para ele, que continuou:

– O sol está baixando rápido. É hora de voltar.

– Deixa de ser estraga-prazer, bofe. Ainda tem meia hora de luz. Só vamos descer a Avenida Politécnica. Quero mostrar um lugar para esse povinho – retrucou Alex.

Amintas olhou para Ulisses. O amigo ergueu os ombros em resposta.

– Vamos, Amintas – pediu Marcela. – Eu sei aonde ele vai.

– Tá. Não quero ser o velho quadrado e ranheta estraga-prazeres. Mas vamos rápido.

– Rápido? – perguntou Alex, erguendo as sobrancelhas.

– Rápido.

O soldado virou seu cavalo e gritou um sonoro "rá", botando sua montaria para correr.

O cavalo de Marcela disparou também, para surpresa da benta, que só não foi ao chão porque estava com os arreios do cavalo enrolados no pulso esquerdo.

Logo, todos do grupo desciam a Avenida Politécnica em cavalgada.

– Quem chegar por último é mulher do padre! – gritou Danilo, tomando a ponta. Alex bateu mais no lombo da montaria, fazendo o cavalo ganhar um pouco mais de velocidade.

Bento Ulisses debruçou-se sobre a montaria e estugou o cavalo, que logo passou para o galope ligeiro; com isso, em poucos segundos, o bento estava na ponta, deixando Danilo comer poeira. Marcela, recuperada do susto, agarrou-se firme ao cavalo e deixou o corpo mais à vontade sobre a sela, aproveitando a corrida. Amintas estava um pouco à frente e ela agora era a última na disputa. Decididamente não queria deixar barato. Só porque era mulher, não queria dizer que estava fora do jogo dos machões. Começou a gritar "iá-iá" e viu seu tordilho entusiasmar-se com a disputa lúdica e botar os músculos para trabalhar. Primeiro, emparelhou com Amintas e viu a surpresa nos olhos do veterano. Em seguida, continuou com a gritaria e com os cabelos longos e morenos esticados para trás, misturando-se ao balouçar de sua capa. Era a primeira vez que corria no lombo de um cavalo e estava simplesmente adorando a sensação de poder.

Então, emparelhou com um soldado e logo chegou no fanfarrão do Alex. Continuou com seus gritos estridentes, vendo o amigo Danilo a dois cavalos de distância. Estava queimando por dentro. Repentinamente sentiu-se como que enfeitiçada, como que em comunhão com seu animal. Ele sabia que ela queria ganhar e ela sabia que ele estava dando tudo de si para conseguir isso. Não demorou nada até emparelhar com Danilo. O amigo abriu os olhos, assustado com a proximidade de Marcela. Ela parecia pronta para atropelá-lo com cavalo e tudo. Os gritos da benta entravam no ouvido do rapaz, parecendo um desafio.

Marcela riu alto ao passar por Danilo. Voltou aos gritos de "iá-iá", aferrada ainda mais ao seu animal. Seus pés iam pesados nos estribos e a parte de cima de seu corpo balançava gostoso ao embalo do galope. Ulisses lançou uma olhada para trás. Não é que a garota estava na sua cola? Começou a gastar sua experiência no lombo dos cavalos. Gritou também e bateu com os arreios na direita e na esquerda no couro do animal, fazendo-o acelerar.

Marcela não se deu por vencida. Seus gritos estridentes aumentaram de volume e velocidade. O cavalo entendeu. O som da cavalgada parecia uma trovoada em sua cabeça. Ela estava chegando perto. Ia conseguir. *Mulher do padre uma ova!*

– Iá! Iá!

Ulisses olhou mais uma vez. Marcela estava logo atrás. A avenida estava acabando. Até que estava sendo divertida aquela brincadeira. Difícil seria manter a dianteira.

Mais para trás, os outros companheiros reduziam a velocidade para assistir ao desfecho da disparada da benta maluca.

Amintas parou seu cavalo ao lado do de Daniel.

– Você sabia que ela montava desse jeito?

– Nada, ela não disse nada pra mim. Caraca. A moça não galopa, voa!

Ulisses viu Marcela passando ligeira ao seu lado, sem conseguir fazer o equino no qual ele estava manter o ritmo. O tilintar de sua touca de cota de prata foi reduzindo conforme o cavalo cansado entregava os pontos.

Marcela e seu cavalo passaram feito bala pelo último adversário. A portaria da Universidade de São Paulo, a USP, ficou para trás e, em um piscar de olhos, a benta viu a desértica Marginal Pinheiros se aproximar. Notando a proximidade do rio, puxou o arreio na tentativa vã de frear seu cavalo. O animal continuou a toda e saltou por sobre uma mureta de concreto, indo para o meio da Marginal. Cruzou as pistas da famosa avenida e o galope continuou diante dos olhos atônitos da garota, que tinha perdido o controle da montaria. O bicho estancou repentinamente, recusando-se a saltar a mureta junto à pista da esquerda. A parada foi tão brusca e inesperada que Marcela foi arremessada para a frente, passando por cima da cabeça do cavalo e voando solta no ar. Seu único reflexo foi apertar os olhos e estender os braços para a frente. O baque foi gratamente amortecido pela grama alta que tomava as margens do rio. Mesmo assim, os companheiros de cavalgada gritaram e se assustaram com o barulho produzido pela armadura de prata e seus acessórios. Marcela rolou pela touceira de matagal e perdeu o ar, sentindo um calafrio indescritível quando afundou. Os homens que vinham em nova disparada sobre os equinos ouviram um sonoro splash, quando o corpo da benta novata desapareceu nas águas do rio.

Ulisses foi quem chegou primeiro e enfiou o braço dentro d'água para alcançar as madeixas da morena. Puxou com força e agarrou-se a uma rama de mato para ter apoio. A mulher emergiu sugando ar com sofreguidão e um barulho gutural. Estava apavorada. O bento arrastou-a para fora do mato e tomou-a nos braços. Passou por cima da mureta e parou por um instante, encarando o cavalo trapalhão.

– Bonito isso!

O cavalo relinchou ruidosamente, como que entendendo as palavras de Ulisses e rindo em resposta.

Ulisses balançou a cabeça e depôs a benta em apuros naquela que era a pista do meio da Marginal Pinheiros. Olhou para a frente e viu os outros chegando. Amintas desmontou ágil como um gato e aproximou-se de Marcela. As pernas, o braço direito e parte do peito de prata estavam recobertos por uma substância gris, lembrando argila. Era fétida e gosmenta, certamente resíduos da poluição que um dia tomara aquele rio. Ela mantinha os olhos apertados, como que acometida de grande dor.

– Está ferida? – perguntou o bento mais velho.

– Só o meu orgulho. Campeã absoluta em um segundo, palhaça ensopada no outro.

Os soldados e bentos riram ao redor da mulher. Ao menos o bom humor da garota tinha passado ileso.

– Me ajuda aqui – pediu com um sorriso, estendendo o braço para Amintas. Ulisses apanhara o outro braço e eles colocaram Marcela de pé.

A garota pendeu a cabeça para o lado direito e enrodilhou o cabelo longo, procurando tirar o excesso de água. Assustou-se e soltou um grito quando um lambari escapou da borda desamarrada de sua luva de couro. Uma nova onda de risadas varreu o asfalto.

Alex foi até o matagal que beirava o rio e, com a ajuda de um canivete, tirou uma braçada de capim-gordura da touceira. Voltou e passou a embolar o mato em punhados, dando-lhes um formato parecido ao de grandes buchas. Com um desses punhados, esfregou o peito de prata da mulher, tirando parte daquela lama malcheirosa.

– Nossa, gente. Sintam só essa catinga! E olha que faz trinta anos que ninguém taca merda nesse rio.

Marcela apanhou as buchinhas de mato e passou pelas pernas, procurando livrar-se do excesso de lama.

Amintas olhou para o sol, que já tocava o horizonte, e sentiu um calafrio. Ele apressou a companheira:

– Marcela, é bom você se apressar. Pessoal, olhem o sol.

Todos fitaram quietos. O disco descendo junto aos prédios.

– Vai escurecer em instantes. Vamos rapar daqui. Você consegue dar outra carreira dessas? – perguntou o veterano, preocupado com a benta.

Marcela andou até o cavalo e passou a mão no pelo do bicho, bufou e olhou para os parceiros.

– Se esse filho da mãe não resolver me jogar de cima da Ponte do Jaguaré, tá tudo beleza. Mas não é uma laminha à toa que vai me deixar com medo desse bicho.

– Certo, vamos embora, então – retrucou Amintas, sem dar tempo para mais conversa. Assim que montou seu cavalo, o bento mais velho do grupo desembainhou a espada e olhou para os dois soldados ao lado. – Deixem os fuzis prontos pra brincar. O caminho é curto, mas não quero dar chance pro azar.

Quando todos viraram-se de volta para a Avenida Politécnica, uma nova surpresa assaltou o grupo. Uma sombra rasteira tomava a avenida ao final, onde seus olhos alcançavam. Era uma massa viva que se movia, vindo rapidamente em direção a eles.

– Que é isso? – perguntou Marcela, com os olhos arregalados.

Os cavalos agitaram-se conforme percebiam a aproximação dos animais. Sabiam que estavam diante do perigo.

Dois soldados brigaram com suas montarias, sofrendo para contê-las, porque empinavam e relinchavam nervosamente.

– Alex, conduza-nos por um caminho alternativo. Rápido.

O soldado ficou estático por um momento. Estava aterrorizado. Não atirava bem. Não estava pronto para aquele tipo de confronto. Era um medroso de nascença.

– Ai, meu paizinho! É hoje que eu viro purpurina! – gemeu o soldado, vendo as feras se aproximando.

Amintas levou um walkie-talkie à boca. Pressionou o botão, enquanto via os demais dispararem atrás do soldado medroso.

– Amintas para Villa-Lobos – o bento bateu com os calcanhares, atiçando o animal, que começou a correr e seguir os outros.

A voz metalizada de Gabriel não demorou para voltar.

– Villa-Lobos para Amintas. Copiando.

– Estamos do outro lado da Ponte do Jaguaré. O sol está baixando e nossos cavalos chamaram a atenção de uma matilha gigantesca de cães urbanos. Estão nos cercando! Nunca vi tanto cachorro junto, mande reforços!

Amintas cravou o rádio no cinturão e agarrou-se às rédeas do cavalo. Colocou o animal para trotar o mais rápido possível. Podia ouvir os latidos raivosos aproximando-se.

Marcela, bem à frente, cavalgava ao lado de Ulisses. A mulher lançou um olhar para trás. Viu Amintas dobrando a esquina e vindo em perseguição ao grupo. Uma sensação de alívio brotou em sua mente, posto que o bento veterano vinha sozinho, sem nada em seu encalço. Olhou para o bento ao seu lado e sorriu. Depois, virou a cabeça e olhou para trás de novo. O alívio esmoreceu. Uma mancha rasteira e agitada dobrou a esquina. Feras surgidas do nada, vindo no encalço do bento retardatário.

– Que bichos são aqueles, Ulisses? – indagou aos berros para ser ouvida.

– Cães! Cães urbanos! – respondeu o bento em bom volume.

Danilo, que vinha ao lado, não acreditou.

– Cachorros?! Você tá dizendo que tudo aquilo é cachorro?!

– É. São cachorros!

Alex conhecia bem as ruelas do Jaguaré. Passaram por baixo da ponte e dobraram tantas esquinas que, sem a ajuda do guia, eles não teriam conseguido voltar para a avenida. A ponte estava diante de seus olhos. Alex e os soldados foram os primeiros a alcançá-la e começar a travessia. Ulisses e Danilo embicaram na avenida. Marcela alcançava a passagem quando olhou mais uma vez para trás. Bento Amintas estava demorando. A garota ouvia o trotar dos outros cavalos cruzando o asfalto sobre o rio. Seu tordilho tinha entrado na ponte, mas as mãos vacilantes da benta puxavam as rédeas, fazendo-o diminuir a velocidade. Ouviam o som de motocicletas vindo distantes. O sol já tinha caído pelo horizonte e o crepúsculo tingia o céu e as nuvens de violeta. Olhou mais uma vez para a esquina por onde Amintas deveria surgir. Nada. Puxou com tudo a rédea de seu tordilho. O animal empinou e relinchou querendo avançar. Foi contido e dominado pela amazona.

Marcela desembainhou a espada de prata e deu meia-volta, tornando o galope. Ulisses olhou para trás e arregalou os olhos. Dezenas de cães apontavam na ponte e a louca da novata estava indo direto para a boca deles. Marcela sentia o coração batendo a mil. Finalmente seus olhos tinham alcançado o veterano. Ele estava envolvido por uma marola de cães que saltavam e revezavam-se na tentativa de arrancar-lhe nacos a mordidas. A benta acelerou o cavalo e atropelou a primeira fileira de cães que vinha pela ponte, literalmente desprezando a presença das feras. Sua capa vermelha esvoaçava com o trotar contínuo e sua espada erguida silvava com a passagem do vento. Via Amintas golpeando a torto e a direito com a lâmina que já não mais brilhava, encoberta pelo sangue morno dos cães. O cavalo estancou.

Dessa vez ela se agarrou firme à rédea e manteve o corpo colado na sela. Forçou o animal. Ele empinou e tentou afugentar os cães que latiam e rosnavam ao redor. Eram rottweilers enormes; um ou dois são-bernardos; um bando de pitbulls ferinos, com dentes expostos e infernais; e centenas de vira-latas de médio e pequeno porte. O ladrar enraivecido da gigantesca matilha encobria qualquer outro som. A visão era dantesca e assustadora, mas o peito da moça ardia em urgência. Não queria esperar o socorro. Não conseguia imaginar bento Amintas sendo destroçado, sozinho, sem uma mão amiga para tentar tirá-lo daquela enrascada.

O tordilho da novata conseguiu abrir caminho por mais alguns metros. Agora Marcela conseguia ouvir os gritos do veterano, que tentava afastar os cães. Viu quando três ou quatro feras cravaram os dentes nas pernas do cavalo do bento e fizeram o animal empinar e relinchar assustado. O sangue de Marcela gelou quando...

– Não! – gritou a benta ao ver as pernas de Amintas indo para o ar e o bento ser arremessado sobre o lago de cães enlouquecidos.

O cavalo empinou mais uma vez. Marcela não hesitou. Saltou do equino e abriu caminho a golpes de espada até Amintas. Nuvens vermelhas de sangue esguichavam à sua passagem.

O veterano já estava de pé e, por sorte ou experiência, mantinha a espada empunhada e trabalhando freneticamente, decepando cabeças, patas e corpos ao meio.

Um dálmata sujo e de olhos avermelhados saltou na direção da benta. Marcela desenhou um arco para a frente e repartiu a cabeça do cão. Um segundo e um terceiro animal surgiram ameaçadoramente. A mulher manteve a espada erguida e combativa. O sangue dos cães sujou seu peito de prata. Ela girou e ouviu um "clanc" metálico ao bater as costas nas costas da armadura de Amintas.

– Não para! – gritou o veterano.

Um cão mordeu a perna de Marcela. Ela gritou e trespassou a lâmina pela garganta do animal, que ganiu e desapareceu no meio dos outros. Amintas cortou um, dois, três, quatro, cinco cães em cinco segundos. Ele procurava não os matar. Não por sentir pena dos componentes da furiosa e faminta matilha, mas por ser mais prático. Os cinco animais recuaram ganindo alto. O som que escapava da boca dos feridos assustava os mais próximos, que às vezes recuavam. Marcela também percebeu a vantagem da manobra, passando a machucá-los em vez de estudar os movimentos para matá-los. Era mais rápido. Mas os seguidos golpes estavam exaurindo a capacidade dos músculos de seu braço direito. Mais quinze golpes seguidos. Cães horríveis. Um fedor indescritível. Sentia-se metida numa contenda contra vampiros.

– Tá ficando escuro! – gritou a mulher, agoniada.

O golpe seguinte falhou. Apesar da vontade, o braço não subiu. O cão que investira conseguiu o que queria. Seus dentes pontiagudos afundaram-se na manga do braço direito da novata. *Bendita malha de ferro!* Marcela passou a espada para a mão esquerda. Os golpes eram imperfeitos, mas ao menos os músculos respondiam, menos cansados que os do membro direito.

Os gritos de Ulisses e Danilo finalmente chegaram ao lado. Os bentos pisoteavam os cães com os tordilhos, tentando aliviar a novata e o veterano. Os soldados conseguiram aproximar-se o suficiente para começar a disparar com segurança, sem aumentar o risco de morte da dupla em apuros.

O som agudo dos motores do grupo de Nova Luz foi crescendo até passar a um ronco grave. Mais som de disparos. Os ganidos foram aumentando fenomenalmente. Em menos de um minuto, as feras por fim tomaram tento de que a temporada de caça aos bentos tinha sido encerrada e puseram sebos nas canelas, desaparecendo pelas ruas do Jaguaré.

Marcela caiu de joelhos, resfolegante. Amintas transpirava em bicas e fazia o peito de prata subir e descer rapidamente à medida que respirava com dificuldade. Os soldados cercaram os dois.

Amintas virou-se para Marcela e ergueu-a. Segurou-a firmemente pelos ombros buscando os olhos de traços indígenas da mulher. Chacoalhou-a com firmeza e raiva, dizendo:

– Não faz mais isso, guria! Não faz mais isso!

Marcela olhou-o calada.

– Você podia ter morrido – ralhou o veterano.

Marcela sentiu um frio na barriga. Os olhos de Amintas inexplicavelmente a deixavam sem ar. Não soube explicar mais tarde como se deu o fato, mas no segundo seguinte seus lábios estavam colados nos lábios do bento. Beijou-o com gosto e gana. O coração da moça batia mais rápido agora do que quando saltou para o asfalto e correu no meio dos cães.

Amintas, surpreso, afrouxou os dedos dos ombros da benta. Desceu as mãos e abraçou-a com firmeza, retribuindo o beijo quente e inesperado que Marcela tinha lançado. Separaram-se tão subitamente quanto atracaram-se.

– Eu acho isso tão lindo! – balbuciou Alex, do meio da avenida, com um poodle todo agitado no colo.

Ulisses olhou para o soldado-guia e riu divertido com a situação.

Marcela fitou por mais um instante os olhos de Amintas.

– Desculpe-me! – murmurou a garota.

Amintas bufou e deu dois passos para trás. Virou-se para os soldados e bentos que aguardavam do outro lado. O olhar geral do grupo e o silêncio incomum deixaram Amintas rubro e sem saber o que dizer naquele instante. Ele queimava por dentro e não sabia como reagir. Olhou para os lados, procurando a montaria. Marcela já subia garbosa em seu tordilho.

– Cadê meu cavalo? – berrou o bento veterano.

– Tá atrás de você, ô barata tonta! – respondeu Ulisses, caindo na gargalhada.

Marcela começou a galopar em direção à ponte. Seu semblante demonstrava um quê de irritação e resolução. Gritou "iá" duas vezes e partiu sem olhar para trás.

Amintas virou-se e trombou com o focinho do tordilho.

– Eu também ia tá uma barata tonta se tivesse ganhado um beijaço da Marcela – falou Danilo, olhando para Ulisses.

O bando caiu numa risada coletiva, enquanto Amintas tentava subir no cavalo.

Ulisses olhou para Adriano e para os soldados e fez um gesto com a cabeça para que acompanhassem Marcela, afinal já era noite e eles precisavam voltar em formação até o acampamento. Então Danilo, Alex e ele ficaram olhando para Amintas, que finalmente embainhava sua espada ensanguentada e parecia voltar gradativamente ao normal.

Danilo olhou enojado para Alex, quando o poodle no colo do soldado começou a uivar.

– Você não vai levar esse troço feio e fedido pro Villa-Lobos, vai?

– Vou, sim, bichinho. É só dar um banhozinho nele, uma tosadinha e *voilá*. Vamos ter uma mascote limpa e cheirosa no acampamento.

Danilo arqueou as sobrancelhas e balançou negativamente a cabeça.

Ulisses assistiu Amintas começar a cavalgar em direção ao balão do Jaguaré, sentido oposto ao que deveriam ir.

– Ô barata! Não é por aí, não. É pra cá – corrigiu, gritando um "rá" e botando seu cavalo para correr sobre a ponte rumo ao Parque Villa-Lobos.

Amintas parou seu tordilho e virou no sentido da ponte. Abriu um largo sorriso, lembrando do gosto da boca de Marcela. A vida sempre foi assim, uma caixinha de surpresas. Algumas amargas e ácidas, outras doces. Muito doces.

CAPÍTULO 23

– Senhor! – chamou a voz do vampiro.

Anaquias franziu a testa, olhou para o sequaz e fez um gesto para que se aproximasse.

– Dois vampiros pedem para falar com você, senhor.

– Uma caolha e um grandalhão?

– Exatamente, senhor. Como sabia?

Anaquias levantou-se de sua cadeira de pedras encravada no fundo da gruta e andou pelo salão escuro. Os olhos brilharam vermelhos ao aproximar-se do sequaz.

– Eu não sabia, companheiro. Foi *ele* quem me disse – respondeu Anaquias.

O vampiro soldado viu o líder passar ligeiro por sua frente e seguir fantasmagoricamente pelo corredor.

Raquel, a vampira ruiva de um olho só, foi quem viu Anaquias aproximando-se primeiro. A seu lado postava-se Gerson, trazendo uma bolsa de lona. Ela abriu a boca, mas nada disse. Vacilou. Anaquias estava diferente. Seus olhos cintilantes transpiravam essa diferença. Ele andava de maneira empertigada, altivo. Os olhos pareciam dizer "desprezo você". Igual aos de outro vampiro, que tinha como inimigo mortal e que, cedo ou tarde, acabaria desfiado em suas unhas. Só de lembrar dele, Raquel enervou-se. *Cantarzo*. Onde estaria o maldito? Sumido há semanas.

– Raquel, Raquel... minha antiga líder, minha ama... Pensei que tinha sido abandonado por você e Gerson na Velha São Paulo.

– Estávamos caçando Cantarzo. Tínhamos coisas mais importantes para fazer do que ficar escutando você matraqueando a respeito daquele vampiro-rei... E o pior: descobrimos que muitos da nossa raça acreditaram nessa baboseira.

Antes que Raquel pudesse se dar conta, Anaquias cruzou a distância que separava seus corpos e fechou as mãos na garganta da vampira, tirando-a do chão.

Raquel fez uma careta de dor, enquanto Gerson investia contra Anaquias.

O vampiro-general aparou com a palma da mão o soco que veio do adversário e, de imediato, apertou o punho de Gerson, fazendo os ossos das falanges estalarem ao serem moídos. O grandalhão urrou de dor e então sentiu a mão de Anaquias em sua garganta, ficando à mercê do vampiro tal qual Raquel estava.

Anaquias fitou os dois cativos em suas garras. Manteve-os por um longo momento nessa posição, enquanto era rodeado por soldados tolamente preocupados com sua segurança. O vampiro-general sentiu a presença do espectro do vampiro-rei circundá-lo, extasiado com a visão dos dois inimigos imobilizados e desmoralizados.

– Dobre a língua, vampira caolha, antes de tentar insultar nosso vampiro mestre, que virá das sombras para tomar seu reinado. Sejas tu também uma valorosa seguidora guerreira e será poupada na vinda do vampiro-rei.

Raquel agarrou a mão de Anaquias, aliviando seu peso e o desconforto. Jamais morreria por falta de ar, mas a dor era cruciante.

– Ouvimos algumas coisas e também vimos muitas outras – grunhiu a vampira, com dificuldade.

Anaquias arremessou-os contra a parede de pedra do covil, vendo-os irem ao chão.

Raquel e Gerson ficaram de quatro por um momento, recuperando-se do golpe.

– Sei que traz novidades. Sempre foi uma caçadora sagaz... mas não sei por que se mostra burra e cega nesse momento. Você é muito observadora e guerreira, inteligente... uma vampira muito inteligente.

– Me agradaria e também ao meu senhor que viesse para o nosso lado e me ajudasse a preparar a chegada do rei – disse o vampiro soldado.

Raquel levantou-se enquanto Gerson ainda estava de joelhos. A mão ferida do amigo estava enegrecida pelo esmagamento. Precisavam sair dali e caçar humanos o mais rápido possível para recomporem-se. Raquel lutava com seus pensamentos. *Como o estúpido do Anaquias estava tão poderoso, mental e fisicamente?* Ele fora sempre uma sombra prestativa em seu grupo de caça. Um soldado obediente, feito um burro de cargas, que jamais retrucara suas ordens ou levantara a voz. Era como se ele tivesse sido possuído por um espírito de força maior. E o jeito com o qual falou e se impôs, o jeito com o qual se desfez dela e dos que lhe cercavam... parecia Cantarzo.

Raquel andou até a bolsa de lona, da qual retirou um rádio vermelho. Acionou o aparelho alimentado por pilhas pequenas e aumentou o volume. As vozes de Leandro e Leonardo encheram o covil. A balada sertaneja fez os olhos de alguns dos vampiros presentes se arregalarem.

– Essa música está vindo de São Vítor – esclareceu a vampira ruiva. – Eles estão transmitindo em AM. Com certeza, estão cobrindo o estado de São Paulo inteiro... Talvez o Brasil inteiro.

Anaquias andou de um lado para outro. Estava ciente de que o rádio tinha voltado à atividade, só não conhecia o que a vampira sabia a respeito ou tinha de novo a acrescentar.

– Eles transmitem toda noite um boletim das últimas ocorrências – continuou ela. – Dizem que os humanos já reconquistaram a Velha São Paulo. Tem um acampamento deles no Parque Villa-Lobos.

– Eles falam demais – disse Anaquias, com um sorriso nos lábios.

– Essas informações estão mudando a cabeça dos humanos de todas as fortalezas. Eles estão perdendo o medo de nossa gente.

– Isso é bom. Faz deles incautos.

– Incautos... – repetiu a vampira. – Se ficassem só incautos, seria bom, concordo. Mas estão enchendo todas as vilas de esperança, orgulho e coragem. Eles estão armando e tramando, organizando-se de modo perigoso. Não basta mais mantermos as linhas de energia derrubadas, continuar destruindo postes telefônicos... Eles têm o rádio, e com o rádio conseguem comunicar-se. Máquinas que tinham se tornado obsoletas com a passagem da noite dos acontecimentos agora voltam, perigosamente, a funcionar.

– O sol nasce para todos, minha cara.

Raquel sorriu de volta para Anaquias. Tinha entendido o que ele queria dizer.

– Pensei nisso, Anaquias. E é por isso que estou aqui – ela voltou até a bolsa de lona e retirou um novo aparelho.

– Que é isso?

– Isso é um rádio PX. Com esse aparelho, bem ajustado e potente, podemos falar com o mundo todo.

– O mundo todo? Sério?

– Sim, Anaquias. O mundo todo. Ponha um desse em cada covil e criará sua própria rede de comunicação. Assim poderemos revidar esse revés. Os bentos conseguiram os quatro milagres. Um é esse maldito sol que brilha à noite...

Anaquias desfez o rosto sorridente, lembrando-se do dia em que perdera quase a totalidade de seu primeiro exército. Era isso! Os humanos tinham queimado seu exército.

– Graças a esse boletim diário, Gerson e eu descobrimos o que é essa luz. Não é um fogo enviado por Deus para acabar com nossa raça. É uma máquina chamada TUPÃ.

– TUPÃ?

– Esse é outro milagre. Essa máquina trabalha para eles.

– Então já temos algo com o que nos ocupar.

Raquel ergueu as sobrancelhas.

– Vamos acabar com essa máquina! – gritou Anaquias.

– É uma ideia e tanto – concordou a vampira.

– Quero um vampiro ouvindo esse rádio a noite toda – ordenou Anaquias, lançando um olhar para o vampiro que o fora chamar.

Raquel lançou um olhar e um sorriso para Gerson. O vampiro parecia recomposto, mesmo sem tomar uma gota de sangue, a mão ferida tinha aspecto um pouco melhor. Ela tinha sorrido para ele, pois seu plano estava dando certo. Anaquias tinha gostado das informações e certamente lhe prestaria favores, lhes seria mais afável.

O espectro invisível de Cantarzo aproximou-se da vampira caolha a tempo de perceber o sorriso recheado de segundas intenções lançado a Gerson. O vampiro-rei detestava Raquel. Ela fora a vampira que lhe rasgara o rosto de carne em seu lado esquerdo, quando habitava o corpo vampírico antes de ser libertado pelo sangue do velho Bispo. Cantarzo grunhiu nervoso, remoendo a lembrança. *Raquel maldita!* Estava tramando alguma coisa. Queria poder entrar em sua cabeça e ler seus pensamentos, mas isso ainda não lhe era possível. Talvez mais tarde, em mais algumas luas, quando o imbecil do lacaio Lúcio chegasse finalmente à ilha da bruxa Tereza. Finalmente a mulher lhe devolveria o corpo de carne morta-viva para subir ao trono e ser visto por seus seguidores. Estaria energizado pelo sangue poderoso do Bispo e as alcoviteiras do universo ajudariam ainda mais, mandariam mais visões, revelariam mais fatos, seriam favoráveis aos vampiros. E não haveria equívocos.

O idiota Anaquias ouviria a voz de Cantarzo de boca para ouvido. Não seria mais uma assombração na cabeça daquele general inepto e demorado. Iria para cima dos bentos e acabaria com a raça dos humanos. Sabia que eles festejavam dentro das vilas. Queria ir até eles, em espírito, e afundar as garras em seus corações, mas ele não podia... por razão desconhecida orbitava apenas ao redor de Anaquias. Anaquias!

Anaquias, recebendo as vibrações do espectro, olhou para Raquel, sentindo raiva da mulher, e perguntou:

– O que mais sabe? O que mais tem a me dizer, mulher vampira?

– Digo que devemos organizar nossas forças antes que seja tarde demais. Devemos atacá-los no Parque Villa-Lobos e expulsá-los de nossos domínios. A noite e o dia de São Paulo sempre foram nossos desde a Noite Maldita. Temos muitos Rios de Sangue guardados naqueles velhos prédios, naquelas velhas ruas.

– Não vamos atacar até que o vampiro-rei nos ordene.

– Mas os filhos da puta estão fazendo a festa, Anaquias! Temos de arrepiar agora! – explodiu Gerson, finalmente abrindo a boca naquela reunião.

– Eu disse que vamos esperar o vampiro-rei. Falta pouco para o mestre em pessoa nos guiar nessa contenda sem fim.

– Para com essa coisa de vampiro-rei, Anaquias! Isso não existe! – gritou Raquel. Anaquias lançou uma bofetada no rosto pálido de Raquel, tão forte que o tapa-olho negro da mulher se soltou e seus cabelos vermelhos como os do milho cobriram sua face, logo escondendo a pútrida ferida.

Gerson arremessou-se sem pensar, alcançando Anaquias em seu bote certeiro. O corpo forte levou Anaquias ao chão.

Os seguidores de Anaquias e da profecia do vampiro-rei acudiram o líder, agarrando o grandalhão pelos cabelos e segurando com firmeza seus braços musculosos. Foram necessários nove vampiros para conter o colosso. Gerson era forte demais!

– Ninguém faz isso com ela! – berrava Gerson.

Raquel recompunha-se, voltando a colocar o tapa-olho.

Anaquias abriu seu sobretudo e arrancou uma espada curta e brilhante. Seus olhos chisparam vermelhos, enquanto grunhia enraivecido. A lâmina foi enterrada no peito largo de Gerson. Os dentes de Anaquias brotaram selvagens, enquanto ele torcia a lâmina no coração do vampiro.

Gerson gemeu e rapidamente seus olhos cintilantes perderam o brilho e a vida. Seu corpo pesado tombou inerte aos pés de Raquel. A vampira saltou para trás e foi sua vez de clamar por luta. Abriu o sobretudo, deixando à vista seu corpo bem feito, encoberto por uma calça de couro negro e um corpete feito do mesmo material.

Antes que pudessem se mexer, os vampiros ao redor de Anaquias arregalaram os olhos quando duas metralhadoras pularam para as mãos da vampira. Raquel abriu fogo varrendo os inimigos da frente. Anaquias, advertido e guiado pelo espectro, saltou e agarrou-se à parede rochosa da caverna. Quando Raquel derrubou os soldados à frente, levou a rajada de balas de prata ao encontro de Anaquias. Sabia que o ex-integrante de seu bando de caçada era bom de briga, mas ele estava indo rápido demais, preciso demais. Era como se adivinhasse seus movimentos!

Raquel perdeu Anaquias de vista e, quando baixou seu olho bom para a galeria da caverna, viu surgir cada vez mais e mais soldados pelas bocas dos corredores. Soltou uma das metralhadoras, enquanto a outra continuava disparando contra os que se aventuravam em sua direção. A mão livre tirou um explosivo preso ao corpete. Arremessou a granada e livrou-se da segunda metralhadora para tirar Gerson do chão com as mãos livres. O diacho do parceiro pesava muito, mesmo para ela, que contava com força extra por conta de sua condição maldita. Conseguiu passar por um corredor estreito sem ouvir soldados vindo em sua direção. Memorizara o caminho, sabia que estava perto da boca do covil... a floresta densa seria sua única chance.

Raquel sentiu uma lufada do ar quente da noite entrando pela caverna. A saída era íngreme e o corredor inclinava a noventa graus, quando chegava ao gargalo de saída. Teve de se esforçar bastante para içar o corpo inerte e pesadíssimo de Gerson. Não queria abandoná-lo no covil... um apego estúpido numa hora estúpida, mas sabia que aquele servil parceiro a honraria com a mesma moeda caso a situação fosse inversa. Ele não seria deixado para trás. Não era amor o que tinha pelo grandalhão, era respeito. Respeito construído com muitas noites de caçadas, com muitas situações adversas. Gerson sempre fora uma muralha contra os inimigos humanos e jamais discutira as ordens e estratégias impostas por ela. Era silencioso e obediente, talvez impulsionado pela grande estupidez que tomava sua mente. Era burro. Esse sempre foi seu único defeito. Defeito que resultava em frutos como aquele que ela experimentava no momento. Se ele tivesse sido contido e aguardado pelo momento oportuno, ela teria engolido aquele sopapo do filho da puta do Anaquias e revidado na hora certa. *Anaquias estúpido!*

Mas não era hora de brigarem entre si. Era hora de todos os vampiros juntarem forças. O inimigo não era gente da própria raça. Os inimigos eram os filhos da luz, os escolhidos. Os malditos bentos estavam retomando a Terra. Retomando as cidades. Tinham de tomar um chacoalhão. Tinham de ser mortos por vampiros, por hordas selvagens e certeiras. Não havia tempo para morte entre aqueles que deveriam aliar-se.

Raquel, tomada por essa onda de consternação e pensamentos, alcançou a boca da caverna e puxou o corpo de Gerson para fora. Voltou a colocá-lo nas costas e começou a correr em direção à floresta metros adiante. Durante as passadas, auxiliada também pela luz do luar, percebeu que o mato estava quieto. Péssimo sinal. Sem grilos, sem piados, sem cigarras, sem corujas da noite, cuja presença era abundante naquela região. Isso tinha um significado. Eles tinham saído por algum outro lugar. Tinham se espalhado pelo lado de fora.

Ela levou a mão livre para o coldre preso em sua perna e puxou uma pistola. Seria pega. Sabia que daquela vez seria pega. Girou com o corpo de Gerson em seu ombro. Só via mato, mas sabia que eles a espreitavam por ali, aguardando o momento exato para exterminá-la. Não se lembrava de ser tomada por desespero nas caçadas. Lembrava-se de manter a calma e sempre trazer o emocional do grupo sob controle. Ela comandava. Mas não caçava vampiros e nunca fora caçada por eles até então. Caçava humanos. Caçava gado para o ninho. Sangue para o covil. E tinha uma diferença imensa no que acontecia agora. Colocou o corpo de Gerson no chão. O vampiro afundou na grama fofa. Raquel ajoelhou-se ao lado do parceiro e atrás de uma touceira de mato alto. A grande diferença naquela noite é que ela não era a caçadora. Ela era a caça.

Raquel manteve a pistola erguida e o braço estendido. Viu o primeiro vampiro voando de uma árvore para outra com o par de brasas riscando o céu negro. Não disparou. Queria ter noção de quantos eram e onde estavam. Aquele ali tinha revelado sua posição e mantinha-se parado sobre o balanço suave do galho de uma aroeira vermelha. Viu mais alguns pares de brasas voando na floresta logo abaixo. Eram mais de quarenta vampiros fechando um cerco. Olhou para trás, de volta para a saída de onde escapara. Mais vampiros vinham, desprotegidos, encurvados e caminhando lentamente. Recapitulou mentalmente seu arsenal. A pistola tinha um cartucho com vinte e duas balas, mais uma. Dois cartuchos extras presos na coxa direita. As metralhadoras tinham sido abandonadas dentro do covil. Desejou ter ao menos uma ali com ela, pois tinha um cartucho de munição com cinquenta e duas balas para a metralhadora. Podia dar conta de uma porção daqueles paus-mandados.

Um lampejo varreu a mente da vampira. Abriu a jaqueta negra de Gerson. *Granadas e mais duas pistolas.* Franziu o cenho, evocando sua agilidade vampírica. Se era isso o que tinha, era com isso que se viraria. Só não deixaria ser pega de graça.

Os dentes pontiagudos mais uma vez afloraram e a noite ganhou mais luz quando fez o olho de Raquel cintilar. Queria Anaquias acima de tudo. Talvez, se acabasse com o lunático, os outros caíssem em si e percebessem que aquele assunto de vampiro-rei era a mais pura balela e que era hora de confrontar os humanos antes que fosse tarde demais. Não existiam mais deuses na Terra desde a Noite Maldita. Não existia mais deus no céu nem deus entre os vampiros. Não existia aquele negócio de vampiro-rei.

Raquel ouviu uma risada conhecida. Arrepiou-se dos pés à cabeça. Olhou na direção do som da risada e encontrou Anaquias. Manteve a arma apontada para a cabeça dele, enquanto cerca de sessenta soldados do ninho se aproximavam. Teve a impressão de ouvir a risada insolente de Cantarzo, por isso o susto. Anaquias estava rindo igual ao infeliz. Isso era estranho e perigoso. Puxou o gatilho, disparando três vezes. Anaquias tinha simplesmente virado de lado para que os projéteis rasgassem o ar e sumissem na escuridão, retomando uma caminhada calma e constante em sua direção.

– Uh! Essa passou perto, caolha. Talvez, se tivesse o outro olho no lugar certo... Ha-ha-ha-ha! – riu o líder.

Raquel disparou de novo, vendo, para sua infelicidade, Anaquias repetir a manobra e continuar andando, cada vez mais próximo.

– Quantas dessas você quer perder comigo? – debochou ele. – Caso seu olho ruim não a tenha deixado notar, tem uma porção de vampiros ao seu redor. Não quer tentar uma ou duas neles antes de gastar tudo comigo?

Raquel fungou, raivosa. Estava nervosa. Queria escapar daquela armadilha. Tinha ido para somar, não para ser exterminada. Tinha ido para ajudar, não para ser humilhada. A raiva em demasia, que fazia queimar seu olho bom, podia pôr tudo a perder.

O espectro de Cantarzo se aproximou da mulher e inalou fundo. Parecia precisar fazer muito esforço para captar qualquer aroma que viesse do mundo material. Voou ao redor da cabeça da mulher e voltou para perto de Anaquias.

Raquel piscou. Seu olho estava falhando quando menos deveria. Jurava ter visto uma coisa ao lado de Anaquias. Um corpo. Um vampiro, talvez. Disparou instintivamente contra a ilusão, com medo de ser um inimigo vindo para o ataque. Foi obrigada a ouvir o riso infernal de Anaquias.

Os vampiros fecharam o cerco sobre Raquel. Ela não fugiria de modo algum. Quatro deles traziam armas de fogo e uma dúzia portava espadas desembainhadas.

Raquel disparou três vezes. Três vampiros tombaram. Recebeu o revide. Explosões cadenciadas. A vampira ruiva manteve-se firme. Os disparos dos oponentes passaram perto, mas não a atingiram. Voltou à carga. Mais disparos, mais vampiros tombando. Apanhou duas granadas de Gerson e deu dois arremessos certeiros. Explosões e gritos.

Cantarzo rodopiou sobre a cabeça de Anaquias e seu espectro subiu seis metros de altura. Raquel era formidável. Uma guerreira de primeira linha. Abriu um sorriso, achando graça em sua resistência. Poucos vampiros teriam o garbo, a inteligência e a elegância daquela caçadora. Envolta por tantos soldados, mantinha a mais absoluta calma e precisão cirúrgica em seu combate. Enquanto nem chegava a se mexer para defender-se dos disparos imprecisos dos adversários, ia derrubando um a um os soldados.

O vampiro-rei parou ao lado do ouvido de Anaquias.

– Deixe-a, maldito. Deixe-a. Essa também será minha. Só minha – disse o espectro dentro da cabeça do líder do exército. – Guarde-a para mim. Traga-a para meu exército ou deixe-a ir. Muitas guerras virão e tu tens de defender o reino até minha chegada.

Anaquias, surpreso com a ordem descabida, parou a caminhada e arregalou os olhos.

– Ela é uma boa guerreira – repetiu o vampiro-rei. – Será um delicioso exercício para o meu despertar.

– E se ela se recusar?

O espectro olhou para Raquel que, petulante, mantinha a arma erguida e apontada para Anaquias.

– Se ela se recusar, eu mesmo cuidarei dela quando tomar meu corpo.

Anaquias ergueu os braços e bradou para seus homens:

– Parem! Ninguém toca nela!

Os soldados estacaram na posição em que estavam, há menos de cinco metros da caçadora e de seu amigo desfalecido.

– E tu, vampira, baixa a arma!

– Não vou cair nesse teu embuste, Anaquias – revidou ela. – Assim que eu baixar a guarda, você e os teus homens virão contra mim.

– Não quero nada contigo, Raquel. Já fomos parceiros em muitas caçadas. Basta de adversidade.

– Onde estava esse seu bom senso e essa benevolência toda quando me esbofeteou lá dentro? Onde estavam suas memórias de companheirismo e lealdade quando enfiou a lâmina de prata no peito de Gerson? Ele, que já te salvou de poucas e boas.

Anaquias levou a mão à testa e coçou a pele pálida azulada por um instante. Então, disse:

– Chega, vampira. Não quero discussão. Você mesma disse que temos de atacar os humanos agora. Fui o primeiro a te convidar para se juntar ao meu exército. Repito a oferta.

– Nunca!

– Mas você veio aqui buscando união. Trouxe as novas. Trouxe ideias – Anaquias fez uma pausa e deu uma volta ao redor da mulher. Lançou um olhar de esguelha para o corpo morto de Gerson. – A única coisa que terá de concordar e se submeter será aos desígnios do nosso mestre, o vampiro-rei.

Raquel cuspiu nos pés de Anaquias. Não cederia ao pedido do vampiro. Não compreendia esse estranho arrefecimento do vampiro-general, que há alguns segundos queria vê-la morta. Essa aliança era o que ela queria quando chegou ao covil, mas, agora que Gerson estava acabado, faria de seus algozes suas vítimas, caso lograsse aquele cerco e voltasse a ver a lua no céu na próxima noite.

Anaquias sorriu e meneou a cabeça.

– Vou tomar isso como uma delicada recusa, uma declinação.

Anaquias começou a caminhar de volta ao ninho, seguindo pelo mato fofo sem olhar para trás. Os soldados permaneceram na mesma posição, ao redor da guerreira. Raquel voltou a erguer a arma, apontando-a para os soldados à sua frente. Iria perecer naquele instante, mas descarregaria sua arma antes de ir ao chão.

– Venham! – gritou Anaquias, já distante uns quarenta metros.

Os soldados entreolharam-se, surpresos. Ela havia insultado Anaquias e ao vampiro-rei de tal maneira que lhes parecia impossível simplesmente dar as costas àquela maldita criatura sem prestar-lhe o devido castigo.

Anaquias virou-se uma última vez para encarar Raquel e dizer:

– Você faz pouco de nossa crença, Raquel. Tal como alguns soldados humanos faziam acerca da profecia dos trinta bentos. Veja você o que eles têm agora. Ondas de rádio, um sol que brilha à noite, uma quantidade crescente de guerreiros bentos e mulheres prenhes. Como profetizado, receberam quatro milagres. Isso não te põe a pensar?

Raquel levantou-se vagarosamente e, ainda com o braço estendido e com a arma apontada para a frente, voltou a colocar Gerson sobre o ombro.

– Agora eu falo do vampiro-rei e uns poucos tolos como você me dão as costas – continuou Anaquias. – Te deixarei ir essa noite, para que viva com um fantasma em sua mente, rondando suas horas difíceis. Quando o vampiro-rei despertar, querida Raquel, você será inimiga de um Deus-Vampiro. Ele te buscará com ira e mágoa no coração, lembrando o dia em que lhe pediu ajuda e tu negaste, lhe deste as costas. Prepare-se, vampira. Esse dia chegará, e isso não passará de cinquenta luas. Um piscar de olhos. Te garanto.

Anaquias deu as costas à vampira e, sem esperar reação alguma, saltou para dentro da boca da caverna, desaparecendo da vista de Raquel.

Raquel aguardou um instante, até que o último soldado tivesse pulado atrás de Anaquias. Voltou os olhos para as árvores. Mais nenhuma brasa empoleirada em seu caminho. De alguma maneira inexplicável, Anaquias a estava deixando partir. Sentiu um arrepio cruzando sua espinha. Só havia um modo de concatenar tudo. Só uma explicação dava sentido à atitude do vampiro. Aquele ato de desprezo contra ela e Gerson só fazia sentido se da boca de Anaquias estivesse saindo a mais pura e absoluta verdade.

CAPÍTULO 24

Franjinha acordou com uma voz aguda vencendo o chiado do rádio. Os olhos percorreram rapidamente a tela principal da sala de controle do Centro de Lançamentos da Barreira do Inferno. O local contava com mais dois "técnicos" formados por Franjinha, para que os três se distribuíssem em uma vigilância permanente. Mas não era difícil encontrar o trio de plantão, ao mesmo tempo, em frente aos monitores da sala, sem que eles tivessem o descanso adequado. Eram três viciados nos satélites do CLBI. Everton, o primeiro a dividir a sala com Franjinha, era um mineiro com aparência de cerca de trinta anos, enquanto a garota Tânia parecia ter pouco mais de uns vinte. É verdade que suas idades reais diferiam muito disso, posto que tinham dormido anos e anos até o despertar. Quando os rádios voltaram a funcionar, após a Noite dos Milagres, a dupla ficou sabendo da existência do centro e de sua importante missão nos dias correntes. Cada um deles, vindo de um estado diferente, seguiu rumo a Natal e deu nos muros do CLBI. Como demonstraram grande intimidade com informática e grande interesse em ajudar, Marco Franjinha aceitou-os como seus novos operadores.

Os gráficos e indicadores mostravam que tudo estava na mais perfeita ordem. O majestoso satélite TUPÃ mantinha-se cem por cento, pronto para ser acionado a qualquer instante, a qualquer chamado. Franjinha voltou os olhos para a caixa de som em sua mesa e levou o dedo ao botão de volume. Deslizou a chave, fazendo o chiado aumentar. Passaram-se alguns segundos e a voz voltou.

Era algo incompreensível. Pareciam palavras rápidas, distorcidas pela estática, mas sem completar sentido algum. Marco Franjinha arqueou as sobrancelhas, intrigado com o que ouvia.

– Vocês estão ouvindo isso? – perguntou aos companheiros de vigília.

Everton levantou-se da cadeira e olhou para o chefe enquanto espreguiçava-se.

– Faz uma hora que começou. Vai e vem – complementou Franjinha.

– De onde está vindo?

– Eu rastreei a frequência. É um radioamador. Consegui conectar com o auxílio do satélite seis de radiofrequência.

– Tá, corta esse papo. De onde está vindo?

Everton digitou alguma coisa no teclado e, no instante seguinte, a tela de seu computador tomou toda a tela principal do centro de lançamento. Franjinha ergueu os olhos para a imensa tela. Via o mapa-múndi à sua frente, com todos os continentes e oceanos.

– Não sei se o seis está funcionando direito. Um radioamador pode alcançar milhares de milhas, mas essa voz está vindo de longe. Muito longe.

– Se eu dissesse que está vindo de longe pra caçamba, acho que ainda seria um diminutivo – brincou Tânia.

Franjinha acompanhou a digitação frenética de Everton através do painel principal. A onda de radioamador demonstrada na tela tinha uma coloração violeta, que ficava vibrante quando a voz de língua estranha chegava à caixa de som de Marco Franjinha, depois esmaecia quando entrava o chiado.

– Tá difícil falar com precisão, Franja, mas acho que a parada vem de um rádio em movimento, uma base que está avançando. Está em algum ponto do Pacífico nesse momento – informou Everton, fazendo surgir um triângulo vermelho que piscava próximo ao continente da Oceania. Franjinha tamborilou na mesa. Não era à toa que as palavras não faziam o menor sentido. Era uma língua estrangeira.

– Acho que é japonês – jogou Tânia.

– Por quê?

– O acento. A velocidade. Principalmente por causa da velocidade das palavras. Na Austrália, falam inglês... inglês é falado mais lento que isso. Japonês é sempre assim, rápido. Inglês eu conheço um pouco... por pior que fosse a transmissão, alguma palavrinha eu teria pegado.

– Pode ser qualquer língua asiática – complementou Franjinha.

– Hindu não é.

– Na Índia não falam inglês também? – perguntou Tânia.

– Falam inglês, e mais uma porção de dialetos. Na China também. Na real, em uma dezena de países da Ásia é assim. São mais de três línguas para cada um, às vezes.

– Aposto forte no japonês – continuou Tânia.

– Vocês conhecem alguém que fala japonês?

– Olha, Franja, japonês, japonês mesmo, acho que não conheço ninguém. Agora, em São Vítor, o Chen fala chinês. Talvez ele conheça um pouco dessas línguas orientais, ou pelo menos saiba dizer qual é ou não é.

– Boa ideia. Contatem São Vítor. Gravem alguns minutos dessa coisa e retransmitam. Alguém tem de descobrir o que esses caras querem. Podem estar em perigo.

– Difícil vai ser a gente ajudar daqui de tão longe – lastimou Everton.

– Longe? Com o rádio funcionando não tem mais longe, meu amigo. E se tiver vampiro na área, é só queimar com o TUPÃ.

* * *

Gabriel, o encarregado das radiocomunicações do acampamento Villa-Lobos, tentava sintonizar o melhor possível o canal pelo qual recebia aquela estranha voz, sem saber que Franjinha lidava com o padrão incomum de comunicação no mesmo instante. Era uma língua estrangeira. Oriental. Isso percebeu de pronto. Mas quem seria? Já tinha captado e conversado com italianos. Algum radioamador em situações favoráveis conseguiu fazer sua voz atravessar o Atlântico, contando e recebendo novidades da distante Gênova. Era bom ouvir gente de outros lugares, mas o rádio, infelizmente, só fazia confirmar que o mundo todo sofrerá consequências por todos aqueles anos com a aberração. Os vampiros tinham açoitado o globo terrestre inteiro com o horror e a caça ao sangue humano. No entanto, Gabriel, que conseguia entender bem o italiano e arriscar uma coisa ou outra, aprendida nas telenovelas da Rede Globo, conseguiu conversar mais de meia hora com o genovês e eles até riram quatro ou cinco vezes durante a conversação. Depois daquele encontro via rádio, as ondas distantes andaram arredias e não mais foram recebidas pelas antenas de Gabriel. Agora o soldado lutava com o dial, tentando manter audíveis as palavras incompreensíveis do novo contato. Diferentemente do italiano, a esse não conseguiria responder nada. Não entendia necas de pitibiriba do que a voz dizia. Ele estava tão concentrado que se assustou quando os bentos Lucas e Vicente entraram repentinamente na barraca.

– Que foi? – perguntou bento Vicente.

– Nada. É que eu estava concentrado, ouvindo.

– O quê? O resultado da loteria? Tá branco que nem vampiro – continuou Vicente.

Gabriel riu da brincadeira. Depois, pôs o dedo em riste diante do nariz, quando voltou a ouvir a voz e as palavras desconexas.

– Isso. Shhh. Ouçam...

– É japonês? – perguntou Lucas.

Gabriel deu de ombros, repousando a mão no dial a fim de manter o radioamador sintonizado.

– De onde está vindo isso?

– Não sei, Vicente. Com o italiano eu consegui conversar. Com esse aí eu nem tentei. Não sei nem se é um ser humano ou uma gravação.

– Tá parecendo cantor de karaokê do *Japan Pop Show* – brincou Vicente.

Gabriel e Lucas riram da graça.

– Um calouro ruim, ainda por cima.

– Você lembra de cada coisa.

Lucas andou em círculos, tentando decifrar a mensagem. Impossível. Era uma língua oriental, sem dúvida. Estalou os dedos e perguntou:

– O Chen ainda está aqui ou já voltou para São Vítor?

– Acho que ainda está aqui. Eu o vi na hora do almoço. Ninguém arrisca o pescoço por essas bandas depois da hora do almoço. E depois da palhaçada do passeio de Ulisses e Amintas com os novatos até o canil do Jaguaré, pedi que as saídas após as quinze horas sejam colocadas em relatório.

– Procure-o, Vicente. Ele é descendente de chineses, talvez saiba qual língua é essa.

– Na pior das hipóteses, se ele não decifrar essa porra, pelo menos ele faz uns rolinhos primavera pra gente, né? Meu estômago está roncando.

– Para de graça, Vicente. Hoje você está impossível. Vai logo ver se encontra o cara.

– Mas eu tô falando sério. Não é só o Paraná que sabe cozinhar esses bagulhos diferentes. O Chen já fez yakissoba uma vez lá em São Vítor.

– Vai logo!

Vicente saiu da barraca das comunicações rindo sob os protestos de Lucas, que pedia pressa.

Quinze minutos mais tarde, o bento grandalhão entrou com o líder dos soldados de São Vítor na barraca. Chen estava com cara de sono.

– Que bom que o Vicente te achou. Desculpe-me tirar você do descanso – escusou-se Lucas.

– Que é isso... Só estava tirando um cochilo, porque parto para São Vítor de madrugada.

– O Gabriel captou uma coisa no rádio. Não sabemos se vem de perto ou de longe, mas, a julgar pela língua utilizada, deve vir de muito longe.

Justamente naquele momento o chiado estático parou e a voz com palavras rápidas voltou.

Chen ficou mudo e concentrado. Gabriel, que lidava com aquela mensagem repetida por horas, já tinha até decorado o acento e a melodia das palavras, reconhecendo a repetição de algumas passagens.

– É japonês – decretou o descendente chinês. – Disso não tenho dúvida. Mas pouco entendo.

– Shhh – fez Gabriel, que conhecia a sequência e sabia que mais coisa vinha depois dessa pausa.

Chen fechou os olhos buscando se concentrar ainda mais. Aproximou-se de uma das caixas acústicas. Ficou nessa posição por mais de cinco minutos diante dos três observadores, ansiosos por alguma informação.

– Me dá um pedaço de papel.

Chen sentou-se ao lado de Gabriel e começou a riscar algumas palavras a lápis. De repente, parou e seus olhos se arregalaram. Era surpreendente.

– Conseguimos falar com eles?

– Talvez. Eu não tentei ainda porque não estava entendendo nada e também porque isso tá parecendo uma gravação. É uma repetição, igual um mantra – explicou Gabriel.

Chen puxou o suporte com um microfone e pressionou um botão vermelho na base. Um LED vermelho acendeu-se enquanto Chen arriscava algumas palavras. A voz do outro lado sumiu e a estática voltou. Na barraca, ficaram em silêncio por volta de um minuto, ouvindo aquele chiado constante e monótono.

Lucas aproximou-se do soldado de São Vítor e lançou uma olhada para o papel. Eram escritos em japonês.

– Que significa isso?

Chen, desistindo de uma resposta no rádio, virou-se para Lucas e Vicente.

– É bastante estranho. Eu não falo japonês fluente, só sei alguma coisa por ter aprendido com amigos dos meus pais e por gostar da língua... mas fazia tempo que não precisava usar, a gente vai enferrujando – lamentou Chen.

– Mas o que você conseguiu entender? O que significam essas palavras?

– Não sei se está certo, mas entendi que estas palavras aqui – Chen foi passando o dedo sobre os escritos e dizendo o que cada uma delas queria dizer. – Essa aqui significa "demônio", essa aqui significa "guerreiros" ou até mesmo "samurais". Acho que é "samurais" – o dedo foi para o próximo conjunto de palavras. – Essa frase é a mais estranha, caras. Nem sei se é isso, mas, se entendi bem, diz que "samurais estão em grande viagem", e depois diz que estão indo pra "praia do Brasil".

– Quê?! – espantou-se Vicente.

– Não pode estar certo, eu sei, mas foi o que eu entendi.

– Intrigante – murmurou Lucas.

Chen passou a mão na cabeça.

– É confuso... eu esqueci muita coisa desse idioma. Tem um ponto aqui que parece que está escrito "o grande combate" – Chen ficou mudo por um instante. Então, sugeriu: – Se o Gabriel conseguisse gravar isso em um computador ou em um gravador...

– Não dá. Já deu um trabalho danado montar essa estação receptora e transmissora.

– O que você vai precisar, Gabriel?

O soldado das comunicações pensou um pouco, olhando para sua mesa abarrotada de equipamentos e fios.

– Sei lá, Vicente. É o que o Chen falou. Se conseguir um computador funcionando, não precisa ser um monstro, basta ter uma conexão FireWire que espeto um cabo no rádio e gravo tudo. Se conseguir uns softwares de quebra, dá pra melhorar a qualidade do som e ajudar nosso amigo Chen.

– Era difícil achar isso até antes da Noite Maldita, mas já vi softwares tradutores do japonês para o português e vice-versa.

– Podem deixar comigo – falou Vicente. – Amanhã mesmo vou liderar uma expedição à Rua Santa Ifigênia velha de guerra. Era nessa rua do centro de São Paulo que se achava tudo para eletroeletrônicos e suprimentos para computador. Se sobrou alguma coisa utilizável depois da noite maldita, eu acho.

– Boa ideia, Vicente – Lucas deu um tapinha no ombro do amigo.

– Eu quero ir com você – animou-se Gabriel. – Pode ser que encontre alguma coisa pra incrementar a base de rádios.

Chen continuou sentado ao lado de Gabriel por um longo período, escutando o chiado na esperança de ouvir mais uma vez aquela voz distante. Talvez, mesmo com seu conhecimento enferrujado, conseguisse lembrar-se de mais alguma coisa.

CAPÍTULO 25

Logo ao amanhecer, Lucas e Vicente começaram os preparativos para visitar o abandonado e inóspito centro velho da grande São Paulo. Apesar da luz do dia, não faziam ideia do que encontrariam nas imediações da Rua Santa Ifigênia. Os prédios enegrecidos pelo fogo descontrolado, que consumira parte deles, estariam lá, chamuscados e tingidos com longas línguas negras desenhadas pela fumaça. O ar de desolação que inundava praticamente todos os cenários da cidade estaria esparramado por aquelas ruas, cobrindo a Avenida Rio Branco, o Vale do Anhangabaú, a Avenida 23 de Maio, a Conselheiro Crispiniano, a Praça da República e o Largo do Paiçandu.

Um lampejo de imagem cruzou a mente de Lucas ao subitamente relembrar-se do Vale do Anhangabaú. Um enorme gato de lata junto a uma estação do metrô. Uma escultura de sucata... um felino amarelo estático, olhando para ele com um sorriso oculto e os bigodes de ferro. Lucas sorriu. Queria lembrar mais coisas. Lembrar todo seu passado. O coração gelava quando pensava no passado. O que haveria de tão terrível na sua história, que até então parecia bastante pacata? Por que se sentia tão mal quando navegava? Não sabia por que aquela sensação de perigo e mau agouro. Aquele desconforto brutal invadia o seu ser quando entrava numa embarcação. Teria vivido com tamanha infelicidade antes da Noite Maldita a ponto de não ter vivido dias normais?

Sabia que os fantasmas do passado não tinham sido todos revelados para que sua cabeça fosse mantida no lugar. Foi essa a mensagem que leu nas entrelinhas, quando sua amada Ana deixara escapar umas poucas palavras em casa. Diante do desconforto da mulher e das urgências logo em seguida, recuara e não mais tentara espremer o que ela sabia. Não queria que Ana, que carregava em seu ventre o fruto do amor que sentiam um pelo outro, ficasse sob pressão. Bastavam as crises de ânsia, quando ela botava o bucho todo para fora. Queria que a amada tivesse uma gravidez em paz. Não obstante, chegaria a hora de Ana revelar o que sabia.

Os pensamentos do trigésimo guerreiro voltaram ao agora e à missão que tinha pela frente. Encontrar um computador capaz de gravar diretamente da estação de rádio de Gabriel. Andando entre as barracas no longo campo de chão cimentado do parque, avistou bento Vicente do outro lado. O grandalhão organizava o grupo de soldados que os seguiria até o centro da cidade. Tinha requisitado grande número de combatentes, além dos bentos novatos e de bastante armamento. Era possível que acontecesse um enfrentamento com mulos ou exilados das fortalezas, sem contar as gigantescas matilhas famintas que rondavam a cidade e toda a sorte de animais selvagens, que tinham feito dos becos, dos prédios antigos e das galerias do centro velho seus ninhos e abrigos.

O soldado Gabriel, que pedira para tomar parte do grupo, surgiu da boca de uma das grandes barracas de lona verde e parou no corredor estreito por onde bento Lucas e seu peito de prata e capa vermelha vinham a passos rápidos. Juntou-se ao guerreiro para dar-lhe um reporte rápido das novidades:

– Logo depois que vocês saíram da barraca, tive quatro novos contatos, Lucas.

– Do que se trata?

– Coisa boa. O primeiro era de São Vítor. Oito pessoas despertaram na última semana, um número bastante incomum. Oito novos bentos. Cinco mulheres e três homens.

– Se as cinco derem uma benta Marcela, a coisa é boa – brincou o bento.

– Amaro me explicou pelo rádio que o ferreiro Magal já está com todas as armaduras preparadas e que cinco desses novos bentos chegarão em dois dias.

– Espero que não venham pelo caminho do pântano. São bentos, com certeza são bons, mas, mesmo escoltados por soldados experientes, esse caminho continua perigoso.

– Duvido que o velho Amaro não dê o mesmo conselho. Ele vai garantir que venham por um caminho mais longo, porém mais seguro.

Lucas e Gabriel continuavam andando, enquanto conversavam. Um soldado agrupava os cavalos que seriam usados na expedição, em um rebaixamento do terreno onde ficava a portaria principal do Parque Villa-Lobos. Dentro de uma das barracas, com soldados ainda recolhidos e adormecidos, havia um rádio de pilhas recarregáveis funcionando, sintonizado na FM campeã de audiência no novo Brasil, a rádio de São Vítor. "Everybody Wants to Rule the World" escorria dos alto-falantes, embalando o sono da soldadesca.

– E as outras mensagens? – quis saber o trigésimo.

– A segunda mensagem veio de Nova Prudente, uma fortificação numerosa no oeste do estado de São Paulo, fica a uns cinquenta quilômetros de onde existia a cidade de Presidente Prudente, acho que próximo a Martinópolis.

– Sei onde fica.

– Também comunicam o despertar de vinte e dois novos cidadãos desde a Noite dos Milagres. Já foram adaptados ao novo mundo, já confrontaram vampiros e estão vindo a São Vítor para receber armaduras e vestimentas de bentos. Dez deles virão para cá.

– Ótimo. Logo teremos bentos e soldados o suficiente para montar postos avançados e tomar conta de vez dessa cidade. Vamos capturar e escorraçar os malditos mulos desse lugar. Os vampiros da Velha São Paulo serão banidos de vez. Será um grande dia para os brasileiros.

– O terceiro e quarto chamados têm informações semelhantes. Bentos recém-despertos da Nova Belo Horizonte estão vindo para o sul em busca de armaduras e devem chegar aqui no acampamento do Villa-Lobos em pouco mais de uma semana. Eles vêm a cavalo. A região de Minas Gerais está sem combustível até mesmo para missões de urgência como essa.

– Outro problema pra resolver. E nossos contatos na refinaria retomada em Cubatão? E a usina Estrela do Sul? Ela ainda produz álcool e poderia mandar alguma coisa para Minas...

– Faz três dias que não chegam reportes novos de Cubatão, mas sei que está tudo sob controle, porque o pessoal da refinaria está na minha lista de checagem diária. Não sei a quantas andam a Estrela do Sul... Ela fica perto de Santa Maria; poderiam enviar combustível para Minas, sim. Vou contatar os responsáveis de lá.

Lucas cumprimentou os soldados que se aproximaram para saudá-lo. Retomando, então, Gabriel disse:

– O encarregado em Cubatão é o soldado Henri. Ele era engenheiro da Petrobras e é a melhor pessoa que temos pra colocar aquilo pra funcionar de novo. Ele é quem coordena a revitalização da extração de petróleo bruto das bacias, também. A previsão para o retorno à atividade é de mais de um ano.

– E Itaipu?

– Quatro meses para funcionar com capacidade total. O que vai demorar mais, por incrível que pareça, será a recolocação dos cabos principais; não sei o nome técnico daquilo, mas são os cabos que cruzam os estados do sul e distribuem a eletricidade, sabe? Depois, essas subestações distribuídas por aí terão de ter pessoal capacitado para operá-las.

– Parece que o trabalho não vai acabar nunca.

– Acho que eu não vou viver o suficiente para ver tudo em ordem de novo, bento Lucas.

Lucas fez uma pausa na caminhada e olhou para Gabriel. Lembrou-se de quando o soldado foi salvo na batalha da Teodoro Sampaio. Colocou as mãos no ombro do rapaz e disse:

– Vai viver, sim, Gabriel. Tudo já está quase em ordem. Petróleo e energia elétrica não são o que me aflige. Quero mesmo é acabar de vez com esses malditos noturnos.

– O bom é que, conversando com várias fortificações e com a Barreira do Inferno, parece que os noturnos entenderam o recado. Não há ataques há uma semana em canto nenhum do Brasil. Parece que os vampiros tiraram umas férias.

– É isso que me preocupa – tartamudeou Lucas, voltando a caminhar.

– O quê?

– Esse silêncio todo. Nenhum ataque nem mesmo nas fortificações daqui. Nem mulos têm aparecido mais.

– Ué... Pensei que isso fosse bom?! – espantou-se o soldado.

– Bom... até que é bom, Gabriel. Só que, até onde eu entendi, esses filhos da mãe não passavam de um bando de animais selvagens, cegos pelo sangue. Faziam ataques movidos pela brutalidade, não pela estratégia.

A desordem dos vampiros foi o que manteve vocês vivos até antes dos milagres. E agora isso, esse silêncio de norte a sul. Para que esse bando de selvagens se comporte com um padrão, é necessário que algo muito grande esteja por trás disso. Eles estão se organizando, e rápido. Isso me dá medo. A luta pode ser mais difícil do que eu imaginava.

– O que te dá tanta certeza de que eles estão mudando? Pra mim, parece é que estão morrendo de medo do TUPÃ e perceberam que, onde quer que eles se juntem e apareçam para nos atazanar, vão arder e virar brasas.

– Pode ter até verdade no meio de suas palavras, soldado, mas não os julgue tão idiotas. Não caia no erro de menosprezar o inimigo, Gabriel. Primeiro você tem de se lembrar do ataque que eles fizeram na Barreira do Inferno. Quase impedindo que os trinta bentos se juntassem...

– É verdade.

– Depois, na Barreira do Inferno eles mostraram que estavam em número muitas vezes superior ao que costumava atacar qualquer base. Eles sabiam onde atacar. Eles queriam nos pegar, os bentos.

Gabriel ficou mudo. Não tinha parado nem um instante para analisar aquele ataque frustrado dos vampiros.

– Talvez porque nós tenhamos nos sagrado vitoriosos naquele embate – continuou Lucas – a maioria de vocês, soldados, tenha entrado em um clima histérico de "já ganhamos". Eles eram dezenas de milhares e nós talvez não somássemos uma centena. O povo não analisa o conjunto do que aconteceu. Põe milhares de vampiros em um prato e uma centena de humanos e bentos no outro e equilibra a balança por conta própria – Lucas respirou profundamente e balançou a cabeça. – Agora eu, mesmo assistindo à nossa vitória, comecei a tentar somar dois com dois. Seria muita sorte e acaso eles terem juntado tantos vampiros para aquele ataque. Ainda me lembro do líder deles quando nos cercaram dentro dos muros da Barreira do Inferno. O maldito sabia quem eu era. Me chamou pelo nome e disse que eu seria um troféu para seu "vampiro-rei". Todos parecem saber mais sobre mim do que eu mesmo consigo lembrar – queixou-se Lucas, inspirando fundo ao final e erguendo a cabeça.

– Me contaram essa história.

– Vê? "Vampiro-rei"... – o trigésimo fez uma pausa. – Além daquele vampiro, que talvez tenha morrido com os milhares que pereceram no cerco aos caminhões com adormecidos, eles têm outro líder. E nunca nenhum de vocês tinha ouvido esse termo, essa liderança. Naquela noite, eles estavam em número superior a dez mil vampiros, talvez o dobro disso, segundo estimativas do Franjinha. Eles sabiam o que estava acontecendo e, se não fossem os quatro milagres, talvez eles já tivessem dado um xeque-mate em nossa resistência. Eles nos teriam vencido no CLBI e teriam tomado os adormecidos na estrada, marchando para a Nova Natal. De lá ninguém os seguraria. Agora, essa calmaria geral... isso também é bem estranho. Eles tomaram um grande golpe naquela noite e devem estar se reorganizando. Todos nós temos de manter os olhos bem abertos.

– Ainda acho que eles enfiaram o rabo entre as pernas. Nunca tinham se juntado em bando tão grande e, logo quando conseguiram tal façanha, foram escorraçados pelo TUPÃ e por sua bravura, senhor.

Lucas meneou a cabeça negativamente e respondeu:

– Que tenhamos matado vinte, trinta mil vampiros aquela noite... Quão grande é a população de vampiros no Brasil? Centenas de milhares? Milhões?

– Nunca conseguimos dados precisos, senhor, mas creio que passem da casa dos milhões... Mas, para nossa sorte, nunca se organizaram.

– Até agora, Gabriel. Até agora.

Lucas parou de caminhar e inspirou fundo novamente. Seu semblante encheu-se de preocupação, enquanto voltava a lutar com suas concatenações. O ar ainda estava frio por conta do sol baixo que acabava de despontar no horizonte. Olhou para os lados e viu que os bentos novatos já estavam reunindo-se ao grupo. Do outro lado, além das barracas, viu o grande Paraná acendendo o fogo para o começo de um novo dia de muito trabalho. Certamente prepararia um belo desjejum para os soldados, com direito a frutas e ovos e um cheiroso café preto. Finalmente o trigésimo voltou-se novamente para Gabriel e falou:

– Ah, outra coisa que me chamou a atenção naquela noite...

– O quê?

– Os vampiros usaram arco e flecha. Flechas flamejantes. Produziram uma chuva de projéteis, que infernizou nossa chegada à Barreira do Inferno.

– Nunca ouvi falar de nada igual.

– Além de uma liderança, os vampiros ganharam um estrategista. E eu rezo para que ele tenha sido queimado naquela noite, quando TUPÃ varreu o exército de demônios.

– Então agora são dois rezando – brincou Gabriel.

Lucas afastou-se e foi conversar com Vicente. Ao que parecia, já estava quase tudo pronto para a partida, esperaria que tomassem um café da manhã rápido e, em menos de uma hora, contava estar a caminho do centro da Velha São Paulo. Aproveitaria o hiato de tempo para traçar com Vicente o melhor caminho.

CAPÍTULO 26

Lúcio e Benito estavam há dois dias andando a pé. Ora se revezavam na tração do caixão do vampiro, ora dividiam o fardo, puxando os dois ao mesmo tempo. A picape ficara presa em um atoleiro, sem ter mais combustível no reservatório e sem que encontrassem outra vez um novo tambor de álcool.

Lúcio era um poço de perseverança, sempre lembrando ao parceiro que, a cada passo avançado, mais próximos ficavam do prêmio. Incentivava incessantemente o companheiro.

Mesmo assim, por muitas vezes pensavam os dois em desistir. Quantos terrenos acidentados não encontraram no caminho? Morros e depressões que às vezes consumiam um dia inteiro para ser transpostos. Um desafio atrás do outro. Mas, tirando forças que Benito não sabia de onde, Lúcio sempre voltava a se inflamar no final do dia. Estavam chegando à Ilha de Marajó. Estavam chegando à morada da bruxa Tereza.

* * *

Enquanto isso, na distante cidade de São Vítor, dentro do Hospital Geral da fortificação, duas outras pessoas viviam acontecimentos que ajudariam o exército de Anaquias.

Janete e Orlando encontraram-se entre os adormecidos e agacharam-se entre as macas para conversar. Estavam presos naquele hospital há semanas e, depois de muita troca de ideias, resolveram permanecer incógnitos por mais algum tempo. Poderiam tentar escapar dali durante a madrugada, quando a vigilância dentro dos muros era mais fraca do que no começo da noite. Poderiam até mesmo se evadir de São Vítor e, abastecidos de sangue, conseguiriam correr sem parar por todo o areião e finalmente escapar. Mas, escondidos no seio do inimigo, poderiam tirar muito mais proveito. Ainda mais agora que Janete exibia um troféu. Um soldado, talvez matando o tempo no meio dos adormecidos, tinha esquecido um walkie-talkie ali no andar. Janete, atenta e desperta algumas vezes nas horas de sol, percebeu o presente abandonado e tratou de surrupiá-lo.

– Maneiro esse treco, Janete – vibrou Orlando. – Dá pra ouvir tudo o que os soldados estão tramando.

– Sabe o que escutei essa tarde?

– O quê?

– Eles estão instalando duas deita-cornos no terraço do hospital! – disse a vampira com os olhos brilhando.

– Deita-cornos? Que raio de negócio é esse?

– Pelo que entendi, elas são aquelas metralhadoras que infernizam nossa vida. Eles vão colocar duas em cima do Hospital Geral. Parece que encontraram grande quantidade de armas e vão reforçar a segurança desse Rio de Sangue.

– E qual é o seu plano diabólico dessa vez, demoninha?

Janete abriu um sorriso, expondo seus dentes pontiagudos.

– Vamos aguardar um ataque de nossos irmãos a esse Rio de Sangue. Vou ficar de ouvidos colados nesse walkie-talkie. Quando perceber que nossos irmãos venceram os muros, vamos subir até o terraço, matar cada soldado que estiver dando sopa lá em cima e tomar conta das duas deita-cornos.

Orlando também sorriu. Seus dentes eram ainda maiores do que os da vampira.

– Você é fera, mesmo... mas como tem tanta convicção de que nossos irmãos atacarão São Vítor? Muitos estão indo atrás daquele tal de Anaquias, da profecia do vampiro-rei.

– E é por isso mesmo que sei que eles virão. Um rei não deixaria passar batido um Rio de Sangue desse tamanho. Seremos auxiliares de nosso novo rei. Seremos algozes desse bando de infelizes. Quando acharem que as metralhadoras lhes estarão dando cobertura... ha-ha-ha-ha! Estaremos é enfiando bala na cabeça desses idiotas.

– Deita-corno. Ah! Agora entendi a jogada!

Janete balançou a cabeça.

CAPÍTULO 27

Raquel reconhecia o perigo daquela manobra. Estava há quatro dias caçando nas matas e não conseguira nada além do sangue de animais silvestres para tentar manter o que sobrara de consciência no corpo de Gerson. O ferimento à prata no peito jamais seria curado, tal qual o ferimento à espada de bento que lhe tomara o olho direito. Seu amigo estava condenado, isso era um fato. Mas queria um destino mais nobre para o parceiro.

Sem perceber, a vampira passava as unhas negras e longas sobre o tapa-olho. Quando se deu conta, baixou a mão e fechou a expressão, evidenciando rancor. Rondava a fortificação, mas nenhum incauto deixava o muro depois do poente. Tinha se decidido por uma manobra mais perigosa e arriscada. Seria o único jeito de conseguir sangue humano, o único remédio capaz de sustentar o fio de imortalidade que prendia seu amigo ao mundo dos vivos. Ela iria se lançar contra o muro da vila, quando o raiar do dia se aproximasse. Essa hora da madrugada era quando as sentinelas estavam mais cansadas, com a capacidade de concentração reduzida. Uma invasão maciça a uma fortaleza seria notada imediatamente, mas a aproximação furtiva de um ser solitário poderia ser possível. Já sabia o que fazer, nem sequer precisaria saltar os muros.

A fortificação mais próxima naquele instante era a de Raio de Sol, região norte de onde fora a cidade de Araxá, em Minas Gerais. Raio de Sol imitava a maioria, contando com uma faixa de areia ao redor dos muros para que qualquer intruso ficasse destacado contra a brancura dos grãos. Com seu sobretudo negro, seria facilmente detectada. Já contava com isso e, por conta de suas rondas ao redor de Raio de Sol, encontrou um amontoado de fardos e estopas. A vampira deixou Gerson em local seguro, protegido da luz do amanhecer. Tinha de considerar a possibilidade de ser pega e preservar o bom companheiro. No entanto, se ela não voltasse com o sangue, logo Gerson passaria para a absoluta inexistência. Ela voltaria, sabia disso. E Gerson viveria. Daria um jeito.

Raquel balançou a cabeça negativamente e pegou-se sorrindo. Que coisa estranha para uma vampira! Ela estava sofrendo de um surto de fé. Tinha fé. Sabia que conseguiria salvar o amigo. Sabia que teria forças para dar o troco em Anaquias. Anaquias pagaria caro por ter enfiado a espada no peito de Gerson. Pagaria caro por ter destruído seu último discípulo e único amigo nessa existência sombria. Raquel estava fadada à solidão. Anaquias estava fadado à aniquilação.

A vampira forrou-se com estopas e, deixando as árvores, esgueirou-se até o areião submerso na escuridão da noite. As estrelas salpicavam o céu de prata e distraíam monotonamente possíveis admiradores da noite. Raquel afundou-se na areia e tratou de cobrir os sacos de pano com boa porção de grãos. Vagarosamente passou a arrastar-se na direção do muro da fortificação. Apenas um grande holofote despejava luz daquele lado. Manipulado por uma sentinela, o facho de luz passava devagar pela areia. Seria fácil ludibriá-los.

Sua marcha metódica resultou em avanço. Em questão de minutos, aproximou-se perigosamente de uma torre de vigia.

O homem sentinela não notou a aproximação. Colocou a ponta do cigarro de corda no braseiro e encheu o ambiente com um cheiro doce e forte. Seu parceiro ressonava deitado sobre um colchonete. Olhou pacientemente para o walkie-talkie preso em um cinto de couro pendurado à tábua da parede. Respondeu que estava tudo "limpo" ao homem da sala de rádio. Estava realmente tranquilo. Há muitas luas nenhum vampiro aproximava-se de Raio de Sol. O fumante ficou de olho na grande janela virada para a floresta. Tudo calmo. Nem as aves noturnas faziam barulho. Por isso não se sobressaltou quando um baque surdo veio da escotilha. A portinhola de madeira que dava acesso à escada da torre sacolejou-se. O vigia ergueu as sobrancelhas e suspirou. Mais um soldado engraçadinho. Por força do hábito, aquela portinhola ficava sempre trancada.

– Quem é? – perguntou.

O facho de luz da muralha passou pelo abrigo. Veios de luz que vazavam as emendas das tábuas que compunham a cabana em cima da torre recortaram a face do fumante. Nenhuma resposta. No entanto, quando a luz deixou o abrigo, o baque voltou. O fumante ergueu ainda mais as sobrancelhas indo em direção à portinhola. Olhava fixamente para a passagem quando, no baque seguinte, a porta voou da fenda e bateu no telhado do abrigo.

– Diacho! – gritou o homem, levando a mão à coronha do revólver.

A segunda sentinela despertou subitamente do sono. Não teve tempo para entender. Uma mulher ruiva invadiu a torre de vigia. Seus cabelos vermelhos esvoaçavam feito labaredas e um único olho brilhava rubro e febril.

O fumante tirou a arma do coldre e não teve tempo de efetuar disparo. Uma lâmina lançada pela mulher afundou em seu peito, fazendo-o perder o equilíbrio e tombar seis passos para trás, indo bater na parede dos fundos. O recém-acordado sentiu a mão gelada da vampira em seu pescoço. Agarrou o punho da mulher e, no instante seguinte, soltou um grito sufocado por conta do apertão que recebeu na traqueia. Caiu gemendo e desesperado. Sua arma não estava no coldre. Estava ao lado do colchonete.

Raquel foi até o walkie-talkie e com novo apertão firme esmagou o aparelho. Ninguém pediria socorro.

Viu o homem que fumava levar a mão ao cabo da faca.

– Não, não, não – disse baixinho a vampira, voando para cima do homem.

Raquel segurou a mão do agonizante e tirou dela a faca, com suavidade.

– Não queremos uma hemorragia aqui, não é? Aguenta um pouquinho antes de morrer.

Raquel ficou quieta quando a luz do holofote novamente banhou o casebre. Via agora as tiras de luz dançando em sua mão e no rosto do homem que, lentamente, morria.

– Não morra agora, homem. Não morra – pediu baixinho.

Raquel foi até a boca da escotilha. Direcionou seu olho de fogo para o muro através de outra janela. Nenhum soldado olhando. Havia três, mas juntos ao holofote. Um fumando.

Puxou o corpo do homem com o pescoço esmagado. Ele debatia-se violentamente.

– Vai tomar um arzinho, vai – disse a ruiva, antes de arremessá-lo pela escotilha.

O corpo produziu um som "fofo" ao bater no chão de areia.

Puxou o corpo do fumante pelo tornozelo e também o arremessou pela boca da escotilha.

Em seguida, Raquel saltou, caindo em cima do último homem. A luz do holofote ia para a extremidade do muro, bem longe de onde estava. Agarrou os dois homens pela cintura das calças e carregou-os para a floresta. Gerson teria uma refeição farta e quente.

CAPÍTULO 28

Vicente, ao lado de Lucas, encarou o amigo por um instante. Via que o bento estava tenso. Julgou melhor que avançasse sozinho. Fosse o que fosse que Lucas encontrasse do outro lado daquela porta, só diria respeito a ele.

– Vai lá, meu irmão. Acaba logo com essa agonia – disse.

Lucas olhou para a porta do apartamento por cerca de cinco minutos. Queimava-se por dentro. Imagens vinham à sua mente. Um embrulho formou-se em seu estômago. Não gostava do que lembrava. Sabia que a última vez que passara por aquele batente, não fora nem de longe uma noite boa. A última vez que estivera ali, arrastara-se para dentro de casa e desatara em pranto feito um trapo humano. Um golpe forte tinha rasgado seu peito. E quando caíra no sono, fora dragado para o sono dos adormecidos, dos sortudos. Fora tomado pela Noite Maldita e passara trinta anos desacordado. Trinta anos sem ver o que se passava à sua volta. Trinta anos esquecendo... esquecendo aquele dia maldito e toda a sua vida.

A visita à Santa Ifigênia naquela manhã fora frustrante. Era de se esperar que todas as lojas tivessem sido esvaziadas, saqueadas durante os primeiros dias após a Noite Maldita. Não acharam uma pilha sequer. Contudo, Lucas foi assaltado por uma imensa perturbação ao deparar-se com alguns cartazes. Tinha desmontado do cavalo e ficou minutos olhando fixamente para aquele retângulo de papel desbotado, daqueles papéis baratos rodados a milheiros.

Vicente tinha dito alguma coisa quando viu Lucas interessado naquilo. Era justamente o panfleto oferecendo recompensa por informações de Roberto, o rapaz sequestrado em Ubatuba.

Lucas tinha passado a mão na cabeça diversas vezes. Encontrou o papel fixado em postes. Não tinha prestado muita atenção a princípio, pois os cartazes que estavam nos postes, sujeitos aos maus-tratos do tempo, tinham desbotado e perdido os dizeres e a foto quase que completamente, mas os que jaziam dentro das lojas fantasmagóricas, esses guardavam um pouco das características originais.

– Esse papel... era azul... – murmurou Lucas para Vicente.

– Foi por causa desse laranja aí que eu rodei – tinha dito o grandalhão.

Lucas estava perplexo. Um torvelinho de imagens inundando sua mente. Despesas. Ligações do gerente do banco, pedindo que saldasse o cheque especial. Donativos. Gente ligando. Trotes. Aqueles panfletos. Trinta mil panfletos. Fora esse o último pedido na gráfica. Pacotes e pacotes intermináveis. Luta. Via-se na frente do metrô. O gato amarelo rindo de sua luta. Seu irmão... Seu irmão...

– Roberto era meu irmão – disse Lucas, de chofre.

Toda a comitiva parada ao seu redor na Santa Ifigênia ficou boquiaberta. O que Lucas tinha dito? Teriam entendido direito?

Lucas relembrou seu endereço. Atrás do Masp. Sem pensar, correu até seu tordilho de pelo escuro. Saltou para a sela e estugou o cavalo, seguido por Vicente. Passou para um galope rápido e em instantes estava subindo a Consolação. Os prédios desertos ao seu redor eram mero cenário sem vida. Podia ouvir o cavalgar de seus companheiros vindo distante. Passou diante do Corpo de Bombeiros e cruzou a frente do cemitério.

Tudo morto. Como seu peito estivera naqueles trinta anos. Como aquelas lembranças estiveram esse tempo todo. Lembranças ruins. Dias difíceis. Lucas tinha lágrimas nos olhos, mas não queria que ninguém as visse. Era um guerreiro. Um salvador. Não era um moleque chorão. Assim, em um torvelinho de sentimentos, tinha chegado à porta de seu apartamento. O coração batia rápido e Vicente dizia para ele seguir em frente.

Lucas girou a maçaneta. A porta estava destrancada. Seu apartamento estava sombrio. Plantas dançavam pela parede do corredor de entrada, infestavam a cozinha e subiam ao teto da sala. O chão estava livre e desobstruído de vegetação. Contava apenas com os móveis. Sala ampla.

Apartamento antigo. Incrível. A televisão enorme e o aparelho de som ainda estavam na estante. Sua poltrona de descanso, uma mesa de jantar triangular com seis lugares. Seu coração batia rápido.

Seguiu em direção ao quarto que fora do irmão Roberto. Lá estavam pilhas e pilhas de pacotes pardos. A última tentativa. O último pedido de panfletos de "procura-se". A fotografia de Roberto estampada em boa definição, mas em preto e azul. *Preto e azul. O papel era azul. Azul vagabundo.* Lucas rasgou um dos pacotes. O papel continuava como novo. A fotografia do irmão. Uma lembrança tão nítida se formou. Era como se o apartamento, repentinamente, se enchesse de luz e Lucas visse ali, diante de seus olhos, seus últimos momentos com o irmão mais novo.

Voltou até a sala e viu Roberto sentado na poltrona de descanso, com a mochila aos seus pés, pronto para a viagem. Ouviu uma voz no corredor, e uma morena de corpo escultural veio andando em sua direção.

– Rosana...

Lucas acocorou-se e foi tomado por um pranto intenso.

Os amigos ao redor nada podiam fazer para confortar aquela dor. Muitos deles sabiam o quão sofrido era aquele momento. O momento das lembranças. O momento de reencontrar todo o passado... ou de perdê-lo para sempre.

* * *

Lucas chegou cabisbaixo ao acampamento do Villa-Lobos. Muitos dos soldados pararam para assistir à marcha desolada do cavaleiro solitário. Não havia brilho em seu rosto nem o sorriso camarada de sempre. Lucas estava com a expressão fechada e pesada. O cavalo parecia absorver a atmosfera do cavaleiro e vinha lento e desanimado.

Lucas sentou-se próximo à fogueira rodeada por soldados e bentos. Levou o alimento à boca uma, duas vezes, antes de desistir da refeição. Benta Marcela, ao observar Lucas deixando o prato, tentou animar o lendário guerreiro.

– Vamos, Lucas, rapa esse prato que saco vazio não para em pé.

Lucas apenas meneou a cabeça, mas não voltou a pegar a refeição. Mirava as chamas da fogueira com olhos baços e perdidos, afundado em algum tipo de pântano particular.

Alicate, que participava da refeição ao redor do fogo, não se conteve:

– Vai, Lucas. Conta pra gente a sua história. Conta por que ficou tão triste com aquele lance dos cartazes.

Bento Vicente deu um tapa na nuca do inconveniente. Mas nada adiantou. Animados pela ousadia do soldado, outros tentavam fazer Lucas desabafar.

– Falar é melhor do que ficar guardando, Lucas. Nunca te vi assim, senhor.

– Também concordo com eles – foi a vez de Marcela se unir.

– Se você é mesmo o irmão daquele rapaz, Lucas, há só de se orgulhar por sua luta. Eu me lembro muito bem de sua história contada em tudo que é telejornal. *Jornal da Record*, *Jornal Nacional*, *SBT Brasil*... todo mundo contava o seu drama – revelou Amintas.

Lucas suspirou e ergueu a cabeça.

– Já que vocês querem tanto saber o que me aporrinha, eu vou contar. Só peço um favor: a história é muito longa e não quero uma única interrupção. O que vou contar pra vocês agora é a história da minha vida.

Fez-se um silêncio sepulcral ao redor. Até o vento pareceu parar de soprar. Os pássaros noturnos pararam de piar e os insetos interromperam o cricrilar. Mais soldados vinham chegando para perto do fogo chamados por aqueles que tinham pegado a conversa do começo.

– Antes de cair no sono dos adormecidos, antes de deslizar para a boca da Noite Maldita, eu tive um irmão. Um irmão chamado Roberto, um irmão que eu amava mais que tudo na vida. Um irmão que eu também pensei que me amasse. No dia em que o chamei para nosso último fim de semana na praia, não sonhava que começaria ali, naquele passeio, um drama de proporções inimagináveis. Um fato que mudou toda a minha vida...

Lucas pulou da cama cedo. Abriu uma brecha na cortina pesada do quarto e olhou para o céu. O sorriso rasgou o rosto. Sol. Era isso que mais queria para aquela manhã. Olhou para o corpo nu de Rosana sobre a cama. A mulher era um convite para que pensasse em desmarcar com o irmão e ficasse deitado na cama o dia todo com ela. Morena, de lábios carnudos e seios fartos. Uma delícia.

Deitou-se mais uma vez ao lado da mulher e abraçou-a, cobrindo ambos com a manta. Como era gostoso ficar ali. Mas tinha combinado com Roberto. Não ia furar com o irmão. A uma hora dessa, ele já deveria estar na sala, sentado, de mala e cuia na mão, esperando pela partida. O sempre ansioso Roberto. Também, não podia culpar tanto assim o irmão por estar ansioso pelo passeio. Fazia anos que não iam juntos à praia. Com Rosana, Lucas ia direto, e sempre contava como fora para o mano caçula, mas os dois juntos, sozinhos, fazia muito tempo.

Tomou coragem e desgrudou da namorada. Um dia afastados não mataria ninguém. Levantou-se e vestiu um calção deixado ao lado da cama. De cima de uma poltrona, apanhou uma camiseta cinza, sem mangas, da Legião. A mochila azul estava ao pé da mesa de cabeceira, pronta para a partida.

Quando colocava a mão na maçaneta do quarto, a voz manhosa de Rosana chegou aos seus ouvidos, cheia de feitiço, feito uma sereia:

– Já tá na hora?

– Está.

– E você nem me dá um beijo, dengoso?

– Dei vários, gatona. Você é que estava em sono profundo. Pensei que ia conseguir fugir sem briga.

– Não vou brigar com você, Lucas. Vou é te prender aqui, nos meus braços e meus amassos. Não vai ter nem discussão.

– Bem que eu queria, Rô, mas hoje é dia de Rô de Roberto. Dia de praia.

– Sei. De praia e garotas dando mole.

– É. De praia e de garotas gostosas dando mole – disse Lucas, brincalhão, saindo da cama mais uma vez e dessa vez abrindo a porta do quarto.

Antes de entrar no banheiro, olhou para a sala para confirmar sua previsão. Roberto estava com as pernas espichadas no sofá, com o controle remoto na mão, assistindo ao noticiário. Lucas entrou no banheiro e ligou a torneira do chuveiro, deixando a água correr por um bom tempo. *Às favas com o racionamento!* O vidro do espelho embaçou rapidamente enquanto o rapaz enchia a escova de dentes com creme dental Tandy. Tinha aquela mania. De vez em quando comprava creme dental infantil. Gostava do Tandy de uva, comprava e pronto. Tomou uma ducha rápida e saiu enrolado na toalha, indo direto para a sala.

– Até que enfim! – exclamou Roberto, ao ver o irmão. – Daqui a pouco dá nove horas e a gente ainda tá aqui.

– Calma, mano. O sol está brilhando, e a água do mar, esquentando. A gente vai chegar na hora certa.

– Na hora certa de pegar um câncer de pele, isso sim.

– Usa Sundown que tá limpo – rebateu Lucas.

O rapaz entrou na cozinha, pegou um copo e encheu de leite.

– Tá tudo pronto? – perguntou Lucas.

Roberto deu um tapa na mochila aos seus pés.

A porta do quarto de Lucas se abriu e Rosana veio até a sala.

– O sol está tão bonito que eu estou morrendo de inveja – disse ela.

Roberto olhou para a namorada do irmão, arqueando as sobrancelhas. Na semana passada, tinham planejado ir os dois curtir a praia sem a interferência daquela chata. Não estava a fim de ir no banco de trás do Focus novinho em folha. Queria ir sozinho com o irmão e conversar. Queria ter a atenção de Lucas só para ele.

Rosana sempre separava os dois. Já via Lucas de casaca e cartola no altar da Nossa Senhora do Brasil, sendo enforcado por aquela vaca egoísta. E o pior: Roberto se via na obrigação de deixar o apartamento para que os pombinhos vivessem em paz, sozinhos. O chato acabaria sendo ele. Teria de ir embora e deixar o irmão. Caso isso acontecesse, Lucas jamais voltaria a ser seu irmão. Seria o marido da Rosana. Seria tudo para Rosana. A mulher cercaria o mano com seus seiscentos tentáculos e cegaria Lucas para as demais coisas. Sufocaria lentamente o irmão, que respiraria por aparelhos. Era essa visão que Roberto guardava sobre se casar, particularmente com um tipinho egocêntrico feito aquela.

– Ai, Roberto, credo! Não me olha com essa cara – disse a mulher, toda dengosa, passando o dedo no rosto do irmão do namorado. – Não quero estragar o passeio... se você não quer que eu vá, é só falar. Não precisa me fulminar com esses olhões.

– Deixa disso, Rô. O Beto não vai ligar – interveio Lucas. – Vai, Beto?

Roberto nada disse. Voltou os olhos para a televisão. Sabia que Lucas tinha ciência de seu desacordo, mas o palhaço não conseguia desgrudar daquela vaca. Apertou os olhos por uns dois segundos e fingiu um sorriso. Era Lucas quem decidiria. Não diria nada. Se ele levasse aquela insuportável junto para estragar o fim de semana *deles*, tudo mudaria. Lucas iria aprender uma lição. Estava decidido.

Na estrada, Rosana estendeu uma nota de vinte para que Lucas pagasse o pedágio. O rapaz no guichê deu o troco mecanicamente e desejou boa viagem. Lucas acelerou o possante Focus e retornou aos cem quilômetros por hora em um piscar de olhos. Apesar do sábado de sol, a estrada estava livre e com pouco movimento, convidando os carros a descer a serra em alta velocidade.

Lucas guiava como um adolescente estourando em hormônios. Até mesmo o irmão estava estranhando o comportamento do "Sr. Corretor Certinho". Contudo, Roberto ficou em silêncio.

Lucas passou raspando por um Corsa Wind com vidros escurecidos. O motorista do carro buzinou e colou no Focus.

– É só isso que esse carro novo dá? – brincou a namorada, incentivando Lucas.

Lucas pisou fundo e em um instante o ponteiro chegou a cento e oitenta.

– Manera aí, ô! Quero chegar vivo na praia! – disse Roberto, quebrando o silêncio.

Lucas freou. Não por culpa do protesto do irmão, mas porque avistara policiais rodoviários na pista.

– Ih. Ele tá me mandando encostar.

Nesse momento, o Corsa passou e deu uma buzinadinha para escarnecer.

Lucas apertou os lábios, descontente. *Só faltava essa agora. Quinhentos paus e sete pontos na carteira.* O policial rodoviário apontava, com insistência, o acostamento. Mais dois azarados estavam em frente ao posto policial, tendo seus veículos revistados pelos fiscais da estrada. Lucas freou o Focus, baixou o vidro e puxou o freio de mão.

– Desligue o carro, por favor – pediu o policial.

Lucas obedeceu.

– Documentos e habilitação, por favor.

Lucas abriu o porta-luvas do carro e retirou a carteira com os documentos pedidos pela autoridade. Estendeu a carteira ao policial.

– Retire-os do plástico, por favor.

Roberto, do banco de trás, leu a plaquinha presa ao peito do policial. *Cabo Edgar*. Fechou os olhos, sentindo uma vertigem momentânea. Uma lâmina de prata refletindo uma luz cegante e poderosa. O homem parecia um anjo em cima de um cavalo. Quando o clarão passou, Roberto fitava os olhos verdes do policial que o encarava.

Roberto baixou os olhos, cortando o contato.

– Quero o documento desse rapaz aí atrás, também.

Lucas, surpreso com o pedido, arqueou as sobrancelhas. Olhou para Roberto pelo retrovisor e perguntou:

– Você trouxe o RG?

– É claro que eu trouxe. Não sou nenhum palhaço – retrucou o irmão, visivelmente mal-humorado.

Lucas e Rosana trocaram um olhar rápido e desconfortável.

Roberto puxou a carteira de couro do bolso de trás da bermuda jeans. Tirou o RG e estendeu ao irmão, que repassou ao policial.

O guarda afastou-se do veículo, a mão na empunhadura do revólver. A arma não estava fora do coldre, mas era apenas um sinal de aviso. Viram o policial entregar os documentos a outro, que acompanhava a abordagem há alguns metros e se dirigira ao posto rodoviário.

– Que chato... – tartamudeou Rosana.

Lucas olhou para a namorada e colocou a mão no queixo dela.

– Será que ele viu? – perguntou ela.

– O quê?

– Que você estava correndo?

Lucas deu de ombros.

– Sei lá. Vamos descobrir daqui a pouco. O foda é que multa por excesso de velocidade é cara pra cacete.

– Sete pontos na carteira – lembrou Roberto, do banco de trás.

– É. Eu sei. Nunca tomei pontos na carteira. Se for dessa vez, nem ligo. O duro é morrer com quinhentão pra pagar a multa.

– Pede pra sua copilota pagar. Ela é que mandou o besta correr.

Rosana lançou um olhar pontiagudo pelo retrovisor, recebendo de volta um sorriso.

– Eu não mandei ele correr. Eu pedi que testasse a potência do motor. É diferente.

– Eu acelerei porque quis – rebateu Lucas, tentando pôr fim à conversa.

– Tomara, sim, é que você não esteja sendo procurado por nenhum hospício, Roberto, porque o cara entrou lá com seu RG e se der alguma coisa na rede, você tá pego, querido – disparou a mulher.

Roberto enrubesceu. Respirou fundo e, estranhamente, não deu nenhuma resposta. Sua mão escorregou para dentro da mochila que trazia. Sentiu o cabo da faca roçando seus dedos. Era só puxar e enfiar com força.

A lâmina era longa o suficiente para varar o banco e afundar nas costas daquela filha duma puta. Apertou os olhos. Imagens dançando em sua mente. Uma mulher caolha com cabelos de fogo. Sentiu a raiva crescer no seu peito. Tirou a mão rapidamente da mochila e, com elas, cobriu o rosto.

Lucas percebeu a agitação de Roberto e buscou os olhos do irmão pelo retrovisor. Tinha sido uma péssima ideia permitir que Rosana viesse com eles. Ela não perdia uma chance de bater boca com o irmão. Isso o deixava profundamente irritado. Odiava pessoas que não tinham papas na língua. Era esse o único risco no verniz de seu relacionamento com a colega de trabalho. Lutava para que os dois, irmão e namorada, vibrassem na mesma sintonia, que fossem amigos, mas cada vez mais o abismo se alargava e aprofundava. Os dois disputavam idiotamente a sua atenção.

Roberto viu o policial do posto devolver os documentos para Edgar, o cabo de olhos verdes. O policial voltava lentamente, com passos medidos, aumentando o suspense. Será que iria causar problemas ao irmão? Será que se importaria se desse uma facada naquela vaca? Sorriu com o canto da boca.

O guarda rodoviário parou na porta de Lucas.

– Aonde o senhor estava indo com tanta pressa? – perguntou.

Lucas franziu a testa, enquanto rememorava a desculpa.

– Estou indo para a praia com meu irmão e minha namorada.

– Sei.

– É a primeira vez que viajo com esse carro... o senhor sabe, estava testando a potência do motor. Não tava andando tão rápido assim.

– Cento e cinquenta no radar, seis quilômetros atrás. O radar que o senhor não viu – revelou o policial, puxando o talonário de multas.

– Poxa, cara. Nunca tomei uma multa, são sete pontos.

– Tem sempre uma primeira vez.

– Não tem jeito de quebrar o galho?

– Como assim?

– Um café, uma cervejinha... não dá pra sair mais barato esse deslize?

– Se o senhor continuar com esse assunto, o senhor sai daqui direto pro xadrez.

Lucas calou-se. Ia acabar piorando a situação. O final de semana, que prometia ser divertido, estava começando a ficar caro e amargo.

O policial estendeu o talonário para que o motorista assinasse a multa, comprovando ciência do delito. Em seguida, passou-lhe uma via amarela carbonada.

– Boa viagem! Dirija devagar – disse, ao devolver os documentos ao motorista.

Lucas mirou aquele par de olhos verdes e retornou à estrada. Meia hora para a frente encostou mais uma vez, agora no estacionamento de uma lanchonete à beira da estrada. Chegavam ao meio do dia e o estômago começava a roncar.

O lanche foi rápido e sem confusão, seja por parte da namorada ou de Roberto. Ao saírem do estabelecimento, Lucas arremessou as chaves para o irmão caçula.

– Tá com sua habilitação aí?

– É claro! – exclamou Roberto, abrindo um sorriso enorme.

Abriu a porta traseira para Rosana.

– Vai atrás que eu vou na frente com o meu irmão.

Assim que a mulher se sentou, Lucas bateu a porta. Antes de se sentar, encontrou o sorriso agradecido do irmão, parado e de pé junto à porta do motorista.

Roberto saiu com facilidade da vaga do estacionamento e, sem embaraço algum, colocou o Focus na estrada.

– Mais quinze minutos e a gente tá na praia.

Roberto e Rosana sorriram com a informação.

– Tem uma pousada maravilhosa na Rio-Santos antes de chegar a Ubatuba. Vocês vão pirar quando derem uma sapeada pelo lugar – continuou.

Lucas não tinha mentido. A pousada à beira-mar era deslumbrante, rodeada por mata atlântica, árvores centenárias, altas e tão carregadas de folhas que a sombra proporcionada pelo pedaço de floresta chegava a resfriar todo o quarteirão onde ficava o alojamento.

Chegando lá, Rosana abriu a porta dupla de madeira que guarnecia a suíte do casal. A luz forte do dia de sol banhou gentilmente boa parte do quarto, aumentando ainda mais a sensação de aconchego. Tirou a camiseta amarela e arremessou-a sobre a cama. A parte superior de um biquíni cobria seus seios. Ela abriu a mochila de Lucas e tirou de dentro uma nécessaire, levando-a ao banheiro. Filtro solar no rosto nunca era demais.

Roberto desfazia a mochila, olhando para o quarto escolhido ao final do mesmo corredor que o do irmão. Lucas foi até a porta dupla que separava o quarto da sacada e brindou Roberto com o sol maravilhoso. Roberto, pego de surpresa, levantou a mão, protegendo-se dos raios solares.

– Morre, vampiro! – brincou Lucas, fazendo um crucifixo com os dedos.

Roberto foi acostumando-se gradativamente com a claridade e sentou-se na cama. *Deslumbrante.* O lugar era deslumbrante. Da cama era possível ver, ouvir e sentir o mar. O cheiro trazido pela brisa marinha era entusiástico. Lembrava infância. A infância bem distante dos dias de orfandade. Os passeios com os pais na orla. Os sorvetes e as brincadeiras de Lucas, menino como ele, magrelo e serelepe. Sempre o irmão mais velho. Sempre roubando mais sorrisos e comentários dos pais. O sorriso no rosto de Roberto esmoreceu. Lembrou-se de uma bronca que o pai lhe aplicava enquanto as risadas debochadas de Lucas varavam seus ouvidos.

– Curtiu? – perguntou o irmão mais velho.

Roberto apenas aquiesceu.

– Tá chateado por causa da Rosana?

– Não – disse o irmão mais novo, com a voz fraca e pouco convincente. – Só estava pensando em outra coisa.

– Ela é bocuda mesmo. É o jeito dela. Eu a amo, Roberto. Temos de gostar dela assim mesmo, velhinho.

Roberto baixou a cabeça.

– Põe um calção e vamos cair na água. Depois prepara o bolso, porque você é quem vai pagar o camarão na barraquinha – disse Lucas.

Roberto riu.

– Vou ver se a Rosana já tá mais à vontade. Já volto pra te pegar.

Roberto ouviu a porta do quarto bater, quando o irmão saiu. Levantou-se com a mochila na mão e andou até a cômoda. Abriu a última gaveta e lá guardou sua longa faca de caça.

Na praia, os três comeram duas porções de camarão. Lucas, com o corpo molhado do último mergulho no mar, sorvia mais um gole da saborosa caipirinha, enquanto Rosana espichava-se numa esteira, tomando sol nas costas. A garota parecia ressonar. Roberto estava na sua terceira caipirinha, escarrapachado numa espreguiçadeira cedida pela pousada do Franco. À direita, afastada uns cento e cinquenta metros, viam uma danceteria com o nome Next Summer estampado em néons apagados por conta da claridade do dia.

– Será que à noite isso aí vai bombar? – perguntou Lucas, olhando para o irmão.

Roberto, um pouco desacelerado por conta da bebida, demorou a virar a cabeça. A resposta foi um simples erguer de ombros. E então disse:

– Se tivesse mais camarão, eu ia detonar.

– Ué, vai lá, rapaz! Pega outra porção. A gente não almoça. Fica no camarão mesmo – sugeriu Lucas.

– Não. Vou dar um tempo.

– Tem de dar um tempo é na caipora. Se continuar mamando desse jeito, daqui a pouco tu capota e nada de Next Summer de noite.

– Já parei. Vou pra água relaxar e me livrar da leseira.

Roberto mirou o mar. As ondas arrebentavam numa cadência monótona e gostosa. Podia ouvir risadas e gritos alegres vindo das pessoas ao redor. Eram, em sua maioria, casais de jovens namorados e galerinhas em plena azaração. Depois da arrebentação, via-se um jet-ski cruzando o mar velozmente, rebocando uma boia longa e amarela com cerca de oito turistas montados.

– Olha, Roberto! É um *banana boat*.

– É. Eu vi agorinha, na mesma hora que você falou.

– Da hora!

– Pô, vou dar um rolê e descobrir onde eles param. Vou dar uma volta nesse troço. Sou louco por novidades.

– Cê é louco por banana comprida. Olha o tamanho dessa aí! Tem certeza que consegue sentar nesse bicho?

Lucas sorvia o último gole de sua caipirinha e ainda ria do próprio tom jocoso quando recebeu um punhado de areia na testa. Fechou os olhos enquanto xingava o irmão de tudo que era nome.

– Isso é pra você deixar de ser mané e não ficar tirando sarro do teu mano, mano – disse Roberto, correndo em direção à água.

– Pinguço filho de uma égua! – gritou Lucas.

Rosana levantou a cabeça nesse instante, despertada pelos berros do namorado.

– Que foi? – perguntou a moça.

– É o Roberto. Tá bêbado. Foi dar uma volta de *banana boat*.

Depois de algum tempo, Lucas olhava impaciente para Rosana. Ela agora dormitava de costas para a areia, bronzeando o colo, o abdome e a frente das pernas. Estava tranquila, enquanto ele se preocupava com a demora do irmão. A culpa era dela. Se estivessem os dois sozinhos, ele teria ido com Roberto tirar uma no *banana boat*.

– Rô. Levanta logo. Vamos procurar o Beto.

– Só mais um minutinho.

– Porra! Outro?

– Cê tá muito estressado, Lucas. Credo!

Lucas levantou-se da cadeira e saiu caminhando pela areia. Estava cansado de esperar pela namorada.

Um certo sentimento ruim começava a nublar os pensamentos de Lucas. O rapaz saiu caminhando ligeiro. Roberto não era de sumir por muito tempo. Quando estavam juntos, chegava a ser até chato de tão carrapato e carente. Duas horas se passaram desde que o irmão deixara a companhia do casal para ir curtir o tal *banana boat*. Aqueles passeios pareciam rápidos. Tinha visto o jet-ski cruzar umas cinco vezes a sua frente desde a partida de Roberto e, há quase uma hora, nem o jet-ski via mais.

Caminhou, encafifado, por cerca de quinhentos metros. Foi quando notou um bolo de gente, uma aglomeração nervosa a dois metros de uma viatura do Corpo de Bombeiros. Alguém se afogara! Em vez de sair correndo desesperado, olhou para trás e esperou Rosana aproximar-se, porque ele, com passos duros e cansado de aguardar a boa vontade da namorada, havia se adiantado. Mas, naquele instante, como que antevendo o pior, achou por bem aguardar pelo amparo da garota.

Chegaram juntos ao amontoado de gente. Lucas sentiu um frio na barriga ao perceber, cercado pelo grupo de curiosos, um guarda-vidas prestando socorro a um afogado na areia. Sua visão nublou. Uma mulher ruiva, de corpo bem-feito, estava entre os curiosos e olhou para ele enquanto se aproximava. Lucas encarou os olhos frios da estranha por um instante. Antenada, Rosana percebeu a troca de olhares, mas, de tão aflita, nenhuma reação teve.

Lucas passou pela ruiva e embrenhou-se entre os curiosos. Não era seu irmão estirado na areia. Sentiu um alívio momentâneo. Seus olhos e sua atenção foram capturados pelo esforço do guarda-vidas em ressuscitar o resgatado. O rapaz inconsciente deveria ter por volta de dezesseis, dezoito anos. Trazia um colete laranja no peito e tinha os lábios arroxeados. Ao redor, Lucas ouvia expressões de desespero e até mesmo gente orando em voz alta. O bombeiro não dava trégua na respiração artificial e na massagem cardíaca.

A multidão explodiu em vivas e gritos de alegria quando o rapaz reagiu, vomitando toda a água salgada e caindo numa sucessão sem fim de tosses.

– Puta que pariu! Graças a Deus! – exclamou Lucas.

Só agora ele sentia as unhas de Rosana encravadas em seu braço. De duas meias-luas abertas pelas unhas, um fiozinho de sangue brotava, sem juntar o suficiente para escorrer pela pele.

– Que aconteceu? – perguntou Lucas a um rapaz que estava ao lado.

– Aquele cara estava rebocando um *banana boat* com seis pessoas em cima, quando um cara numa lancha passou por cima de todo mundo – explicou rapidamente o rapaz, apontando para o piloto do jet-ski, um homem na faixa dos trinta e cinco anos, que chorava acocorado ao lado do jovem que voltava à vida.

– Nossa! – exclamou Rosana.

– Mas todo mundo se salvou? – perguntou Lucas.

O rapaz desviou os olhos do guarda-vidas e da vítima e encarou Lucas para responder.

– Então, rapaz, o lance é esse. Dois caras conseguiram voltar nadando na boa e o salva-vidas tirou mais dois da água.

– Graças a Deus!

– Mas o rapaz do jet-ski tá dizendo que entrou com seis pessoas no mar, só voltaram quatro... tem dois caras na água ainda. Tá vendo lá, depois da arrebentação? – Lucas olhou na direção que a mão do rapaz apontava. Era a mesma direção para a qual a maioria dos curiosos dirigia sua atenção no momento. – Tem mais dois salva-vidas por lá. Dá pra ver... são aqueles de camisetas vermelhas. Os surfistas ao redor estão ajudando, mas acho que já era. Tão demorando muito pra voltar. Se tinha mais dois caras em perigo, já afundaram.

– Mas eles não estavam com coletes flutuantes?

– Que mané flutuante! Esses coletes desses mercenários são a maior roubada. É coisa pra inglês ver. O coitado que tava tomando beijo do bombeiro tava com um, ó – disse, apontando para o rapaz deitado na areia, aguardando a remoção para o hospital em ambulância.

Lucas olhou ao redor. Se o irmão estivesse por ali na praia, estaria junto dos curiosos agora. Roberto não aguentava ficar no vácuo. Estava sempre no meio do agito. Lucas rodou pela areia sem encontrar o irmão.

– Você acha que ele estava no meio dessa confusão? – perguntou Rosana.

– Acho que não, Rô. E tem outra, o Beto é safo. Mesmo que tivesse naquele *banana boat*, ele teria saltado fora antes da lancha alcançá-lo.

– Tá me dando uma aflição – murmurou a moça, esfregando os braços.

– Só acho que ele tá demorando pra aparecer. Se ele está nessa praia, já viu a muvuca e já nos deveria ter encontrado pra dizer que está bem.

O som de uma sirene de ambulância chamou a atenção dos dois. Lucas sentiu um calafrio percorrendo seu corpo. Quando tinha visto Roberto pela última vez? Há quanto tempo? *Mais de duas horas*. O acidente tinha acontecido quarenta minutos atrás. Era provável que tivesse com coisas na cabeça, mas um misto de apreensão e remorso começava a girar em seu coração. Sabia que o irmão não estava no meio daquela agitação. Sabia que ele não era um dos dois desaparecidos na água. Ele ia aparecer com um sorriso no rosto e um pouquinho alto com um drinque de *piña colada* na mão ou outra daquelas caipirinhas caprichadas. Ele chapava o coco com dois copos de qualquer uma delas.

Rosana, talvez para descontrair um pouco, pediu que fossem até o bar do Amaro. Disse que estava com fome e que queria uma nova porção de camarões. Lucas argumentou que dentro do restaurante do Amaro ia ficar difícil de Roberto vê-los. O irmão também poderia ficar preocupado com o acidente e começar a andar feito barata tonta atrás deles dois, o que só ia aumentar aquela ansiedade.

– Calma, Lucas. Você mesmo disse que seu irmão, apesar de eu discordar, é esperto.

Ele teria visto o barco. Teria pulado na água antes de todo mundo.

– Mas ele não nada bem. Onde não dá pé, ele morre de cagaço!

– Esses caras que cobram voltas nas bananas sempre dão coletes salva-vidas para os passageiros.

– É, eu sei. O caiçara ali me disse que esses coletes são uma bela bosta. Se fossem bons, aquele cara não teria tido uma parada cardíaca.

Rosana calou-se. Teria de aturar a fome e o mau humor de Lucas até acharem o chato do Roberto. Deveria estar de rolo com alguma gatinha que tomava banho de sol.

– Ele deve estar de namorico na praia, Lucas. Ele não estava naquele *banana boat* e ponto-final. Se você encanar, vai acabar com o nosso sábado.

– Vamos comer em um desses quiosques por aqui, assim a gente fica perto da confusão e vê todo mundo.

– Cê vai ver... Daqui a uma hora vai escurecer e você vai achar seu irmão de banho tomado na pousada. Vai ficar com a maior cara de bobão, seu paizão.

Mas, agora, já fazia duas horas que tinha escurecido. Lucas tinha tirado o sal do corpo com uma ducha rápida e recheada de maus sentimentos. Roberto não estava na pousada nem tinha deixado recado. O irmão mais velho estava com o coração apertado. Podia ser uma preocupação à toa. Roberto poderia muito bem aparecer só no outro dia de manhã.

Era maior de idade. Vinte anos nas costas e nada na cabeça. Deveria estar arrumando uma gata por aí, já que a Rosana não dava sossego para os irmãos passarem um tempo juntos. Não queria ficar segurando vela. Mas, por outro lado, ele teria dado um toque. Sabia como era. Tão unidos desde a morte dos pais. Quando fechava os olhos, só conseguia ver aquele mar imenso e jamais encontrar o rosto do irmão. Um bolo formava-se em seu estômago.

Secava os cabelos diante da porta dupla aberta. Rosana parecia cochilar debaixo do lençol. O som da arrebentação não soava mais como música nos ouvidos, e sim como um rosnado bravo e assustador. O irmão estava nas águas. Essa certeza ia crescendo cada vez mais. Olhou para a mulher dormindo e não suportou a aflição.

Lucas calçou os chinelos de couro e deixou o quarto, descendo rapidamente as escadas de madeira e correndo em direção ao posto de guarda-vidas. Chegou com a respiração entrecortada, uma vez que cruzara os trezentos metros que separavam a pousada do local em um fôlego só. Lucas subiu o lance de escadas que dava no patamar mais alto do torreão de concreto. Dois bombeiros, um negro musculoso e um ruivo de pele branca feito leite, com uma extensa tatuagem de dragão chinês no bíceps esquerdo, estavam ali de plantão, justamente por causa do fato ocorrido no final da tarde. Os dois pararam de conversar quando o jovem se aproximou.

– Boa noite! Meu nome é Lucas. Meu irmão está desaparecido desde a tarde. Sumiu justo na hora do acidente com a lancha e o *banana boat* – explicou.

– Ele estava no banana? – perguntou o guarda-vidas negro.

Lucas deu de ombros e passou a mão no braço.

– Não sei. Eu só ouvi o falatório. Quando vi, as pessoas já estavam sendo acudidas na areia por vocês – Lucas lembrava-se de que o negro era o bombeiro que aplicara a massagem cardíaca no desacordado.

– Olha, senhor, não é querendo fazer pouco caso do assunto, mas já vieram umas trinta pessoas aqui depois que escureceu, dando falta de parente e de amigo. Quantos anos tem o teu irmão? – perguntou o ruivo.

– Vinte.

– Desencana. Seu irmão deve estar é em um luauzinho à beira da praia ou lá na Next Summer. Hoje é noite de lua e rola muito violão na areia...

– Não sei. Tá me dando um mal-estar como nunca tive, um embrulho na barriga... Essas coisas a gente sente.

– Desencana. Escuta o que eu tô te falando. Todo verão é essa mesma merda... bananas boats sendo atropelados e gente vindo aqui procurar parente sumido. Se Deus quiser, às duas da manhã ele vai bater na porta da sua casa, bêbado feito um gambá, e, se Deus quiser, vai vomitar no seu banheiro.

– Deus te ouça... mas eu tô sentindo um lance estranho. Ele não vai voltar hoje...

– Olha, se serve para te acalmar, tem duas lanchas da Costeira fazendo buscas. Pelo que o piloto do banana falou, tinha seis passageiros na hora do acidente. Quatro vieram para a praia com certeza, dois estão sumidos. Às "veiz", nem tem gente na água coisa nenhuma. Esses bananeiros enchem a cara de cerveja e nem contam direito quantos passageiros estão levando. Tem gente que volta para a areia e não se apresenta pra dar balão no ingresso do banana. São "n" possibilidades – tentou tranquilizar o moreno.

– E se por acaso ele estiver no mar? Essas lanchas acham?

– Olha, a Costeira é precisa. Eles são peritos em resgate de marujos à deriva e náufragos. Conhecem como ninguém as correntes da costa. Se o teu irmão estiver na água, vai ser encontrado. Mas é a terceira vez que vou falar: desencana. Seu irmão deve estar por aí, dando mole pra mulherada que esse final de semana, apesar de tranquilo, tá recheado de gatinhas e elas tão dando um mole danado.

Lucas ensaiou um sorriso sem muita força. A preocupação limava seu humor.

– As lanchas da Costeira vão ficar na água a noite toda. Só voltam pra costa pra abastecer ou se o tempo virar.

Lucas continuou mirando o horizonte escuro. A luz da lua deixava a visão alcançar muitos metros, mas era impossível ver as lanchas da Marinha.

O guarda-vidas negro, vendo que o rapaz ainda não se acalmara, resolveu ser ainda mais prestativo:

– Escuta, se você deixar aqui pra gente o endereço e o telefone de onde está, nós podemos te dar um toque caso surja alguma novidade. E você, amanhã, volta aqui e nos tranquiliza dizendo o grau do porre que o seu irmão chegou em casa hoje.

– Estou na pousada do Franco, perto do restaurante do Amaro. Meu nome é Lucas – explicou.

– Não tem erro. Todo mundo aqui conhece o Franco. Qualquer coisa a gente pinta lá pra te incomodar, tomar uns "gorós".

– Qualquer novidade, pode me chamar. Se quiser, eu subo agora numa lancha e ajudo.

– Vai pro teu quarto. Sua mina tá te esperando, não tá, não?

Lucas sorriu antes de perguntar:

– Como é que você sabe?

– Tá vendo? A gente sempre acerta. Da praia, nós manjamos tudo. Vai pra casa, Lucas – insistiu o negro.

– Como é o nome do seu irmão? – quis saber o ruivo, apanhando uma caneta e uma prancheta que estivera aos seus pés o tempo todo.

– O nome dele é Roberto. Beto. É assim que eu chamo meu irmão.

Os guarda-vidas aquiesceram.

Lucas ainda relutou um instante, mas, se permanecesse ali, passaria por um chato carrapato. Acenou para os bombeiros e desceu o lance de escadas deixando o torreão. O som da arrebentação encheu seu ouvido com um estrondo poderoso e assustador, fazendo-o estremecer pela surpresa. Era como se o mar debochasse de sua investida ao posto. Era como se as ondas espumantes rissem à sua passagem, achando ridícula aquela tentativa de encontrar o irmão perdido.

O mar rugiu de novo. Um rojão de três tiros explodiu no céu. Lucas arrepiou-se da cabeça aos pés. A luz do luar permitiu que visse a fumaça dos explosivos desfazendo-se e sendo carregada pela brisa marinha. Olhou para um bar animado. Um homem gritava alegre: "Gol! Gol!". Lucas olhou para o mar negro e viu centenas de bolas vermelhas. Brasas flutuando sobre a água. Brasas vindo em sua direção. Apertou os olhos e olhou de novo. Só o mar. As vagas altas e ligeiras. Um barulho forte. De manhã, eles iriam aprender a surfar. Tinham combinado tudo. Tinham falado com o Franco. O dono da pousada alugava pranchas por um precinho camarada.

Lucas refez o caminho até a pousada, sentindo-se derrotado. Há quinze dias planejavam aquele fim de semana. Há quinze dias tinham dado um jeito de tudo dar certo. Lucas tinha pedido que Roberto se comportasse, que não bebesse, que não arrumasse encrenca com a Rosana e que guardasse dinheiro. O irmão tinha feito tudo. Roberto tinha pedido a ele apenas que fossem os dois juntos, sem mais ninguém. E esse ninguém tinha nome: Rosana. Agora sentia-se culpado pelo sumiço do irmão.

Sabia que ele não estava em merda de luau nenhum. Era mais fácil que estivesse puto da vida e Lucas o visse tomando todas em um daqueles botecos. Se com uma ou duas caipirinhas ele já ficava balão, com meia dúzia de cervejas já estava no chão... Poderia estar mordido porque Lucas fora mole e deixara Rosana vencê-lo, trouxe-a junto numa viagem que deveria ser de *brothers*. Se ela não estivesse com eles, talvez Roberto não tivesse se enfiado naquele maldito *banana boat* ou talvez tivesse chamado Lucas pra ir junto. Juntos não seriam pegos pela lancha. Ou estariam juntos agora, esperando a Guarda Costeira. Estariam juntos. Como estiveram quando deixaram a casa do padrinho de Roberto. O padrinho de Roberto que lhes acolhera após a morte trágica e acidental dos pais. Lucas ainda se lembrava daquele dia ruim. Tinha um bolo no peito igual ao que sentia agora.

O rapaz respirou fundo, ansioso. Recostou-se numa árvore e sentou-se sobre a raiz. Estava esfriando e estava sem camisa. Passou as mãos pelos braços, procurando esquentar-se. Quando os pais morreram, também estava frio. Tinha chovido e o carro saiu da estrada. O modelo não era seguro. Roberto ficara mudo por mais de sessenta dias. Não dissera uma palavra. Foram levados para a casa do Hugo, o padrinho. Hugo era bacana, fora amigo de infância de seu pai. Mas a madrinha do Roberto, a Nina, essa era intragável. Tudo era motivo para brigas. Ela brigava com eles, os irmãos; brigava com o marido; brigava com o cachorro; e até com ela mesma, sozinha. Se o Hugo entrava no cheque especial, a culpa era deles. Se o Hugo não dormia bem, a culpa era deles. Se o médico da Nina tinha pedido um *check-up* e receitado remédio para a pressão, a culpa era deles. Se a cadela do vizinho entrava no cio, a culpa era deles. Uma grande filha duma puta essa Nina.

Lucas suportou o tormento por dois anos, até alcançar maioridade. Foi duro quando saíram. Lucas tinha sido dispensado pelo exército e tratou de conseguir um emprego. A primeira coisa que pintou foi um serviço de *office-boy* numa sapataria da Avenida Paulista. Mesmo com um salário apertado, Lucas pegou suas coisas e, junto do irmão, eles deixaram a casa de Nina. Foram morar em um cortiço no Bixiga. Para Lucas, um quarto para dormir era um lar, só precisavam trabalhar para melhorar de vida. Quando Hugo bateu lá a primeira vez, quis porque quis que Lucas desistisse da ideia e fosse morar novamente com ele e Nina. Lucas foi sincero e disse que sabia que Hugo amava muito o afilhado, mas que a esposa dificultava tudo, sempre pondo os irmãos como pivôs e razão de todo infortúnio que pairasse sobre o casal. Como não houvesse Cristo que demovesse Lucas da resolução, Hugo ajudou como pôde o começo da "vida sobre as próprias pernas" dos rapazes. Passou a pagar uma boa compra mensal para que nunca faltasse comida na casa dos irmãos e foi fiador quando Lucas conseguiu a primeira promoção e decidiu ir para uma casa com quarto e sala, muito melhor que o quarto do cortiço. Roberto sempre ali, junto dele, continuando seus estudos e já pensando em trabalho.

Não foi difícil para o irmão mais velho conseguir uma vaga para o caçula na empresa de calçados. Com os dois trabalhando e o reforço na renda, puderam abrir mão da ajuda de Hugo. Pediram ao padrinho que não mais fizesse compras e a Nina que não ligasse mais no trabalho deles jogando essa ajuda na cara. Hugo pediu desculpas e parou de fazer as compras, mas todo ano, no Natal, os rapazes recebiam um presente e uma visita do padrinho de Roberto. Bom sujeito, daqueles difíceis de encontrar. Vira e mexe, Roberto vinha correndo dizer que "alguém" tinha feito um depósito por engano em sua conta-corrente... Boas lembranças desses tempos. Gastavam o dinheiro extra juntos no McDonald's ou no fliperama, zerando *Shinobi*, *Robocop*, *Tartarugas Ninja*, *Os Simpsons*, *Tekken* e mais uma renca de jogos, nem que custasse até o último centavo.

Depois, Lucas conseguiu o emprego na corretora de seguros. Daí, sim, sua vida mudou. Salário de gente grande. Com uma poupança de dois anos, conseguiu dar entrada em um apartamento. Apartamento bacana, apesar da sala apertada. Em compensação, os dois quartos eram espaçosos, coisa rara naqueles dias. Sempre juntos. Irmãos. Lucas era fã da Legião Urbana e dos Titãs, e sempre que podia ia aos shows com o Roberto. O irmão caçula só não ficava no apartamento quando ia para a casa de um amigo jogar RPG, atividade que começou a absorver cada vez mais tempo do adolescente. Via sempre o irmão sair e voltar. São e salvo.

Só que agora, à noite diante do mar, Lucas pressentia o pior. Sabia que o irmão não voltaria. Seria trazido.

Trazido pelo mar.

Pensando em tudo isso, Lucas adentrou os portões da pousada. Ela era toda cercada por vegetação, com árvores altas e trepadeiras verdejantes subindo os palanques de madeira que faziam o caminho até a recepção. O luar cortava entre as árvores, projetando sombras cheias de movimento no gramado. O rapaz chegou até a recepção e não encontrou Franco. Já estava acostumado com a figura sorridente atrás do balcão, sempre pronto a prestar auxílio ou fornecer informações aos turistas.

Antes de chegar na escadaria de madeira, ouviu um barulho repetitivo no salão onde serviam as refeições feitas na pousada. Curioso, Lucas foi até o salão de chão de madeira. Franco, sem camisa e de bermudas jeans surradas, estava ajoelhado junto a uma peça retangular de madeira cheia de hastes redondas, formando um tipo de estrado no meio. Estava lixando as ripas com vigor e habilidade. Lucas ficou recostado no batente, observando o serviço por um instante. Nem tinha completado um minuto que estava ali, Sílvia, a esposa de Franco, entrou no salão por outra porta, essa atrás do marido, trazendo mais uma peça igual à que o homem lixava. Ao notar Lucas parado na porta, a mulher tomou um susto e largou a peça de madeira.

– Desculpe-me. Não queria assustá-la – desculpou-se Lucas.

– Imagine! É que está escuro. Não tinha visto você aí.

Franco parou de lixar, levantou-se e bateu o pó de madeira do objeto.

Notando as duas peças lado a lado, mais a barriga saliente da mulher, Lucas juntou dois com dois. Estavam reformando um bercinho.

– Nada do teu irmão? – perguntou o dono da pousada, andando na direção de Lucas.

– Nada. Parei pra te perguntar se ele já tinha chegado.

– É melhor você ir ver no quarto dele. Acho que não, porque normalmente eu escuto quando alguém entra, mas já faz bem uma meia hora que estou lixando essa merda.

Sílvia deu um tapa estralado no braço do marido e disse:

– Não fala assim, Franco. Dá trabalho, mas o berço vai ficar uma lindeza.

O jovem deixou o casal conversando sobre a reforma do móvel e subiu devagar a escada de madeira. Passou direto pela porta de seu quarto e entrou no do irmão. A cama feita e tudo no lugar, menos o irmão. Abriu as portas duplas que davam para a sacada de frente para o mar. Mais uma vez o som da arrebentação chegou forte nos seus ouvidos, misturado à música eletrônica que varava as portas da danceteria a poucos metros da pousada. Ele sentou-se em uma poltrona de sisal e baixou a cabeça, começando a soluçar e prantear. Sentia-se só.

* * *

Tum! *Tum*! *Tum*!

Um estrondo na porta. O barulho do mar, e as ondas estourando na areia.

Lucas pulou da cama. Rosana se remexeu e abriu os olhos, assustada.

Tum! *Tum*! *Tum*!

Bandas na porta.

– Ai, Lucas – gemeu a namorada, agarrando o braço do amado.

Lucas levantou-se e colocou o bermudão. Foi cambaleando para a porta. Ouvia vozes. Franco e ao menos mais uma pessoa. Antes de abrir, deu tempo de olhar o relógio. Quatro e meia.

Girou a maçaneta, com um mau pressentimento. *Só podia ser má notícia*.

Quando a porta foi aberta, Lucas encontrou o rosto sonolento e frio do dono da pousada e o do bombeiro ruivo com quem trocara uma dúzia de palavras ao anoitecer.

Leu o nome dele serigrafado numa camiseta vermelha. *Soldado Braga*.

– Encontraram o Roberto? – perguntou Lucas.

Franco nada falou.

– Preciso que o senhor me acompanhe. Acho que encontramos seu irmão – respondeu o bombeiro.

– Ele está vivo?

Franco baixou a cabeça. O soldado Braga inventou um sorriso amarelo e disse:

– É melhor o senhor vir até o pronto-socorro. Encontramos um rapaz no mar, mas sem identificação alguma.

Lucas achou melhor não insistir na pergunta fatídica, mas a esquiva visível do guarda-vidas gelou seu sangue. Não processou mais nada dali em diante. Sentia-se uma marionete do destino, um fantasma perseguindo um ruivo de camiseta vermelha e o dono da pousada.

Por que Franco entrou na viatura do corpo de bombeiros? Lucas não estava em condições de argumentar nem raciocinar. Só aquele barulho maldito infernizava seus pensamentos. O som da arrebentação.

Virou para o lado. Não a tinha visto entrar. Ela agora acariciava seus cabelos.

– Você tem de ser forte.

A voz da mulher parecia vir de outra dimensão, não daquele meio metro ao lado. Parecia uma voz assombrada, longínqua.

Em sua cabeça, nem um minuto se passou desde que cruzara a porta do quarto na pousada até que cruzasse as portas duplas da entrada do pronto-socorro. Mas, de fato, tinham praticamente viajado. Deixaram Ubatuba, rumando a Caraguá e indo parar em São Vicente.

O bombeiro não tinha mentido. O resgatado das águas estava ali. As pessoas cochichavam e desviavam o olhar dos olhos de Lucas, que foi sendo levado corredor adentro. Aquelas luzes frias do teto irritavam seus olhos. Estava tonto. *Onde estava Roberto?* O irmão tinha escapado do *banana boat*. No máximo, sofria com a desidratação. *Era isso.*

Um rapaz tomando soro. Não era seu irmão. Não aquele ali. Uma moça com a perna engessada. Acidente de moto. Dois policiais militares segurando um homem na maca. O cara se debatia como louco, tomado por drogas. Lucas viu que o homem estava algemado. Um policial rodoviário de olhos verdes empurrando uma cadeira de rodas. Na cadeira, um velhinho cadavérico. Parecia morto. *O policial rodoviário...* Era o mesmo que lhe tinha aplicado a multa.

Foi levado para outro corredor, mais duas portas. Uma sala com azulejos do chão ao teto. Olhou para trás, estava sozinho. Rosana sumira e o bom Franco também. O guarda-vidas ruivo falava com um funcionário do hospital.

O funcionário olhou para Lucas e perguntou:

– Você é o irmão?

Lucas aquiesceu.

– Vem – disse o funcionário.

Lucas seguiu o senhor. Passou por uma porta. Uma sala escura. Ouviu um clique. As luzes piscaram várias vezes antes de se firmarem. E, antes que os flashes parassem, Lucas teve a exata ideia de onde estava e foi tomado por uma tontura. Os segundos rápidos até a luz firmar fizeram tudo girar ao redor. A mão firme do guarda-vidas sustentando o seu corpo. Lucas relembrou o dia em que colocou um Band-Aid sozinho no joelho do irmão, que tinha caído de um balanço no orfanato. Lembrou-se do sorriso banguela de Roberto aos seis anos de idade. Lembrou-se do rosto do irmão contrariado, no dia anterior, por conta de Rosana. Lucas sentiu o estômago comprimir e doer. Salivou. Os olhos passaram pelas inúmeras portas metálicas. Era um necrotério.

Sobre uma maca, um corpo sem vida coberto por um lençol branco. O funcionário do pronto-socorro, talvez um legista, parado ao lado do corpo. Lucas já não tinha forças. Antes que o lençol fosse levantado, viu o rosto morto do irmão. Apertou os olhos, as lágrimas começando a brotar.

Mais memórias vieram em torvelinho. Os dois correndo na praia com seis, sete anos no máximo. Roberto rindo quando Lucas tomou bomba na terceira série. Roberto com aquele chapeuzinho ridículo de aniversário do Snarf estampado. Um bolo dos ThunderCats. Roberto chorando com o braço enfaixado. Sorrindo, erguendo a medalha de melhor goleiro do campeonato. Os dois se esbofeteando e o pai entrando no meio. Roberto. A nova foto para o álbum da memória. Roberto morto na maca de um pronto-socorro em São Vicente.

– Vem – falou o senhor.

Lucas andou até a maca. Respirou fundo. O lençol descobriu o rosto do irmão. Lucas respirou mais fundo ainda. O rosto... *Não*. Engasgou-se com a emoção do momento. Cambaleou de volta à porta e foi mais uma vez amparado pela experiência do soldado Braga.

– Não é meu irmão – declarou, enfim.

O legista coçou a cabeça e recobriu o cadáver.

Lucas respirou fundo e saiu andando, rápido, pelos corredores. Não se sentia bem.

Logo chegou ao salão de entrada do hospital, reencontrando-se com Rosana, com o dono da pousada. E respirando um tanto de ar um pouco mais fresco.

A namorada correu para os braços do namorado e apertou-o com força.

– Não era meu irmão... – murmurou Lucas.

Rosana afastou o rosto e olhou para os olhos dele.

– Não era?

– Não.

– Isso é bom. Por que você está com essa cara?

– Encontraram um rapaz que não é meu irmão. Ainda não encontraram meu irmão. Ele está sozinho no mar, Rosana.

– Ele não está no mar, Lucas. Volta pra pousada e dorme, rapaz. Amanhã cedo ele deve chegar e então você dá uma coça nele – aconselhou Franco.

O guarda-vidas juntou-se ao grupo e convidou-os a voltar para a pousada. Alarme falso.

Já dentro da viatura, Lucas pareceu sair do transe.

– As buscas continuam?

– Sim. A Costeira varou a madrugada e vai até o raiar do sol. Depois entra outro turno. As lanchas não vão parar até encontrar o sexto passageiro do *banana boat*... que não é seu irmão.

– Se Deus quiser! – torceu Rosana.

– Eu quero ir com a lancha. Você me coloca nela?

Braga olhou para Lucas pelo retrovisor e disse:

– Isso não é comum. E tem outra: não temos certeza de que é o seu irmão que está no mar. Nem temos certeza de que haja um sexto passageiro... Até agora, o dono do jet-ski não conseguiu confirmar. Devia estar bêbado, o vagabundo.

Lucas ficou calado.

Braga percebeu a tristeza do rapaz, ainda olhando para ele pelo retrovisor.

– Vamos ver. Se seu irmão não aparecer até o meio-dia, voltando de uma gandaia, eu falo com o capitão da Guarda Costeira. Ele é meu chegado.

* * *

– Alô, Leninha? Aqui é a Rosana. Ainda estou na praia, menina. Você não sabe o que aconteceu... O irmão do Lucas desapareceu – começou a moça, em voz baixa e tom pesaroso. – Foi no sábado de tarde. Nada no sábado e nada ontem.

Seguiu-se um silêncio ao telefone. Rosana passava protetor solar nas coxas e olhava, eventualmente, para fora. Da cama, podia ver Lucas na varanda, sentado numa cadeira de sisal e fumando o quarto cigarro daquela manhã. Nunca tinha visto o namorado colocar mais que um cigarro na boca no mesmo dia.

– Então, menina, o Lucas está arrasado! Tá uma pilha! Tá até fumando.

Mais silêncio.

– Foi uma história doida, quando eu subir eu te conto. Eu queria que você avisasse o Haroldo. Fala que eu volto amanhã sem falta. O Lucas é que vai ser difícil – nova pausa. – Eu não sei de nada, vira essa boca pra lá. Estamos esperando as buscas da Guarda Costeira.

Lucas, do lado de fora, abstraído, sequer notara que Rosana estava ao telefone. Seus olhos varriam, teimosos, o horizonte de água à sua frente. Os nervos teimavam em não se acostumar com o barulho da arrebentação. Talvez fosse melhor trocar de pousada, ir para uma mais longe do mar, enquanto durasse a procura.

Uma vez na lancha, Lucas buscou um assento na ponta. O marinheiro lhe deu um binóculo preto e pesado de lentes grossas.

Era terça-feira. Seu irmão estava desaparecido há mais de 72 horas. O soldado Braga tinha explicado que buscariam por uma semana, caso houvesse alguma chance de encontrar o desaparecido com vida. A partir do sétimo dia no mar, contando apenas com um colete salva-vidas, a chance de encontrar qualquer náufrago com vida era praticamente zero.

O rapaz notou que estavam implícitas nesse comunicado as chances de seu irmão. Elas durariam até o meio-dia do próximo sábado e, depois desse ponto, o Estado lavaria as mãos de sua responsabilidade.

A lancha arrancou com velocidade. Lucas, surpreso, agarrou-se firme a um gradil que rodeava a embarcação. Cruzaram, quase que em total silêncio, as águas por cerca de vinte minutos. Lucas colocava o binóculo sobre os olhos e buscava na água algum indício de vida, algum corpo inerte, alguma pista de Roberto.

Navegaram por três horas ininterruptas. Lucas reparava quando chegavam pelo rádio mensagens de outras patrulhas náuticas que singravam a região. Percebeu também que a Costeira fazia contato constante com dois helicópteros e um avião. Um aparato imenso em busca de uma única vida... ou um único corpo. Para piorar, toda troca de informações só aumentava a agonia, pois eram estéreis e vazias de esperança.

Quando o bico da lancha já se encontrava apontado para o continente, deslocando-se em grande velocidade, Lucas sentiu um bolo no estômago. O sobe-e-desce das águas e o tormento psicológico estavam sugando suas forças e deixando-o fraco. Agarrou-se à beira do casco e, sob a atenção do soldado Braga, vomitou suco gástrico no mar. Voltou para seu assento e fechou os olhos.

Tudo girava. O sol quente sobre a cabeça lhe dava enxaqueca. Cada baque que a lancha dava sobre a água fazia parecer que seus miolos vazariam pelos ouvidos. Abriu os olhos. Para todo lado que olhasse só havia água. Era pavorosa a ideia de estar perdido no oceano, à deriva, sozinho.

A lancha subiu uma marola e depois desceu. Parecia que ia afundar. O mar, que estivera calmo toda a manhã, estava visivelmente mais arredio agora, apesar do céu azul e do sol escaldante.

* * *

Mais um dia terminou, sem que notícias de Roberto chegassem. Com o começo da noite, veio a garoa, persistente e gelada, acompanhada de rajadas de vento. Lucas encontrava-se sozinho. Rosana, por causa do trabalho, tinha retornado a São Paulo naquela tarde.

Lá pelas dez horas da noite, enquanto o rapaz tentava assistir a um pouco de televisão, a esposa de Franco bateu à porta. Trazia um prato de comida, um jantar simples, mas que bastaria para repor as energias de Lucas. Só agora ele se dava conta de que tinha passado o dia inteiro sem comer e de que não sentira a menor fome.

– Esse é por conta da casa, Lucas.

– Imagina! Eu tinha esquecido de pedir o jantar...

– Imagina digo eu! Coma e descanse. Acho que amanhã você e seu irmão almoçarão juntos aqui na pousada, daí eu cobro dos dois, pode deixar.

Lucas agradeceu à grávida e, assim que ela sumiu no corredor escuro, fechou a porta e voltou para a cama com o prato no colo. Aos poucos, foi enfiando garfadas na boca. O estômago maltratado não sabia se gostava ou se empurrava de volta o alimento recebido. Depois que jantou, pôs o prato sobre a mesa de cabeceira e, em um instante, adormeceu.

* * *

Na manhã do quarto dia do desaparecimento de Roberto, Lucas despertou desanimado. Dirigiu-se para a varanda do seu quarto e ficou olhando o mar por mais de meia hora. Tomou um café rápido e resolveu andar na areia. Caminhou sem destino, sentindo o vento frio batendo no rosto. O céu estava cinza, e o mar, ainda mais bravo que no dia anterior, o que lhe causava mais preocupação. Consultava o celular a todo instante. Os pensamentos não descansavam. A todo momento via-se voltando àquele pronto-socorro, dessa vez encontrando o irmão deitado numa mesa azulejada. Imaginava-se ligando para o trabalho, a fim de utilizar a cobertura de auxílio-funeral que a empresa disponibilizava aos funcionários. Via os guarda-vidas falando com pesar. Um caixão descendo ao fundo da cova. Uma missa de sétimo dia. Roberto irmão tinha sido devorado pelas ondas, carcomido pelo oceano.

* * *

Lucas sentou-se na areia e baixou a cabeça.

Quatorze dias se passaram sem que notícias de Roberto chegassem.

Na hora do almoço, o soldado Braga apareceu na pousada do Franco para conversar com Lucas. Chegou para avisar que as buscas tinham cessado ao meio-dia, sem que Roberto ou qualquer outro náufrago fosse localizado.

Lucas recebeu a notícia como um soco no estômago. Parecia a confirmação de que estava tudo acabado. O guarda-vidas deu instruções superficiais sobre como Lucas deveria dirigir-se ao Ministério Público e tratar do caso do irmão desaparecido. O rapaz praticamente não ouviu nada, mergulhando novamente em um torvelinho de pensamentos ruins. Pior que lhe terem trazido o corpo morto do irmão, era isso. Cessaram as buscas sem ter nada o que lhe mostrar. A falta de um corpo mantinha acesa não uma chama, mas a brasa de uma esperança a se agarrar. E o calor dessa brasa é que aqueceria as depressões, noites insones e amarguras vindouras, cozidas em banho-maria.

Lucas subiu ao quarto e reuniu as poucas coisas que estavam fora do lugar. Roupas amarrotadas, papéis e jornais. Embolou tudo na mala e desceu à recepção. Pediu a conta. Olhou surpreso para o papel e chamou Franco para entender a cobrança.

– Franco, eu fiquei quinze dias aqui. Você só está cobrando quatro. Que há?

O homem passou a mão na cabeça e respondeu:

– Luquinha, Luquinha... Paga esses quatro dias e está tudo certo.

– Mas eu almocei e jantei aqui. Dei despesas – resmungou Lucas, tirando o talão de cheques.

– Quando vocês chegaram aqui, foi para passar um fim de semana. Você não ficou aqui porque quis. Todo mundo acompanhou sua história. Eu não dormiria tranquila sabendo que cobrei de você – completou a esposa do dono da pousada.

– Você vai precisar desse dinheiro, Lucas. Sei que você não vai deixar essa história por isso mesmo.

– É, Franco, não vou mesmo. Na verdade, não vou voltar pra São Paulo hoje.

Franco e a esposa ergueram as sobrancelhas.

– Eu só ia mudar para uma pensão na qual o quarto é mais barato. Amanhã vou contratar uma lancha para continuar a procurar meu irmão no mar.

Franco suspirou fundo.

– Lucas, você não precisa ir para uma pensão em que não conhece ninguém. Aqui você está entre amigos. Quantas vezes já não veio à pousada do Franco? Hein?

– Fique com a gente, Lucas. Não vamos cobrar as diárias. Te passo para nosso quarto de hóspedes. É menor que aquela suíte, mas tem a melhor cama da pousada – disse Sílvia.

– Aqui você vai alimentar-se direito. Onde comem dois, comem três. Fique o tempo que precisar... apesar... – Franco fez uma pausa, olhando para Lucas com aflição. – Apesar de sabermos, Lucas, que, se seu irmão estiver nas águas...

– Está morto. Eu sei, Franco. Eu sinto isso dentro de mim. Mas nunca voltei sem ele de um passeio. Quero encontrá-lo e levá-lo comigo.

* * *

Para surpresa dos guarda-vidas e da Costeira, Lucas manteve as buscas por mais quinze dias, pagando do próprio bolso uma lancha pequena que ia todo dia de manhã mar adentro e voltava no fim da tarde.

Lucas não suportava mais ficar dentro daquele barco. Toda vez que o tempo virava, um desespero infernal apanhava seus pensamentos. Mesmo assim, vencia o medo e entrava na lancha dia após dia. No entanto, após gastar todo o dinheiro que tinha e o período de férias que tinha negociado com a empresa se encerrar, nada tinha encontrado.

Lucas despediu-se com gratidão dos amigos da pousada e voltou com seu Focus para a cidade de São Paulo. Encontrou o apartamento em perfeita ordem, revelando que Rosana tinha passado por ali. Foi até o quarto do irmão e, sem se dar conta do que fazia, sentou-se na cama de solteiro de Roberto e apanhou sobre a mesa de cabeceira uma fotografia dos dois juntos. Olhou para as coisas do irmão. Havia alguns livros de RPG sobre a escrivaninha, o computador e revistas de armas e caça.

Lucas deitou-se na cama e tentou dormir um pouco. O barulho do mar continuava em seus ouvidos.

* * *

No escritório, todos vinham dar pêsames e comentar sobre fatalidades ou contar histórias semelhantes ocorridas com parentes próximos, o que só aumentava o peso no coração de Lucas. Ninguém parecia ser capaz de aplacar a dor daquela perda.

No entanto, Lucas alternava momentos de absoluta certeza da irreversibilidade daquela situação com chamas de esperança, de desejo de ver o irmão vivo novamente, à sua frente, dizendo que se perdera e que acabou dando uma espichada superlonga com alguma menina. Às vezes parecia que seu ramal ia tocar e a recepcionista diria que Roberto o aguardava para almoçar.

Lucas não estava produzindo como antes. A atenção vagava à deriva. O olhar, perdido dentro do cubículo de trabalho.

* * *

Na quinta-feira daquela semana, após terem saído para almoçar, Lucas e Rosana andavam tranquilamente pela calçada, quando o rapaz deteve o olhar sobre um anúncio:

GRÁFICA RÁPIDA. EFETUAMOS SEU SERVIÇO EM MENOS DE 24 HORAS.

À noite, depois de momentos de conversas lacônicas com a namorada, Lucas recebeu um telefonema. Mas a linha ficou muda por um instante.

– Alô? Alô? – disse Lucas.

A linha continuou muda, mas um detalhe fez com que Lucas não desligasse. Ele estava ouvindo o som de ondas quebrando na praia.

– Alô?! – repetiu.

Mais um longo silêncio. Rosana perguntava quem era e Lucas gesticulava para que ela se calasse.

Não restavam dúvidas. Era o som do mar ao fundo.

– Roberto?

Assim que Lucas fez a pergunta, o silencio foi quebrado pela primeira vez.

– Eu estou com ele – disse a voz.

Era fria. Alguém no litoral. Lucas sentiu o corpo gelar e sentou-se no sofá. Ficou sem fala e sem saber o que pensar. O olhar foi tomado de surpresa e convergiu para Rosana.

– Fala, Lucas! Quem é que está no telefone? – perguntou a namorada.

– Rô... Beto? – tomou coragem.

– Eu estou com seu irmão, mané.

– Onde? Quem está falando?

O telefone ficou mudo de novo e a ligação caiu. Lucas estremeceu ao ouvir aquele "tu-tu-tu" por quinze segundos de total inércia. De repente, olhou para o identificador de chamadas. Código de área: 13. Era litoral. Discou para o número mostrado. Só chamava. Ninguém atendeu. Ligou repetidas vezes, enquanto tentava explicar para Rosana, que não entendia:

– Cê tá dizendo que alguém sequestrou o Roberto? Como? Quem iria sequestrar um duro?

– Ele disse que estava com o meu irmão. Não falou que é sequestro. Ele...

– Ele pegou seu irmão, Lucas. Foi isso que ele quis dizer.

Lucas anotou o número do telefone, mesmo já imaginando que se tratasse de um orelhão, e correu chamar o elevador. Rosana seguiu o namorado e logo chegaram a uma delegacia. Lucas relatou todo o ocorrido e o inesperado telefonema de há pouco. Entregou ao escrivão o telefone anotado em um papel. Foi pedido ao casal que aguardasse.

Ficaram quase uma hora sentados em um banco da delegacia civil. Lucas e Rosana sentiam-se desconfortáveis, aquele ambiente não era comum a nenhum dos dois. Sujeitos mal-encarados pareciam saídos dos piores antros. À frente deles foram alojados três garotos algemados. Um deles tinha os olhos baços, como se sua mente flutuasse em outra dimensão.

– Lucas! – chamou um senhor japonês, da porta da sala.

O casal se levantou e seguiu o homem. Sentaram-se à sua frente. Era um senhor que passava da casa dos cinquenta anos, olhos puxados e cabelos grisalhos, fartos e lisos. O homem disse:

– Sou o delegado Wilson. O Carrera me contou seu caso por alto. Primeiro de tudo, aconselho que vocês procurem o distrito de Ubatuba, onde aconteceram os fatos. A equipe de investigadores de lá já deve conhecer as figurinhas da área e pode acabar agilizando o seu caso, se é que há um caso.

– Não entendi... – disse Lucas. – O cara me ligou. Disse que está com meu irmão. Qual é a dúvida?

– Lucas, é muito comum, apesar da gravidade da situação em que você está, que vigaristas inescrupulosos tirem proveito do seu estado. Você pagaria qualquer dinheiro para ter seu irmão de volta. As pessoas viram sua tenacidade, sua insistência em procurar por seu irmão no mar. E os pilantras em questão souberam que você pagou, e pagou caro, para que uma lancha continuasse as buscas. Sabem que você tem dinheiro.

– O duro é que não tenho dinheiro, delegado. Eu torrei o dinheiro de umas férias antecipadas que tive de tirar às pressas pra continuar procurando pelo Beto. O cara da lancha teve até que me dar um descontão...

– É, mas esses caras não sabem disso. Ou, se sabem, deduzem que você ao menos terá meios para tentar reaver seu irmão.

Lucas baixou a cabeça, transtornado.

– Se você não se importar, gostaria que contasse tudo o que aconteceu, tintim por tintim. Depois que eu ouvir a sua história, te digo como proceder em Ubatuba.

Lucas suspirou fundo. Rosana apertou sua mão, dando apoio. Mais uma vez, Lucas relatou o drama vivido no último mês.

O policial Carrera entrou na sala ao final do depoimento. Trazia o papel de Lucas e disse:

– Este telefone, doutor, é de um orelhão. Anotei o endereço aí no papel mesmo.

O delegado agradeceu e olhou para o papel, depois para Lucas.

– Ouvindo tudo isso, se me permite uma opinião pessoal, cunhada nos muitos anos de experiência atrás desta mesa, há grandes chances de seu irmão ter morrido na praia naquele dia. O desaparecimento repentino, sem causa aparente, nos leva a crer, em um primeiro momento, que ele tenha sucumbido. De verdade, acho que o senhor está sendo vítima de um engambelador. Vá até Ubatuba e faça a queixa. Dê ao delegado esse endereço e diga o que ocorreu. Eu vou ligar para o colega e vou deixá-lo a par da situação. Caso essa pessoa ligue novamente, trate-a com cordialidade e peça para falar com seu irmão. Não faça pagamentos, não dê informações pessoais, não se estenda. Avise a polícia de Ubatuba. Eles vão pegar esse malandro.

CAPÍTULO 29

Finalmente chegaram à margem do rio. A Ilha de Marajó ficava depois de uma faixa extensa de água. Carregavam aquele caixão na mão há praticamente dois meses, perdidos nos caminhos, dias famintos, dias preguiçosos. Mas, como que por encantamento poderoso, não desistiam. Escondiam-se da chuva, venciam as feras. Tinham passado Natal e Ano-Novo sem ceia farta, sem festança. Na verdade, nenhum dos dois sentia falta disso. Reuniões ficavam na memória distante, dos tempos pregressos à Noite Maldita, pois, em tempos mais recentes, um era praticamente um ermitão, vivendo em um sítio afastado, e o outro era um banido, vivendo nas matas e peregrinando por conta própria.

Parados à beira da margem, viram que seria claramente impossível atravessar aquele imenso rio sem um barco. Essa jornada era assombrada, cercada de detalhes mágicos. Não havia a menor dúvida. Do contrário, aquele bote não estaria ali, amarrado a um toco de árvore, providencialmente aguardando a chegada do trio.

– Sinistro – tartamudeou Lúcio, batendo os olhos na pequena embarcação.

Benito respirava em silêncio. Olhou para o bote, depois para a correnteza e para a sombra a quilômetros de distância. A noite não deixava ver com clareza. O céu acima da ilha encheu-se de relâmpagos.

– Está chovendo lá do outro lado – disse o companheiro de Lúcio.

Os dois ficaram contemplando a sucessão de relâmpagos que destacava os contornos longínquos da ilha. Escuridão e clarões repentinos.

– Deus do céu, Lúcio! Tem certeza de que quer ir para lá? Será que esse bote cruza o rio?

– Só tem um jeito de descobrir, Benito.

Lúcio apanhou a alça do caixão e puxou pelo barranco à margem do rio.

– Segura aí, com cuidado. Se o caixão cair na foz do Tocantins, a gente nunca mais acha.

– Se a gente for arrastado pela correnteza, NINGUÉM nunca mais nos acha.

– Vai amarelar agora? Na marca do pênalti? Anda, homem! Nossos braços já estão treinados, remar até lá vai ser moleza.

– Não sei... Cê já remou antes? Eu já remei. Estamos longe pra caralho!

– Mas a gente rema.

– Rema o cacete! É longe pra caramba! A gente nem vê a ilha direito daqui.

– É só ir na direção dos relâmpagos. Ai! – gemeu Lúcio, enfiando a dianteira do caixão no bote de madeira. – Me ajuda, desgraçado! Se esse caixão cair na água, eu corto o seu saco fora.

Benito levantou as mãos para o céu e desceu o barranco para ajudar Lúcio.

– Você é muito teimoso, cara. Espera amanhecer.

– Amanhecer? Amanhecer? O que eu vou fazer lá se for de manhã? O Cantarzo tem de acordar é de noite.

– Mas amanhã anoitece também, diacho! É igual todo dia. A Terra não vai parar de girar só porque você está esperando um pouquinho.

– Nem um pouquinho nem um segundo. Eu vou agora. Se quiser, vem, se não quiser, fica.

– Mas não dá pra ir na direção dos relâmpagos. Deve tá caindo o maior toró lá. Esse barco vira antes de chegar.

– Nós não vamos pro mar aberto, sua anta caipira! Nós vamos cruzar um rio.

– Uma foz! Uma foz! E é o Tocantins! Nunca estudou! É rio pra caralho!

– Senta aí, cala a boca e rema! Cruzando esse rio, seremos imortais e essa discussão toda será passado.

– Mas você está esquecendo um detalhe importantíssimo.

– O quê?

– Que, para sermos imortais, temos de chegar lá vivos!

– Rema! Rema que eu já tô indo – disse Lúcio, encaixando o caixão no fundo do bote, agarrando um remo e enfiando-o na água.

O bote balançava para os lados e porções d'água iam para o fundo.

Benito pôs os pés na embarcação e quase caiu no rio, quando sentiu o primeiro tranco.

– Ei! Para de remar. Eu ainda não me ajeitei – reclamou Lúcio.

Lúcio viu o bote avançar na água. Ia em linha reta, cortando a correnteza, e não junto ao movimento do rio, o que era muito estranho.

– Troço esquisito! – disse.

Até que iam em boa velocidade, pensou Benito. Olhou para Lúcio e tomou um susto:

– Você não está remando?

– Não. Não estou. É isso que tô achando esquisito...

Benito ficou calado, olhando para a água. O bote avançava, produzindo um barulho gostoso.

– A gente não está descendo com a correnteza. Tem alguma coisa empurrando o bote.

– Empurrando para a ilha – completou Lúcio.

CAPÍTULO 30

Ana consultou o relógio. Passava das três da tarde. O almoço tinha sido leve, por conta das náuseas repetidas. O tempo passava rápido e estava chegando ao final do terceiro mês de gravidez. Ela, como a maioria das muitas outras mulheres que tinham sido agraciadas com a gravidez logo após a Noite dos Milagres, começava a ver o volume do ventre aumentar, transformando suavemente a silhueta. Tinha tido "o" dia especial uma semana atrás, quando pela primeira vez sentiu o bebê movendo-se em seu útero. Tinha sido algo rápido e sutil, mas sabia que tinha sido ele. O fruto dela e de Lucas, que, tudo correndo dentro da normalidade, viria dali a cinco meses, chegando no tempo do frio, em plena estação de inverno.

A médica do HGSV estava ansiosa. Lucas prometera vir a São Vítor para passar uma semana com ela. Ana era uma mulher inteligente e independente, mas sentia muita falta do marido ao lado naqueles momentos especiais, ora de descobertas agradáveis, ora de desconfortos. Sentia-se até frágil sem o marido por perto, por que não admitir? Essa sensação aumentava mais a cada dia. Há mais de um mês não via Lucas, que tinha passado o Natal e o Réveillon em Villa-Lobos, dando apoio para a montagem de outras bases avançadas, espalhando soldados por pontos estratégicos da Velha São Paulo.

A doutora deixou o galpão-refeitório comunitário debaixo de um sol forte e ardido. Tirou do bolso do jaleco branco um par de óculos escuros para combater a luminosidade. São Vítor fervilhava. As senhoras e senhores de meia-idade andavam rápido, todos atarefados. Os campos de futebol, onde sempre podia encontrar os jovens jogando bola, mesmo àquela hora do dia, estavam tomados por uma multidão, gente que, nos últimos dias, tinha abandonado os afazeres habituais. Não eram mais horteiros nem soldados, nem marceneiros nem pedreiros. Eram todos foliões. Raramente via-se aquela animação na época do carnaval, mas aquele era um carnaval cheio de vida e esperança. Era um carnaval especial, o primeiro depois da Noite dos Milagres. Em uma reunião, tinham decidido fazer dele algo de fato memorável, com direito a blocos e trio elétrico. Fariam até um desfile de escola de samba. Nada comparado à saudosa Marquês de Sapucaí ou ao sambódromo do Anhembi, mas seria o grande carnaval de São Vítor, entraria para a memória da cidade.

Ana cumprimentou uma dúzia de pessoas pelo caminho. Apesar do grande volume de moradores, era fácil identificar cada um deles. Podia até não se lembrar na hora o nome ou apelido de um ou outro, mas reconhecia as fisionomias. A maioria trazia sorrisos largos, contagiados pelo clima da festa que se avizinhava, mas, em sua análise pessoal, acreditava que a maioria deles pensava que uma nova era de fato se instalara sobre a face da Terra. Graças à rádio de São Vítor, todos os cidadãos daquela e de outras fortificações no Brasil sabiam do trabalho que os soldados e os bentos estavam fazendo na Velha São Paulo. Sabiam que postos avançados estavam sendo instalados nos quatro cantos do estado e o plano era que se espalhassem pelo país inteiro. As ruas e estradas voltariam a ser o lugar dos homens e as feras da noite pareciam mortas de vez.

O sorriso de Ana vacilou um instante ao lembrar-se de Lucas comentando que não estava tão convicto disso, de que os tempos ruins tinham de fato acabado. O marido não jogava areia na fogueira de alegria e positivismo que consumia o coração dos cidadãos, longe disso, mas Lucas tentava semear o espírito de cautela nas lideranças comunitárias. Por conta disso, ainda se mantinha o rodízio de homens nas torres do areião ao redor de São Vítor e fora sugerido via rádio que todas as comunidades fizessem o mesmo.

E as patrulhas de verificação diurna continuavam fazendo seu trabalho manhã após manhã, em busca de indícios que apontassem a presença recente de vampiros na região. Mas a verdade era que há cerca de dois meses não se ouvia falar em grandes ataques aos centros protegidos. Ouvia-se, sim, vez ou outra, a história de pessoas que, contaminadas pela euforia geral, esqueciam-se dos cuidados e arriscavam-se pelas estradas em travessias por vezes desnecessárias, dando, assim, o azar de cair nas garras de vampiros e tendo o fim horrendo que era reservado às vítimas dessas criaturas. Mas nada daqueles ataques orquestrados, quando centenas de noturnos batiam nos muros das cidadelas.

A médica viu as sentinelas de São Vítor indo e vindo sobre os muros principais. Deixavam os fuzis prontos para combate e os olhos espertos no areião. Amaro mantinha a porção militar da cidade trabalhando feito um relógio suíço.

Ana adentrou o Hospital Geral, pronta para seu turno da tarde. A maioria dos médicos voluntários de São Vítor fazia o mesmo: cuidavam das futuras mamães. A fama do hospital e a quantidade de recursos disponíveis para cirurgia acabou gerando um problema que começava a ser tratado com seriedade pelas lideranças do Conselho. Muitos casais, com mulheres grávidas, estavam vindo buscar asilo em São Vítor para que as gestantes pudessem gozar de maior conforto no dia do parto. Jamais ocorreu ao hospital fazer qualquer tipo de seleção ou veto às "estrangeiras", mas o medo que crescia entre o diretor do hospital e seu corpo de médicos era de caráter técnico. Teriam recursos para abarcar aquele volume enorme de grávidas que migravam?

E o mais preocupante: a maioria delas tinha a data de início de gestação demasiadamente próxima. Havia uma aglutinação de grávidas com sinais de terem concebido na mesma semana, o que fatalmente acarretaria uma sobrecarga de mulheres em trabalho de parto na mesma data. A demanda por leitos poderia ser suprida com facilidade, mas essa outra, de gente capacitada para atender aos partos, era o que preocupava. E, depois, haveria os trabalhos de pós-parto, quando as mulheres convalesceriam por dois ou três dias nas dependências do hospital.

O colega de Ana, doutor Ferreira, que fora justamente um obstetra de mãos-cheias antes da Noite Maldita, sugerira, e agora coordenava, um projeto ambicioso que, dando certo, ajudaria em muito quando chegasse a grande hora. Ferreira treinava voluntárias para servirem de parteiras, de enfermeiras-auxiliares. Desse modo, queria garantir que toda e qualquer gestante em São Vítor tivesse assistência, nem que minimamente treinada, quando a emergência acontecesse.

Quando voltava os pensamentos para os preparativos dos partos que viriam, inclusive o seu, o dia de Ana enchia-se de graça e as nuvenzinhas cinzentas lançadas por Lucas dissipavam-se por completo. Cedia à alegria e à expectativa e deixava a lógica enterrada debaixo de um carpete grosso, de uma couraça de prata e ouro. Era melhor pensar em seu trabalho do que pensar no que não tinha acontecido e talvez nunca acontecesse.

Os dois lances de escadas que costumeiramente subia até sua sala começavam a ter um peso diferente. Ao chegar no patamar de seu bloco, estava ofegante.

Ela brincou em pensamento com o bebê, dando um afago terno na barriga quase invisível: *já está roubando minhas forças, né, coisinha*?

O gesto carinhoso foi lento e deu tempo de uma de suas pacientes, que já esperava no sofá de couro do corredor, observar a cena com um sorriso, pois também ela tinha a mão sobre a barriga.

Ana passou pelas mulheres que aguardavam no confortável sofá marrom instalado no corredor, ao lado da porta de seu consultório. Sorriu para as mamães, enquanto abria a porta, e atravessou a sala, separando as persianas a fim de dar passagem à luz do sol. Evitava gastar energia elétrica durante o dia. Sabia o quanto ela fazia falta às famílias que não tinham acesso à rede elétrica de São Vítor. Por conta disso, sentia-se desconfortável quando seus colegas desperdiçavam a eletricidade destinada ao hospital.

A médica voltou até a porta e perguntou quem tinha chegado primeiro. Fernanda, uma moça alta, de longos cabelos morenos, e a mais rechonchudinha de todas as presentes, levantou o braço.

– Pode entrar – disse a médica.

Ana sentou-se e a paciente tomou a cadeira à frente da mesa.

– Trouxe a carteirinha de pré-natal?

– Foi a primeira coisa que me lembrei de pegar hoje de manhã – disse a mulher, tirando um cartão de uma bolsa de couro e estendendo-o para Ana.

A médica conferiu os dados anotados na primeira e na segunda consulta. Como ela própria, Fernanda entrava no terceiro mês de gravidez, ostentando as mesmas bochechas rechonchudas que a grande maioria das gestantes começava a ganhar como reflexo do aumento voraz de apetite. Fez meia dúzia de perguntas à mulher, que se queixou levemente de enjoos chatos que iam e vinham no decorrer do dia; e também desse aumento da fome e da sensibilidade nos seios. Ana explicou que tudo deveria amenizar-se com o passar dos dias e que os enjoos iriam acabar naturalmente muito em breve. Prescreveu uma medicação preparada no próprio HGSV, que ajudaria com os desconfortos, além de vitaminas para a boa formação do bebê. Explicou à gestante que as expectativas eram as melhores para aquelas crianças, a primeira geração pós-Noite Maldita, pós-Noite dos Milagres.

Esses pequeninos faziam parte da profecia declamada pelo finado Bispo. O ancião dissera que, quando os trintas bentos se juntassem, quatro milagres viriam para libertar os humanos dos grilhões do medo. As duas riram juntas, admitindo que aquela onda de mulheres grávidas era um milagre e tanto e não duvidavam de que essas novas criaturas encheriam as fortificações com muitas alegrias e chorinhos de bebês.

Ana retomou a pauta médica, dizendo que há poucos dias tinha havido uma reunião entre os doutores do hospital. Como, após o desencadeamento dos quatro milagres, a situação da saúde pública geral permaneceu inalterada, sem que doença alguma afligisse a população, nada de gripes, de inflamações nem tumores, tudo igual há mais de trinta anos, os médicos eram levados a crer que aquele fenômeno se repetiria com os bebês dessa geração e seria perpetuado na espécie.

Outra notícia que Fernanda ouviu da dra. Ana foi a de que novas mulheres grávidas estavam entrando em assistência, com idade gestacional diferente daquela em que ambas se encontravam. Tudo isso levava a supor que um dos milagres recebidos naquela noite de luta e vitórias para os humanos foi a restituição plena da capacidade de as mulheres procriarem, e que isso não tinha sido um evento isolado, algo que não mais se repetiria. A raça humana seria perpetuada.

Ana conduziu Fernanda para a balança, a última parte daquela consulta. A paciente tirou as sandálias e subiu na máquina mecânica. A médica deslizou os contrapesos até que o fiel se alinhasse, dando a medida do peso exato da gestante.

A médica respirou fundo, sentindo a paciente nervosa. Ana arregalou os olhos e podia jurar que tinha ouvido a mulher gemer um "ai-ai-ai" sem ter aberto a boca.

– Você engordou quatro quilos, Fernanda. É muito! – reclamou a doutora.

Fernanda desceu e calçou as sandálias, suspirando, chateada, como quem é pega colando no exame e não sabe como vai contar ao pai.

– O ideal é que nós engordemos um quilo por mês...

– Mas com essa fome tá brabo, doutora Ana! Quero comer a todo instante! Eu não sou assim. Meus seios doem, minha cabeça dói... Meu estômago parece uma fornalha que só pede mais e mais e mais.

– É, nem todo mundo é igual. A fome vem e você tem de comer mesmo. Deve comer de duas em duas horas, pelo menos. Mas, em vez de comer um prato de arroz e feijão, vai substituindo por frutas leves... Tem de se esforçar. Se continuar engordando nesse ritmo, até os nove meses você passa dos oitenta quilos fácil, fácil. E, depois, para recuperar esse corpinho, minha amiga...

– Ai, não fala assim, doutora.

– É sério! Você tem de se policiar.

Fernanda bufou, contrariada uma vez mais, enquanto pensava que para Ana era fácil falar, afinal de contas a médica parecia a Olívia Palito de tão fina! Já para ela, era difícil comer só frutas e, mesmo quando economizava nos doces e nas massas, não perdia peso. Era escrava de sua genética, não dava pra competir com a doutora Ana-Olívia-Palito.

– Não sou um palito – rebateu a médica. – É que meu corpo me ajuda. Preciso fazer força é pra engordar, não pra emagrecer. Estou adorando esse negócio de gravidez, tá me dando umas gordurinhas que eu nunca vi.

Fernanda arregalou os olhos com o comentário da doutora. Era como se ela estivesse respondendo a seus pensamentos.

Ana continuou escrevendo calmamente sobre a carteirinha de pré-natal da paciente. Então disse:

– Você volta daqui um mês, Fernanda. Nada de engordar três quilos até lá. Sem exageros. É só cuidar dessa fofurinha dentro da sua barriga que tudo fica fácil.

Fernanda respondeu com um sorriso. Levantou-se e deixou a sala da médica.

Ana, pensativa, começou a rabiscar em seu receituário com o lápis que tinha entre os dedos. Não chegou a olhar para os rabiscos. Estava escrevendo a esmo. Escrevendo repetidas vezes "Olívia Palito".

CAPÍTULO 31

O espectro rondou Anaquias, deixando que o vampiro sentisse sua presença. O vampiro abriu os olhos e caminhou para o meio do átrio. Seus seguidores estavam despertos e prontos para a ação.

Desde a visita de Raquel, Anaquias se empenhou e havia delegado uma série de tarefas com o intuito de espalhar rádios pelos covis. A mensagem a passar era apenas uma, parte de um plano todo tramado e mantido em segredo.

Hoje, os humanos receberiam a primeira demonstração do Deus Vampiro, a primeira demonstração do poder do Vampiro-Rei, o regente da nova era. Aquela manobra deixaria cicatrizes profundas na memória dos brasileiros. Aquela manobra deixaria todo mundo confuso, completamente atordoado. Chegava a vez dos vampiros. A hora de os vampiros jogarem.

– Faça o jogo, meu fiel general – sussurrou Cantarzo ao pé do ouvido de Anaquias. – Faça-os ver nossa força. Dê uma amostra de nossa nova força, nosso exército.

– Sim! – bradou Anaquias, deixando os olhos brilharem feito brasas.

– De agora em diante, meu fiel general, deixarei teus passos livres a teu próprio juízo. Já conheces a meta, o meio e o ponto de encontro. Minha grande hora chega e em instantes encontrarei meu destino. Serei banhado em sangue e feitiço; meus olhos de carne se abrirão. Minha voz de vento desaparecerá de seus ouvidos de sangue e, quando eu voltar, meu general, minha espada oportunista tomará a frente de nossa guerra.

Anaquias arregalou os olhos e permaneceu estático. Então Cantarzo continuou:

– Fiel general, parta para flagelar os malditos do dia. Deixe-os sangrando, perdidos e desapareça dos olhos dos humanos. Aguarde a chegada de teu rei para o grande confronto. Seremos donos do mundo de uma vez por todas. Agora me calo, general Anaquias. Quando voltar a ouvir minha voz, será direto de minha garganta.

A voz do vampiro-rei não mais ecoou nos seus ouvidos. Enquanto isso, os vampiros marchavam para fora da caverna.

A energia que Anaquias sentia emanar do espectro foi arrefecendo até que nada mais sentiu. Estava só. Só na frente daquele exército, só naquela empreitada. Se houvesse um coração humano em seu peito, talvez ele se acelerasse agora. Desde muito tempo voltava a sentir-se meramente Anaquias, o assistente de Raquel... sem ouvidos de sangue, sem presença de rei vampiro, sem comandos em sua cabeça. Apertou o cabo da espada que vinha embainhada e caminhou com seus seguidores. Tudo correra como planejado. Conseguira infiltrar dezenas de regimentos na mata próxima a São Vítor sem que eles fossem descobertos pelas patrulhas. Igual a seus vampiros nas cercanias do maior aglomerado humano. Graças à rede formada pelas mensagens de rádio, centenas de outros batalhões aproximavam-se de fortificações, prontos para atacar em conjunto assim que a ordem fosse dada.

Anaquias saiu da igreja de paredes cinzentas em direção ao meio da rua. Seus homens tomavam todo o asfalto antigo, dividindo-se em grupos de duas centenas. Cada vampiro carregava no braço um escudo, peça semelhante a uma grande escama negra. Em poucas horas, estariam à beira do areião de São Vítor. Em poucas horas, estariam de frente para o grande muro. As sentinelas pereceriam, os atiradores seriam desfiados à unha, e os bentos, combatidos como nunca dantes. A mensagem entregue seria o medo.

Apesar daqueles presunçosos contarem com o rádio e com o maldito TUPÃ, a luz do sol não poderia estar em todos os lugares ao mesmo tempo. O sentimento de vitória que banhava e revestia todos os corações seria arranhado profundamente.

* * *

Everton digitava no computador à sua frente alguns comandos específicos. A imagem exibida na tela principal da sala de controle do Centro de Lançamentos da Barreira do Inferno era a do continente sul-americano. Com mais alguns toques no teclado, a imagem enviada pelo satélite aproximou-se mais, exibindo a costa brasileira em sua quase total plenitude. Era possível ver todo o planalto central e o sertão. Mais comandos jogados no computador e novamente o satélite passou a exibir uma nova configuração na tela principal.

– O que você está procurando? – perguntou Tânia, sua colega de vigilância.

– Nada. Só me deu um treco. Estou encafifado.

– Encafifado?

– É.

– Credo, Everton!

– Quê?

– Nem minha vó falava “encafifado”.

O rapaz riu ruidosamente.

– Esse país é bonito pra cacete – comentou a garota, de olhos grudados na tela.

– Também acho.

– Já checou o sistema TUPÃ?

– Tudo em riba. Olhei duas vezes.

– Credo!

– Que foi?

– Você de novo... “Tudo em riba”?! Tá parecendo o Didi!

– Didi? Didi Mocó?

– O próprio!

– Ô psit! – brincou o rapaz, digitando mais uma vez no teclado.

O satélite obedeceu, aproximando a câmera ainda mais. Ele, então, perguntou:

– Tá vendo aquela voltinha pronunciada ali?

– Tô.

– Ali é o litoral do Rio Grande do Norte. A terra do sol!

– Fala sério! – exclamou a moça, surpresa com a imagem.

– Desde que você entrou de voluntária aqui no CLBI eu tô pra te mostrar isso.

– Olha vocês, escondendo o jogo de mim o tempo todo. Não sabia que dava pra aproximar tanto o satélite três.

– Ah! Esse não é o três, é o um.

– O um?! Só o Franjinha tem acesso ao um!

– Tomara que você saiba guardar segredo – disse o rapaz, digitando novos comandos. – Se você está achando que está vendo perto, veja isso aqui.

A tela principal piscou e uma porção de chuvisco tomou o painel por um momento, depois o satélite passou a transmitir imagens ainda mais próximas.

– Tá vendo essa faixa dourada no oceano?

Tânia aquiesceu, boquiaberta.

– Isso é a luz do sol indo embora – explicou o rapaz.

– Cara! Tô sem palavras... é estupendo!

– Tá vendo essa faixa escura?

– Ahan!

– Esse ponto vermelho ao sul da Velha Natal é nossa base, somos nós.

– Cara... fabuloso! Aqui já anoiteceu... – murmurou a garota, estupefata.

– Justamente. Tem luz do sol no meio do oceano, mas aqui já é noite escura.

Everton repetiu um comando no teclado. O satélite aproximou ainda mais a imagem. Agora Tânia podia ver, bestificada, o ponto vermelho crescer e tomar forma. Ao invés de uma bolinha, via agora todo o complexo da Barreira do Inferno e logo reconheceu o formato dos muros, até mesmo traços da estrada que dava acesso à base de lançamento.

– Fabuloso!

Os dois ficaram olhando para a tela por um longo momento. Tânia tinha um sorriso largo e continuava maravilhada. Everton, mais acostumado à imagem, apenas deixava os olhos vagarem pelo complexo.

– E esses pontos azuis amarelados mais afastados? Parece que se movem – constatou a moça.

– Que pontos azuis?

Tânia indicou com o dedo. Eram centenas de pontos que se aglomeravam, formando uma mancha retangular.

– Ali só tem mata, é tudo floresta. Talvez seja alguma disfunção. A calibragem e temperatura do satélite podem estar criando um espectro.

– Parece que os pontos estão se movimentando. Se você reparar bem...

Everton emudeceu com o comentário da amiga. Ela tinha razão. A mancha retangular movia-se. Era quase imperceptível devido à escala exibida na tela, mas, se projetasse isso para uma escala normal, deveria estar se mexendo em uma velocidade boa.

– Você não acha melhor chamar o Franja pra ver isso aí?

– Se chamarmos, ele vai comer meu toco, porque estou no satélite um sem a permissão dele.

– É, mas isso parece sério. Não tem nada no rádio? Ninguém do muro falou nada?

– Acho que é algum tipo de interferência, só isso – tentou tranquilizar o rapaz.

– Não sei, não. Você mesmo disse que estava olhando para a tela porque estava encafifado.

Everton calou-se. Realmente, tinha tido um pressentimento ruim. Só que não enxergava ligação alguma disso com aquela estranha mancha na tela principal do CLBI.

Tânia não se deu por convencida. Era melhor tomar uma comida do Marco Franjinha do que ficar na imprecisão. Aquilo podia ser sério. Levantou-se e disparou pela sala de controle.

– Aonde você está indo?

– Tô indo chamar o Franja. Ele precisa ver isso.

– Tô ferrado! – balbuciou Everton, ao ver a mulher sair.

* * *

Gabriel girou o dial. Eventualmente, ele visitava aquela frequência baixa desde que captara a voz de um vampiro conversando com um covil. Tinha sido uma coisa rápida... talvez até alguma piada de mau gosto de algum cidadão idiota. Mesmo assim, tinha ordenado vigilância 24 horas, mas por semanas a fio nada mais foi ouvido. Serviu de alerta para que os soldados e bentos ficassem avisados de que os vampiros de bestas nada tinham, sabiam como utilizar um rádio. Mais uma vez, só encontrou estática.

* * *

Anaquias pediu o rádio. O aparelho emitia um chiado monótono e até agradável. Sabia que sua voz entraria por aquele microfone em que segurava nas mãos e seria lançada aos quatro cantos do Brasil. A hora da revelação tinha chegado.

Os vampiros estavam silenciosos até aquele momento. Romperiam o hiato entre as batalhas e dariam o ar do horror. Depois do ataque surpresa, depois de cumprirem seu objetivo duplo de surpreender e aterrorizar, desapareceriam da face da Terra, desapareceriam das matas. Iriam ao encontro do mestre maior. Iriam ao encontro do vampiro-rei.

Anaquias comprimiu o botão, rompendo o silêncio da frequência escolhida, e ordenou:

– Formar!

* * *

Lúcio não acreditava no que via. Como que comandados por uma força mágica, aquelas colossais criaturas formavam uma manada gigantesca, todos andando na mesma velocidade, com vigor e segurança, vencendo a superfície alagada que os obrigava a erguer as cabeças. Chegavam tão próximos que volta e meia tocavam os chifres uns dos outros, emitindo mugidos grossos e cheios que iam longe no céu da noite. O maior e mais gordo deles carregava de maneira segura e inexplicável o grande caixão com seu amo. Era incrível como o búfalo vencia a água sem que o caixão sequer oscilasse. A luz da lanterna enfraquecia rapidamente, posto que as pilhas velhas descarregavam sem parar. Lançou a luz para o lado e viu o rosto de Benito, igualmente boquiaberto com a situação. Sabiam para onde aquelas criaturas mágicas os estavam levando. Estavam indo ao encontro da bruxa Tereza.

* * *

Lorena não gostava de carnaval. Achava um abuso tanta gente perdendo tanto tempo com os preparativos daquela festa sem-vergonha. E o pior: São Vítor estava recebendo gente do país todo... tinha caravana até de Minas Gerais. Quando era para salvar o mundo ninguém arriscava sair das fortificações, agora que tinham aquele tal de TUPÃ, pronto, era só pintar uma festa que tinha gente se juntando para pegar a estrada, de dia e de noite, a hora que fosse. Só na sua casa, tinha sido praticamente obrigada a hospedar oito pessoas de Esperança. Tá certo que era gente boa, gente de bem que vinha em busca de diversão, mas era um saco mudar a rotina da própria casa para receber visita. Ainda mais assim, estando grávida.

A gestante passou a mão pela barriga enquanto subia os degraus. Tinha decidido ficar o mais longe possível daquela festa. Escolhera o muro dois, porque não adiantava ir para casa: os organizadores tinham colocado caixas acústicas para tudo que era lado. Chegou ao corredor de manobras do muro e encontrou sete soldados fumando e olhando para dentro de São Vítor. Eles tinham dois binóculos que eram revezados na tentativa de assistir ao desfile da escola de samba inventada para o carnaval. "Unidos do Forte". *Nome besta!* Por que todo povo sem imaginação começava o nome de uma escola de samba com "unidos"? *Coisa besta!* Gostava do nome da Camisa Verde e Branco, da Estação Primeira de Mangueira, da Vai-Vai. Esses eram nomes diferentes. "Unidos do Forte". *Que besteira!*

Lorena coçou o cotovelo, que tinha ralado à tarde e agora lhe doía um pouco, enquanto cumprimentava os soldados com um meneio de cabeça. Eles franquearam passagem à mulher para que ela pudesse alcançar o trecho mais alto do muro. A noite estava fresca, não muito quente, mas nada de frio também. Estava agradável.

Lorena recostou-se no muro, olhando para o areião. Sempre a mesma paisagem. Não sabia o porquê, mas aquela brancura iluminada pelos potentes holofotes espetados nos muros e nos espigões de vigia lhe transmitia calma. Gostava de olhar para aquele mar branco.

A grávida ergueu um pouco a camiseta, deixando a barriguinha sutilmente oval de fora. Acariciou repetidamente a pele, sentindo o bebezinho no seu ventre se mexer com energia. A cada golpe dado pelo pequeno ser, seu sorriso se alargava mais e mais e seus pensamentos decolavam dali, sumindo daquele lugar e daquela barulheira desagradável. Lorena fechou os olhos e por um instante ficou imaginando como seria seu bebê. Teria seus cabelos lisos ou seriam cacheados iguais aos do pai? Teria seus olhos castanho-claros ou seriam negros? E o nariz? Tomara que fosse igual ao seu. Se tinha uma coisa que Lorena adorava no seu rosto, era o seu nariz. Viu-se rindo sozinha.

Maria Alice ergueu a camiseta na frente do espelho, colocando-se de lado para mirar o reflexo. Nesse instante, a porta abriu-se repentinamente e deixou entrar a pequena Eloísa, que permanecia sob os cuidados da mulher e disse:

– Que isso, tia? Tá esperando neném também?

Maria Alice, que tinha abaixado a camiseta sem graça, pega de surpresa, sorriu para a menina.

– Nada, Elo. Só estava olhando.

– Olhando o quê, tia? Você continua a mesma magrela de sempre. Ha-ha-ha!

Maria Alice apanhou uma almofada de cima da cama e atirou-a contra a menina.

– Você está muito cheia de graça hoje, Elô.

A menina correu e abraçou a tia adotiva.

– Não ralha, não, tia. Você sabe que eu te amo.

– E você sabe que eu não tô grávida. Bem que eu queria – lamentou-se a mulher, lembrando-se de seu falecido namorado, morto no grande ataque a Santa Rita no ano anterior, pouco antes da Noite dos Milagres. – Mas, pensando bem, para que outro neném se eu já tenho você, um nenezão prontinho, pra eu cuidar?

Eloísa apertou mais os braços e recebeu um beijo no cocuruto.

– Pega essa almofada que eu joguei. Vamos deixar tudo arrumadinho e no lugar, pois não estamos em nossa casa.

– Santa Rita tá longe, né, tia?

– Tá longe e vai continuar longe, querida. Aquele lugar não faz bem pra gente.

– Lembranças ruins...

– Isso mesmo, filha. Lá só tem lembrança ruim.

* * *

Franjinha levantou-se, sobressaltado com as batidas na porta de seu aposento. Vestiu rápido uma camiseta e calçou um par de tênis sem ao menos amarrar os cadarços. Encontrou os olhos aflitos de Tânia do outro lado da porta.

– Desculpe, Franjinha, mas o Everton estava me mostrando uma coisa com o satélite um e vimos algo muito estranho.

– Como é que é? Quem mandou vocês mexerem no um?

– Ai, Franjinha, o Everton me falou que você não gosta, mas primeiro vem ver aquilo, depois você come o toco da gente.

Os dois saíram às carreiras pelo corredor. Deixaram o bloco de alojamentos e saíram para o céu aberto, cruzando uma longa área forrada por gramado. A noite estava fria, coberta por nuvens, e um vento sorrateiro apanhava os dois de lado.

– O que vocês viram?

– Uma mancha, vindo na direção do CLBI. Everton disse que deve ser alguma falha no satélite...

– Uma mancha azul? – perguntou o engenheiro, passando a mão na Franja.

– Isso mesmo. Como sabia?

Franjinha abria a boca para responder quando ouviram uma explosão que deixou ambos estáticos.

O engenheiro e a voluntária viram três brasas vermelhas riscarem o manto negro do céu, que explodiram. Um rojão de três tiros.

– Vampiros! – exclamou Tânia.

Franjinha disparou em corrida na direção do centro de controle. Não havia tempo a perder. Sabia que aquele dia chegaria, mais cedo ou mais tarde. Os vampiros não deixariam os muros da Barreira do Inferno intactos. Não deixariam TUPÃ funcionando contra sua raça. De supetão, abriu a porta da sala de controle. Everton estava parado, assistindo, incrédulo, a mancha se deslocar em sentido aos muros da Barreira do Inferno. Alguns pontos azuis estavam a menos de cem metros do muro, pareciam aguardar que os demais se juntassem.

Na linha dos muros, eles viam pontos vermelhos se movendo rapidamente. Eram os soldados e os bentos que guardavam a Barreira do Inferno. Franjinha ouviu a voz de Aurélio chegando pelo walkie-talkie na mesa de Everton. Aurélio era o líder dos soldados e comandante estratégico do CLBI. Desde a Noite dos Milagres apenas uma vez os malditos ousaram aproximar-se dos muros. O líder berrava através do aparelho.

– Estamos sendo atacados! – gritou o auxiliar. – Já iniciei o TUPÃ. Estará pronto em sete minutos!

Franjinha olhou para a tela mais uma vez. A mancha se aproximava vagarosamente.

Marchavam. Marchavam para a Barreira do Inferno.

– Eu assumo – disse Marcos Franjinha. – Você fala no walkie-talkie.

Everton avisou Aurélio que TUPÃ estava sendo preparado e que em sete minutos estaria pronto para entrar em ação.

– Pelo tamanho da mancha, dá pra saber que são milhares de vampiros. Acho que com uma passada lenta sobre a cabeça desses filhos da mãe a gente acaba com os desgraçados. Não vão chegar aos muros em menos de sete minutos. É só mantermos a calma que tudo vai dar certo.

Aurélio olhava de cima do muro. Falava pelo walkie-talkie com bento Ramiro, que estava na torre mais alta, de posse de uma luneta. Fora o bento quem dera o alerta de três tiros.

O comandante de defesa olhou para dentro do terreno do CLBI. Como sempre, postados como última defesa, estavam os bentos veteranos Célio e Teodoro, ladeados pelo reforço de quatro bentos novatos em armaduras intocadas e reluzentes. Seria o primeiro grande combate daqueles novos despertos.

Aurélio voltou os olhos para a floresta. Não estivera lá quando um gigantesco exército de vampiros destruiu os muros da Barreira do Inferno e depois foram rechaçados pelo milagre profetizado. Diziam que um mar de brasas vermelhas tinha circundado o CLBI e essa imagem fora criada por sua mente. Agora tinha ao vivo e em cores algo similar se repetindo. Não eram suficientes para envolver todos os muros do Centro de Lançamentos, mas formavam uma onda de olhos endemoniados que vinham em sua direção. Era um ataque organizado. Sinistro.

Aurélio olhou para os lados. No corredor de manobras, no topo do muro, os soldados já tinham tomado a posição de defesa. Quatro metralhadoras de grosso calibre prontas para entrar em ação. Cerca de cem soldados com fuzis; projéteis comuns no primeiro cartucho e munição intercalada com projéteis comuns e banhados em prata nos seguintes. Se TUPÃ interferisse a tempo, talvez nenhuma preciosa bala de prata fosse necessária. Se TUPÃ chegasse a tempo, talvez nenhuma vida preciosa fosse tomada. Aurélio benzeu-se e empunhou seu fuzil. Os vampiros estavam cada vez mais próximos e formando uma perigosa linha de frente ao muro.

Marco Franjinha recebeu de TUPÃ o que tanto esperava. A mensagem “DISPOSITIVO PRONTO. INSIRA COORDENADAS” ficou estampada no painel principal. Quando o engenheiro digitava os dados para que o facho de luz brilhasse sobre o CLBI, seus ouvidos foram invadidos pelo som do rádio.

– Franjinha! Franjinha! Precisamos de vocês! – berrou a voz metalizada e recheada de estática. – Estamos sendo atacados! Os vampiros estão próximos ao nosso muro!

Franjinha olhou para Everton. *Que merda!*

Enquanto o trio na sala de controle era apanhado e surpreendido por aquele pedido de socorro justamente quando eles próprios precisavam ser salvos, outra voz chegou pelo rádio.

– CLBI, aqui fala Gabriel, acampamento Villa-Lobos! Estamos sendo cercados por um exército de vampiros. Solicitamos prontidão do sistema TUPÃ! Vocês estão copiando? CLBI, aqui fala Gabriel...

Os três se olharam mais uma vez e, antes que a surpresa se dissolvesse, outra voz surgiu no rádio:

– Barreira do Inferno! Aqui é São Pedro. Os vampiros cercaram nossa fortificação e vão atacar! Temos pouca munição e apenas dois bentos conosco. Todos os outros foram para São Vítor participar do Carnaval! Precisamos de ajuda!

– Barreira do Inferno! Nova Natal está cercada por vampiros. Precisamos de auxílio imediato! Franjinha, Tânia! Alguém responda imediatamente! Aqui é Nova Natal. Repito. Estamos sendo cercados! Estamos sendo cercados! Responda! Franjinha, pelo amor de Jesus Cristo, manda essa luz pra cá!

– CLBI! CLBI! Estamos sendo atacados por vampiros! CLBI! Respondam! Precisamos de socorro em Esperança!

As mensagens com pedido de socorro começaram a espocar uma atrás da outra, atropelando e misturando vozes vindas dos quatro cantos do Brasil. Os dedos de Franjinha vacilaram por um momento. Chegara a pensar em desviar a salvação que TUPÃ traria para uma outra fortificação, mas isso deixaria o CLBI vulnerável e não poderia ajudar mais ninguém. Tinha que pensar como um guarda-vidas, tinha que ser racional. Entrou com as coordenadas da Barreira do Inferno. Mal terminara de digitar o comando e viu a grande mancha azul parar junto ao muro do Centro de Lançamentos.

* * *

Anaquias, muito longe do CLBI, de frente para os muros de São Vítor, pressionou mais uma vez o botão do comunicador. A estática foi cortada por um breve momento. Todos os comandantes em todos os grupamentos conheciam o horário. Todos eles esperavam pela ordem. Anaquias abriu um largo sorriso. Sua mão forte quase esmagava o aparelho entre seus dedos.

– Ataquem! – berrou, ao mesmo tempo que seus dentes pontiagudos cresciam e extravasavam entre os lábios.

Aquela noite e durante aquela briga voltaria a ser o bom e velho Anaquias. Um caçador. Um assassino. Iria atrás dos humanos. Iria atrás de sangue. Não teria mais que se preocupar com comando e mensagens. Todos sabiam exatamente o que teriam de fazer. Um ataque rápido e maquiavélico. Matar, sangrar os porcos vivos e depois debandar. Debandar para o novo endereço, para o altar e para a espera do vampiro-rei. Iriam confundir os malditos. Iriam deixá-los loucos.

* * *

Lorena olhou para os soldados. Só agora percebeu que, na ponta oposta do muro, um dos homens estava sentado em um platô mais alto e coberto por um telhadinho de madeira. Ele usava o telescópio de seu rifle para assistir ao desfile da escola de samba. *Que coisa!* Ao invés de estarem olhando para o areião, vigiando a mata escura, estavam procurando diversão.

A mulher olhou em direção ao desfile. O muro dois estava em posição privilegiada. Dali os soldados podiam ver toda a extensão do "sambódromo" de São Vítor. Com os binóculos, talvez até enxergassem muito bem boa parte da coisa. Manteve os olhos na avenida.

Um risco verde subiu ao céu e explodiu em milhares de pontinhos; estes voaram em direção às arquibancadas que ladeavam o caminho. Um risco vermelho subiu. Explodiu com estrondo. Uma esfera vermelha iluminou São Vítor. O grito eufórico dos espectadores chegou até os muros.

Lorena olhou sorridente para os soldados. Eles também comentavam a beleza da queima de fogos em voz alta e com alegria.

Uma saraivada de rojões explodiu. Centenas de disparos. De repente, bem atrás dela, Lorena ouviu um rojão de três tiros. Tapou os ouvidos por conta da proximidade das explosões.

Olhou para trás junto com os soldados. Aquele rojão de três tiros não fazia parte do show pirotécnico assistido na avenida. Aquele rojão de três tiros tinha saído da janela da torre à sua direita; podiam ainda ver no céu a fumaça dos rojões se desfazendo.

Lorena baixou os olhos, buscando a floresta. Uma vez na vida tinha estado naquele muro e visto o que via agora. Olhos vermelhos, brasas malditas. Sentiu um engasgo, uma pontada na barriga e gritou a plenos pulmões. Tinha que salvar seu bebê. Tinha que sumir dali. Passou correndo pelos soldados e alcançou as escadas. Tinha que se esconder. A primeira coisa que lhe ocorreu foi correr para o galpão-refeitório.

* * *

Ana cortou o sorriso subitamente. Sentiu um engasgo estranho e um repuxão no ventre. Os rojões do show pirotécnico explodiam acima de sua cabeça, imprimindo, alternadamente, cores vivas em suas retinas. Todos ao redor riam e gritavam, festejando os fogos e a passagem da recém-fundada escola de samba Unidos do Forte. O som da bateria cadenciada entrava fundo em seus ouvidos, enquanto o olhar agora passava pela ala das baianas que giravam maravilhosamente na avenida, com direito a arquibancadas lotadas dos dois lados e uma gritaria infernal.

Ana levantou-se e ficou arrepiada da cabeça aos pés. Não conteve a agonia, algo subiu por sua garganta e a médica explodiu em um grito aflito que foi encoberto pela agitação geral e a explosão insistente dos rojões. Igual a ela mais de cinquenta mulheres inquietavam-se ao mesmo tempo. Sem poder conter mais aquela sensação estranha, Ana começou a descer as arquibancadas, colocando a mão sobre a barriga instintivamente. Estaria perdendo o bebê? Respirou fundo, ainda mais agoniada, ainda mais aflita. *Não podia estar perdendo o bebê. Não podia!* Um par de lágrimas maculou seu rosto. Uma imagem formou-se em seus olhos. Vampiros com olhos cintilantes. *Vampiros nos muros de São Vítor!*

Ana, ao chegar à avenida e ser atropelada por uma das baianas, soltou outro grito. Desvencilhou-se do abraço de um dos organizadores do evento e correu por baixo da arquibancada. São Vítor estava bem iluminada por conta da festa. Via o Hospital Geral à frente. Gritou desesperada mais uma vez. Ali não era seguro. Apertou os olhos e viu novamente os vampiros empoleirados em árvores, outros saltando para o areião. Era como ter um pesadelo acordada. *Como aquilo podia estar acontecendo?! Estaria tendo uma crise de síndrome do pânico?* Ao mesmo tempo que sofria aquela inquietação descabida, seu lado racional tentava encontrar uma resposta lógica.

Olhou de volta para a avenida. Viu cinco ou seis mulheres também no asfalto. Elas eram acudidas pelos organizadores e por algumas das baianas que tinham desistido da coreografia. Ana agora estava aos prantos, totalmente descontrolada. *Vampiros!* Não conseguiu avisar ninguém. Tinha que falar para Amaro ou para Chen. *Mas e o bebê?*

Outra contração, tão dolorida que a mulher se dobrou, quase caindo desequilibrada. A imagem do refeitório veio à mente. Voltou a correr. Só pensava no bebê. Tinha de protegê-lo. Correndo. Os olhos turvos com as lágrimas. *Para onde ir? Onde estava Lucas?* Ele prometera vir a São Vítor para o carnaval, mas não viera. Estava no acampamento de Villa-Lobos. Estava longe. Teria que se defender sozinha. Podia correr para casa. Lá tinha uma arma. Uma pistola com balas banhadas em prata.

Já tinha direcionado os passos para sua residência quando a imagem voltou. O refeitório seria seguro para o bebê. Os vampiros não conseguiriam entrar lá. Não sabia bem o porquê, mas seus passos já tinham tomado a direção do galpão-refeitório. Tinha que ir para lá. Sabia que lá estaria a salvo.

* * *

Bira agarrou o walkie-talkie e gritava pedindo ajuda. Seu parceiro de vigília, Alessandro, estava com o fuzil enfiado na fenda aberta e suando frio. Havia muitos vampiros lá fora e sabia que eles viriam direto, secos, para cima das torres de vigia.

– Tatu, aqui é o Bira, cara. A floresta tá empesteada de vampiros. Entra em contato com o truta lá da Barreira do Inferno e peça ajuda imediatamente. Se a luz do TUPÃ não queimar os miseráveis, estamos lascados, porque é bicho pra cacete!

– Entendido, Bira, falo com Barreira do Inferno e te respondo com o tempo aproximado para TUPÃ queimar os vermes. Fica de olho nesses desgraçados.

– Entendido, Tatu. Avisa todo mundo na vila pra esconder o rabo debaixo da cama. Tem vampiro pra caramba. Pode ser que um ou outro vaze o muro. Só dei o alarme de três. Me responde antes de ter que acender o de seis.

– Entendido – respondeu Tatu, encerrando a comunicação.

Bira colocou o walkie-talkie no suporte do cinto e destravou seu rifle. Olhou para Alessandro. O rapaz tremia feito vara verde. Nunca tinha enfrentado os vampiros antes.

– Calma, guri. Se eu fosse você, eu relaxava. Antes desses desgraçados tentarem qualquer coisa, TUPÃ vai riscar o céu com aquela luz maravilhosa. Trouxe seus óculos de sol?

Alessandro meneou negativamente a cabeça.

– Relaxa, rapaz. Relaxa. Pode até soltar o fuzil e sentar. Tô falando sério – disse o homem mais experiente, enquanto enrolava sua corrente de São Jorge no cano de descarga do rifle e o enfiava pela janelinha da vigia.

– Se é pra relaxar, por que você colocou um santinho no seu rifle?

Bira lançou um olhar de lado para Alessandro. Empunhou a arma com maior firmeza e fez mira nas brasas vermelhas, distantes cerca de trezentos metros.

* * *

– Não ouvimos os rojões por causa dos fogos, Chen – explicou Matias, o líder dos soldados.

O oriental olhou para o amigo de traços indígenas e aquiesceu.

– Avise pela frequência de walkie-talkie o máximo de soldados possível. Eu vou correr até a avenida para dar o recado. Queria ter um jeito de fazer isso sem causar pânico, mas vai ser impossível.

– E o CLBI?

– O Tatu está tentando falar com o Franjinha, mas até agora não teve resposta. Ele disse que o rádio está em ordem, é algum problema no CLBI.

– Meu Deus... – murmurou Matias, realmente abalado. – Isso é hora para dar pepino?

– Eu vou correr, tomara que tenhamos tempo para nos preparar.

– Bosta! – gritou Bira, vendo a primeira leva de brasas vermelhas deixar as árvores e começar a corrida pelo areião.

O homem tirou o walkie-talkie da cintura e pressionou o comunicador.

– Tatu, onde está o TUPÃ, velho? Os bandidos estão vindo! Repito: os bandidos estão vindo!

– Manda bala nos bandidos, Ernestão. Senta o dedo. A Barreira do Inferno não responde, irmão. Vou continuar tentando falar com os caras até a morte. Desce o cacete nos vampiros. Quando você menos esperar, a luz do sol vai brilhar sobre sua cabeça!

* * *

Bira largou o walkie-talkie no chão.

– Merda! Merda! – gritou Alessandro.

O velho tirou o rifle da portinhola aberta e apanhou um rojão de seis tiros no saco de estopa. Engatinhou até o fogareiro aceso e derrubou o bule de café para o lado. Colocou o estopim próximo às brasas e viu as chispas escaparem quando foi aceso. Correu de volta à portinhola e colocou o rojão para fora. O artefato explodiu e o som dos seis rojões estourando no céu deram o alarme para a vila. Os vampiros estavam atacando.

* * *

No acampamento Villa-Lobos os guerreiros preparavam-se para o confronto imediato. Graças às patrulhas e vigias colocadas em pontos estratégicos ao redor do acampamento, o exército de vampiros foi avistado aproximadamente três quilômetros antes de chegar às imediações. Um grupamento de feras da noite foi avistado quando marchavam sobre a Ponte dos Remédios, sobre o Rio Tietê, e um segundo e volumoso destacamento foi visto saindo pela boca da estação Vila Madalena. Os vigias deram o informe por rádio e acompanharam a movimentação. Em questão de meia hora, ficou clara a intenção dos malditos: estavam indo para o grande acampamento do parque.

Lucas prendeu sua capa vermelha com os dragonetes da couraça de prata. Sabia que TUPÃ acabaria com todos eles antes que chegassem aos portões do Villa-Lobos, mas seria presunção demais sequer preparar-se para a batalha.

Vicente cuspiu nas luvas de couro e levou a mão direita ao cabo da espada. Estava ansioso. Fazia meses que não tinha uma boa briga. Iria despedaçar os vermes noturnos quando estivessem próximos. Colocou a touca de malha de prata e subiu em seu cavalo. Alguma coisa lhe dizia que a briga daquela noite seria das boas.

Bento Augusto e bento Edgar, que há semanas tinham retornado do sul do Brasil, vistoriavam a preparação dos bentos novatos, vindos de Nova Prudente e da região de Belo Horizonte. Juntos, reforçavam Villa-Lobos em mais vinte e quatro espadas. Todos já tinham tido experiência em combate, contudo nada semelhante ao que se aproximava. Contavam com a providencial interferência de TUPÃ, mas cautela nunca era demais quando aqueles seres rondavam por perto.

Outro reforço importante que oportunamente estava à mão era o arsenal recuperado pelo grupo do motoqueiro Adriano. Ele e seus soldados de Nova Luz tinham trazido para Villa-Lobos, justamente no decorrer da última semana, toneladas de equipamento militar recuperado. Desde lança-foguetes a moderníssimas metralhadoras que, por conta das tecnologias de radiotransmissão incrustadas em seus sistemas, tinham sido literalmente abandonadas. Somente depois da Noite dos Milagres essas armas voltaram a ter alguma valia.

Amintas e Marcela trocaram um olhar demorado. O bento veterano chegou perto da novata, ambos montados em seus cavalos.

– Cuidado, garota. Esses bichos não são brincadeira. Você vai perder a vontade de seu corpo e vai virar uma máquina de picar vampiro... mas, pelo amor de Deus, não morra.

– Já me bati com esses vampiros antes, Amintas, e fiquei inteira para contar a história. Deixa comigo.

– Eu sei que tu é uma cabrona valente, mas não queira ser a heroína dessa vez. Fique perto de mim que tudo vai acabar bem.

Marcela abriu um sorriso largo e aquiesceu. Tirou sua espada prateada da bainha e ergueu para o céu.

– Você fica perto de mim, Amintas. Eu cuido de você, pode deixar.

Bento Rogério verificava sua espada. Estava pronto para o combate. Talvez conseguisse entrar para o grande livro dos recordes dos bentos esta noite. Se TUPÃ deixasse sobrar algum vampiro, ele não deixaria nenhum passar. Um pouco de exercício para rememorar seus tempos de campeão não seria nada mau.

O soldado Carlos e Alicate preparavam a munição das duas metralhadoras deita-cornos instaladas na alta torre de concreto que ficava no meio do parque. Caso algum maldito escapasse do fogo do céu, as armas colocariam os filhos da mãe para correr.

Ana tinha chegado primeiro ao refeitório. Escondeu-se, insana, como se não tivesse controle de sua vontade e de seus pensamentos. Entrou debaixo de uma das grandes mesas do ambiente, decidida a aguardar ali até poder controlar-se e correr para casa. A barriga contraiu mais uma vez. Uma dor lancinante cruzou todo o seu abdome, enquanto sentia a pele sobre o útero ficar dura como pedra. Queria um Buscopan, mas não tinha. As lágrimas ainda caíam de seu rosto.

Surpresa, a médica viu mais duas gestantes irromperem galpão adentro, gritando e chorando alto. Como ela, estavam apavoradas. Ana fez um sinal e elas foram se esconder ao seu lado. Não passou um minuto e mais quatro gestantes entraram e se juntaram a elas. Todas queixavam-se de dores fortes no abdome. Mais uma grávida entrou no galpão-refeitório. Ana reconheceu Fernanda, sua paciente atendida outro dia. A que lhe chamara de Ana-Olívia-Palito. As mulheres se abraçavam e choravam juntas, em visível e inusitada apreensão.

Janete esgueirou-se entre as macas que acomodavam os adormecidos no subsolo do Hospital Geral de São Vítor, até encontrar seu parceiro. Orlando estava com os olhos cerrados. Janete tocou o peito do amigo com as unhas escuras e gritou:

– Orlando! Orlando!

O rapaz vampiro abriu os olhos e viu Janete sorridente com o walkie-talkie na mão.

– Quê?

– Eles vieram. Temos a cobertura para sair daqui!

Orlando levantou-se de pronto.

– O que você ouviu?

– Ouvi que tem milhares de irmãos do lado de fora vindo para cima do muro deles e que um tal de TUPÃ não vai poder ajudar. TUPÃ é aquela tripa de sol que eles mandam pra cima de nós.

– O que a estrategista-mor sugere? Passar sebo nas canelas?

– Apesar de eu estar escondida nesse pulgueiro há tanto tempo, não é do meu feitio fugir de humanos. Vamos aproveitar para arrebentar. Podemos ajudar na invasão de São Vítor e de quebra levar um monte desses adormecidos embora.

Orlando arqueou as sobrancelhas, enquanto a vampira continuava:

– Lembra da conversa que ouvimos pelo rádio?

– Qual delas, Janete? Ouvimos tantas!

– Aqui em cima do Hospital...

– Tem as metralhadoras! – entendeu o vampiro.

Janete e Orlando, nus e encurvados, caminharam entre as macas. A vampira fez seus olhos acenderem para que pudesse enxergar na escuridão. Encontrou a escadaria e acenou para Orlando, mostrando ao amigo a entrada e um sorriso maligno.

* * *

Franjinha, Everton e Tânia estavam desesperados. Tinham ouvido pelo rádio o nome de ao menos trinta fortificações. Primeiro eram as vozes exaltadas, carregadas de urgência, pedindo que TUPÃ fosse imediatamente ativado e conduzido para seus muros; agora a melodia tinha subido um tom, ficando mais aguda e penetrante.

Franjinha olhava para a tela e via a mancha azul avançar e cobrir parte do muro do CLBI. Na tela principal, também era mostrada a contagem regressiva para a chegada do raio de sol de TUPÃ. Seus amigos soldados teriam de resistir só mais dois minutos. O satélite buscava uma órbita segura e depois abria os painéis defletores, mandando os raios solares condensados em direção ao Rio Grande do Norte e queimando todos aqueles vampiros desgraçados. Enquanto a contagem regressiva descia, aquele filme exibido no painel central era completado por uma trilha sonora angustiante.

– Franjinha! Pelo amor de Jesus Cristo! Mande TUPÃ para cá! Estamos sendo atacados! Os vampiros já cruzaram os muros de Esperança! – pedia a voz urgente do soldado, entremeada por disparos de armas de fogo.

– CLBI! CLBI! Aqui é Tatu de São Vítor! Estamos sendo atacados. Caralho! CLBI! Responda!

Franjinha passou a mão no cabelo.

– Tânia, anote o nome de todas as cidades sob ataque. Vamos queimar sobre a Barreira do Inferno e depois vamos atender tantos quantos forem possíveis. Crie uma ordem de prioridade. Se não conseguir discernir prioridade nos chamados, crie uma ordem por chegada de pedido de socorro. Não vamos deixar ninguém na mão.

* * *

Bento Teodoro, o ruivo de cabelo rastafári, inspirou fundo o ar da noite e sentiu o desagradável cheiro dos vampiros. Percebeu as novatas e o novato movendo os lábios e o nariz, sentindo aquele odor chegar. Teodoro lembrou-se dos velhos tempos. Desde que Lucas tinha chegado, os bentos conseguiam, de algum modo inexplicável, dominar parcialmente seus instintos. Antes bastava esse cheiro para quererem saltar o muro e enfiar a espada na fuça dos desgraçados. Agora conseguiam canalizar aquela energia mística para um melhor raciocínio. Conseguiam manter os músculos estancados, aguardando o ataque, aguardando a melhor hora para a ação. Mas, depois que a briga começava, tudo era como antes, golpes sangrentos e luta infernal, sem medo, sem pensamentos, sem controle... a vibração mental só ordenava uma coisa: cortar vampiros!

Ramiro apertava o cabo de sua espada enquanto seus olhos castanho-escuros percorriam os muros. Bento Ramiro e bento Célic estavam à frente de Teodoro, olhando para o muro. Os tiros de Aurélio e seus soldados espocavam furiosos. O rojão de seis tiros há muito já tinha tonitruado. Olhou para trás e fixou por um instante os olhos nos novatos. Três mulheres e um rapaz. Que fossem o bastante!

As três bentas chamavam-se Chantal, Pietra e Walquíria, já o novato atendia por Martin. Estavam visivelmente nervosos. Walquíria tinha a espada desembainhada, imitando, por segurança, os bentos experientes. A mulher olhava para as armaduras arranhadas e amassadas dos veteranos, depois para as suas armaduras reluzentes e intactas, e sentia calafrios. Era a primeira vez que ela e os demais novatos entrariam em combate. Torcia para que, como assistira tantas outras vezes da sala de controle de Marco Franjinha, o TUPÃ viesse logo e acabasse com aquilo sem que tivessem de lutar. No entanto, seus ouvidos não poderiam ser enganados por seus desejos. Os soldados em cima do muro disparavam à vontade contra guerreiros da noite cada vez mais próximos daquela muralha. Haveria luta. Haveria batismo. A mulher colocou a imagem de São Jorge na palma de sua luva de couro e, tremendo de nervoso, trouxe-a até os lábios. Iria lutar, pois assim fora feito seu destino, Deus não lhe abandonaria nessa hora.

* * *

De cima da torre de concreto do Villa-Lobos, escapavam explosões cadenciadas e desesperadas. Os portões do parque estavam tomados por vampiros. Eles vinham de todos os lados, e se o maldito TUPÃ não desse o ar da graça em questão de segundos, a desgraça estaria armada. O Villa-Lobos não contava com muros altos. Eram apenas aquelas grades verdes em toda a volta do parque. Alicate e Carlos ficavam abaixados e tapavam os ouvidos, enquanto as poderosas explosões da deita-corno se repetiam. Quando a longa fita de munição chegava ao fim, fazendo o cão da arma estalar seco, os dois soldados entravam em ação, colocando na boca da metralhadora uma nova fita totalmente carregada com projéteis comuns intercalados por projéteis revestidos de prata. O resultado era bom. Para onde quer que os soldados disparando estivessem olhando, a arma ia varrendo as criaturas e colocando grande número delas no chão. O problema era que o exército era numeroso e nem mesmo com mais dez deita-cornos seria possível conter a invasão.

– Cuidado com os bentos! – gritou Alicate, colocando a cabeça no beiral da torre e vendo que os guerreiros prateados entrariam em ação. – Eles são meio doidos e podem entrar na linha de fogo!

As metralhadoras continuaram despejando bala para baixo.

Carlos levantou-se de onde estava e olhou para trás. Dali de cima da torre podia ver o Rio Pinheiros e os restos do que fora o Shopping Villa-Lobos. Mais vampiros chegavam por ali. Pegariam o acampamento pelas costas. Acionou o walkie-talkie e falou com Gabriel:

– Gabriel, pelo amor de Deus, homem! Cadê o TUPÃ?

Um segundo de silêncio no walkie-talkie. Os disparos das metralhadoras eram infernais, entrando fundo nos ouvidos. Carlos desceu uma dúzia de degraus e colocou o aparelho no ouvido, para entender o soldado.

– ... não está respondendo. Já gritei, já esperneei, mas a Barreira do Inferno não deu resposta! Acho que hoje... acho que hoje estamos sozinhos nessa, meu irmão.

* * *

Tânia, direto da sala de controle do CLBI, acionou o rádio. Ela estava trêmula e muito nervosa. Encontrou na lista a frequência geral através da qual todas as salas de rádio das fortificações receberiam a mensagem ao mesmo tempo. Depois da geral, tentaria contato com um a um.

– CLBI para operadores de rádio do Brasil, CLBI para operadores de rádio do Brasil. Estamos sob ataque cerrado nesse momento. Os vampiros já passaram pelo muro. Não sabemos por mais quanto tempo poderemos operar, mas, assim que for possível, mandaremos ajuda a cada um de vocês. Continuem entrando em contato e passando a situação.

Tânia, com lágrimas nos olhos, viu a contagem finalmente chegar a zero. TUPÃ despejaria sol sobre o Barreira do Inferno.

– CLBI para operadores de rádio do Brasil. A situação é crítica. Estamos recebendo pedidos de socorro simultâneos de, pelo menos, vinte e três localidades diferentes. Vamos atender a todos. Mantenham-se firmes, rapazes. A situação é crítica.

Do lado de fora da sala de controle, no grande espaço aberto da Barreira do Inferno, os bentos viam os primeiros vampiros saltarem para dentro do terreno, vencendo o muro e os soldados.

Teodoro lançou uma olhada para trás. Sentiu arrepiarem-se os pelos. Aqueles novatos eram iguaizinhos ao Lucas. Viu os olhos dos quatro brilhar e ganhar um tom amarelado. Era impressionante. Teodoro voltou os olhos para a frente quando o primeiro vampiro tocou o chão. Inspirou fundo. Suas pernas pareciam pesar uma tonelada. Ficou estático feito rocha. Junto com a onda de vampiros, viu meia dúzia de soldados saltarem desesperados, procurando fugir dos dentes afiados das criaturas. Ergueu a espada. Ergueu os olhos para o céu. No manto escuro, viu um brilho rápido. Depois, um grande halo de luz surgiu na mata imediatamente após o muro. A noite virou dia, forçando os olhos claros do ruivo a buscar proteção sob suas luvas.

Bento Célio abriu um sorriso largo. Tudo acabaria bem mais uma vez. Estavam salvos! Ramiro levantou a mão, cobrindo os olhos em concha. O halo de luz vinha em direção ao muro. Em questão de segundos estaria banhando toda a várzea do Centro de Lançamento da Barreira do Inferno e livrando dos vampiros todos os soldados e trabalhadores que ali estavam.

* * *

Saulo marchava junto com seus irmãos vampiros rumo ao muro do CLBI. O comandante de seu grupo tinha recebido a informação de Anaquias de que provavelmente aquele maldito dedo de sol viria sobre suas cabeças antes que em qualquer outra frente de ataque. Isso preocupava a todos os vampiros, mas marchariam de qualquer modo. Marchariam em nome do vampiro-rei e fariam cumprir sua vontade. O vampiro-rei queria aquele lugar destruído. Queria que aquele chicote de luz fosse extinto e havia ensinado a Anaquias a maneira de entrar no coração do flagelo. O coração do sol repentino era ali, na Barreira do Inferno, depois daquela muralha de dezoito metros de altura.

Saulo olhou para os lados. Os irmãos estavam enfileirados, parecendo um exército treinado anos a fio. Queriam sangue para compensar o esforço, e o comandante Gregório tinha prometido o prêmio a todos.

Depois daqueles muros serem destruídos e de todos os soldados e humanos serem mortos, marchariam para Nova Natal e se deleitariam com os rios de sangue lá guardados. Uma frente de batalha estava agora mesmo castigando a cidade, preparando o terreno para a chegada dos guerreiros que sobrevivessem à Barreira do Inferno. Saulo abriu um largo sorriso e deixou seus dentes crescerem.

O muro estava perto, menos de cem metros. Segurou firme a tira de couro que atava o escudo em forma de uma grande escama. Centenas de seus companheiros escalavam a muralha. Tiros passaram a zunir em todas as direções. Um batalhão de vampiros munidos de armas de fogo retornou à carga. *Gritos! Ah, como eram deliciosos os gritos humanos!* Viu seus companheiros infestarem a muralha. Gritos entre os vampiros próximos. Cheiro de sangue fresco.

Saulo olhou para o céu. Um brilho acima de suas cabeças. No instante seguinte, um facho curvo chegando à floresta logo atrás deles. Seus olhos arderam e começaram a queimar. A luz vinha em sua direção. Desesperados, os irmãos começaram a correr. Saulo correu na direção do muro e desatou a tira de couro que cruzava seu peito, liberando o grande escudo de ferro tingido de negro.

– Juntar! Juntar! – comandou o vampiro.

Sabiam que precisavam de vinte vampiros para tentar safar-se.

– Juntar! – gritou mais uma vez Saulo, sentindo o calor da luz do sol vindo em sua direção e sentindo a pele e os olhos arderem como nunca.

* * *

Franjinha, Everton e Tânia só não vibraram e comemoraram com urras o facho de luz sobre o CLBI porque sabiam que muitos outros povoados precisavam de ajuda naquele instante. Mesmo assim, o trio trocou um sorriso rápido.

O engenheiro acompanhou pela tela o deslocamento lento do facho de luz solar. Manteria TUPÃ iluminando a Barreira do Inferno por noventa segundos. Não podia provocar sobreaquecimento do sistema, do contrário o satélite ficaria travado por quase meia hora. Sabia que aquela rajada de luz seria o bastante para queimar os malditos, pouquíssimos deles sairiam vivos daquele ataque. Um ou outro sempre tinha a sorte de se enfiar em um buraco e se safar dos raios de sol, mas, assim que a noite voltasse, tratariam de bater em retirada sem constituir ameaça.

* * *

Dentro dos muros da Barreira do Inferno, os soldados e os bentos novatos irromperam em gritos extasiados.

Ramiro levou o walkie-talkie até a boca:

– Ramiro para Aurélio. Ramiro para Aurélio.

– Aqui é Fernando – respondeu a voz pelo rádio. – Aurélio foi baleado, preciso levá-lo para a enfermaria urgente.

– Os vampiros fugiram? Foram queimados? Informe, soldado.

– Estou até tossindo com tantas cinzas aqui em cima do muro, eles tinham praticamente encoberto tudo, está difícil de andar. Tem brasas incandescentes para todos os lados. Os que estavam lá embaixo encerraram o ataque, mas eu não sei se foram embora.

– Como assim?

– É melhor tu subir aqui, Ramiro. Eu não sei o que está rolando.

Ramiro baixou o walkie-talkie e olhou para bento Célio. Os dois começaram a correr, deixando os vivas para trás. Entraram na escadaria que corria por dentro do muro e logo alcançaram o vão de manobras no topo da construção. Como ao pé do muro, lá em cima havia muita fumaça. A luz de TUPÃ ainda pairava em cima de suas cabeças e um calor desconfortável começava a tomar conta dos bentos dentro das armaduras.

Ramiro desviou-se de dejetos de vampiros mortos e saltou uma fileira de brasas incandescentes. Alcançou o soldado que segurava Aurélio no chão. O líder dos soldados já estava inconsciente.

– Ele ainda está vivo. Mas, se não levarmos o cara agora para a enfermaria, ele não vai resistir – disse Fernando.

Ramiro passou a mão pela cabeça. Viu meia dúzia de soldados mortos. Outros ocupados em recarregar as armas e ficarem prontos para um novo ataque. O bento finalmente olhou para fora, para o areião recém-construído ao redor da Barreira do Inferno. Já podia ver o final do halo e a escuridão engolindo a floresta. O chão de areia branca refletia uma luz cegante. Via brasas e cinzas de vampiros para todos os lados, mas algo impressionante roubou sua atenção. Ele viu conchas sobre todo o areião. Eram formações negras e estranhas, lembrando iglus de esquimós, mas, ao invés das construções de gelo, eram algo escuro, como escamas grandes, como círculos duros. De dentro de alguns deles escapavam labaredas e fumaça, em outros havia certo movimento nas imensas escamas, enquanto outros permaneciam imóveis. Os olhos do bento se detiveram sobre um dos quais escapava fumaça. Depois, as escamas se separaram, desmanchando o iglu de escudos, e subiu ao céu uma grande língua de fogo.

Ramiro arregalou os olhos e empalideceu. Levou o walkie-talkie à boca e berrou:

– Preparem-se! Eles vão atacar novamente! Vão voltar com carga total!

Lá embaixo, dentro do CLBI, os soldados, que se mantinham atentos ao rádio, ouviram a mensagem de Ramiro. O facho acabava de vencer o muro e ia devolvendo lentamente à Barreira do Inferno a escuridão. Os soldados passaram a gritar mais alto que aqueles que festejavam a vitória incompleta.

As bentas Walquíria e Pietra estavam juntas e trocaram um olhar aflito. Pensavam que estavam livres daqueles malditos vampiros, mas, vendo aquele novo corre-corre, voltaram a colocar as mãos nos cabos das espadas.

* * *

– Eles vão atacar! Eles vão atacar novamente! – gritavam os soldados com rádio.

Saulo gritou de dor. Sua mão exalava uma fumaça preta e o ardor era insuportável. Se aquela tortura não acabasse logo, iria entrar em combustão em poucos segundos. Com os olhos inchados e totalmente vermelhos em razão da claridade, assistiu a mais dois de seus parceiros também começarem a soltar fumaça da pele. Um deles tinha uma coluna de fumaça escapando da orelha esquerda. Estavam pegando fogo!

Saulo, temeroso, gritou ainda mais.

– Calma! Calma! – gritou Flora, uma das vampiras protegidas pela cabana de escudos. – O sol desapareceu! Vamos à forra!

Saulo deixou o escudo cair e foi de joelhos à areia branca. Colocou a mão fumegante entre as pernas e olhou para o céu escuro, cheio de estrelas. Olhou ao seu redor, dezenas daquelas cabanas de escudos começaram a abrir feito ovos do mal. *Tinha dado certo! Caralho! Tinha funcionado!*

Saulo olhou para o pé do muro a cinco metros de distância. Um soldado caído gemia de dor com a perna fraturada em três lugares. Saulo correu até o soldado e grunhiu ao aproximar-se, desceu a boca escancarada na jugular do humano e deixou o sangue saltar para o céu da boca. Sugou com gana e com prazer. A vítima debateu-se um instante e logo deslizou para a inconsciência. Saulo largou o corpo do humano e ergueu o rosto sangrento para a muralha. Queria mais sangue!

Olhou para a mão ferida e escurecida pelo aquecimento solar e a viu se regenerando diante dos olhos. A pele branca e as veias escuras carregavam agora um pouco do milagre da vida, que pulsara no sangue daquele infeliz. Saulo olhou novamente para o muro e começou a escalá-lo, enfiando as unhas pontiagudas nas reentrâncias que encontrava. Subiu com habilidade. Acostumado à escalada das árvores, chegou ao topo com rapidez. Inspirou fundo. Queria sangue humano. Muitos dos seus também vinham.

Em cima do muro, saltou com agilidade para dentro do corredor de manobras. Tocou com suavidade o chão da parte interna da muralha. Soldados e bentos gritavam, desnorteados com o espetáculo a que assistiam. Milhares de vampiros tinham sobrevivido à investida do sol certeiro. *Não contavam com isso, estava escrito em seus olhos!* Saulo aproveitou-se da desorientação. Quase rastejando, moveu-se com velocidade espetacular em direção ao soldado mais próximo. Levantou-se repentinamente, simplesmente "surgindo" à frente da vítima. O soldado arregalou os olhos e gritou, trazendo o rifle na direção do vampiro. Saulo arrancou com facilidade a arma do humano e arremessou o rifle muro abaixo. Seus caninos mergulharam no pescoço do rapaz. O vampiro sorveu um gole de sangue e fechou a mandíbula com toda força, arrancando um pedaço da jugular, da carne e dos músculos.

Afastou-se do homem e deixou-o debatendo-se, letalmente ferido. Outro soldado corria em sua direção com a arma erguida. Esquivou-se da saraivada de balas. Azar para três homens que estavam atrás, que acabaram feridos pelo fogo amigo. Quando o soldado refazia a mira, dois vampiros venceram o muro e se atiraram contra ele. Saulo aproximou-se e tomou-lhe a arma, fazendo outro rifle voar para o areião. Afastou-se um passo e girou com as unhas negras, passando sobre a barriga e o pescoço do humano. Deu as costas à vítima e desviou-se de um novo soldado.

Olhando para trás, viu que suas unhas tinham aberto cortes profundos no homem que caíra de joelho e segurava os ferimentos do pescoço na vã tentativa de manter a vida dentro das artérias. Saulo riu com vontade. Olhou o muro. Centenas de vampiros passavam pelo corredor de manobras, levando com eles a vida de quem encontravam pela frente.

O vampiro voltou lentamente pelo caminho que tinha feito, até parar aos pés do primeiro soldado. O pescoço com a grande ferida aberta ainda jorrava sangue. Abaixou-se e sorveu mais do líquido quente. Sentia-se energizado. Pronto para acabar com a raça de mais uma centena de soldados. Levantou-se, sujo de sangue. Os olhos arregalaram-se quando um homem trajando um peito de prata e uma capa vermelha esvoaçante partiu para cima dele. Saulo saltou do muro em direção à várzea interna da Barreira do Inferno. Nada de lutar com bentos. Os malditos eram sortudos com aquelas espadas de prata pura.

Saulo caiu sem peso. Balas cortavam o ar e vinham em sua direção. O muro a suas costas salpicava com o impacto dos projéteis, lançando poeira para cima e dejetos de cimento e pedras sobre os que estavam mais próximos. O vampiro virou estrela, desviando-se das balas, e escondeu-se atrás de uma pilha de brasas incandescentes. O sangue do soldado correndo em suas vísceras lhe dava velocidade e mais gana. Contudo, não poderia esquecer o objetivo principal daquele ataque maciço. Tinham de controlar o instinto de busca por sangue. Precisavam se comportar como uma unidade militar.

Tinham de destruir a base e tornar impossível o uso daquele sol repentino novamente.

* * *

Everton cutucou Franjinha. O engenheiro, que digitava as coordenadas de São Vítor, não deu atenção. Everton cutucou de novo.

– Um momento! Um momento, porra! – gritou Franjinha, concluindo o processo.

Quando o jovem engenheiro terminou de digitar as coordenadas, olhou para Everton. O rapaz apontava para a tela principal, onde o satélite dois exibia as imagens da Barreira do Inferno. Muitos pontos vermelhos estavam alinhados com o muro de Aurélio, revelando que o ataque de TUPÃ tinha queimado centenas de vampiros, mas, inexplicavelmente, milhares de pontos azuis mantinham-se em movimento e ao menos um quarto deles estava passando pelo muro naquele exato momento.

– Muda as coordenadas, Franja. Muda! Eles vão entrar aqui e acabar com tudo.

Franjinha já tinha pensado nisso. Era obrigado a pensar nisso. Tinha de ter uma saída.

– Agora é impossível. Já entrei com as coordenadas, não dá para parar no meio do processo. Eles também estão precisando de ajuda em São Vítor, em São Pedro, em Nova Natal...

– Mas você mesmo disse que nós somos a cabeça... sem a gente em pé ninguém será socorrido!

– Olhe pra tela, Everton! Não dá pra detê-los agora! Eles vão invadir a Barreira do Inferno!

* * *

Janete alcançou o final da escadaria social do Hospital Geral de São Vítor. Agora só tinha diante de si um lance de escadas metálicas que ligava ao telhado do prédio. Tinha ouvido no rádio que lá ficavam duas deita--cornos. Ouvia os disparos impressionantes vindos de algum lugar, não longe dali. Talvez fosse o som delas. O som das famosas metralhadoras de picar vampiros. Certamente seus irmãos já lutavam dentro da cidade e vinham em direção ao hospital. Janete limpou o sangue ao redor da boca e, suavemente, tocou a porta de madeira.

A madeira tremia junto com as explosões ritmadas vindas lá de cima. A vampira fez um sinal para Orlando acompanhá-la. O caminho estava seguro.

Orlando encarou o rosto pálido e rasgado de veias negras da amiga e a seguiu escada acima. Viu Janete girar a maçaneta sem encontrar empecilho algum. Assim que a porta foi aberta, o barulho das explosões cresceu dez vezes. Eram potentes aquelas armas. Orlando sorriu. Como é que Janete tinha tido uma ideia daquelas?!

A vampira nua cruzou o umbral da porta. Seria uma surpresa e tanto para aqueles soldados. Janete encontrou outro lance de escadas. A noite de céu limpo estava salpicada de estrelas. A vampira inspirou fundo, sentindo o cheiro dos irmãos. Junto com o cheiro deles também vinha o perfume magnífico de sangue humano. Eles tinham pegado os miseráveis de São Vítor de jeito, provavelmente bem no meio da festa que tinham tanto planejado e trabalhado em cima.

A vampira abaixou-se assim que chegou ao telhado. O topo do prédio era todo recoberto por pedra britada, bem amplo e plano. Contou trinta soldados junto à metralhadora. Os outros traziam rifles ou fuzis e estavam ocupados demais para notar a sua, até aqui, sutil presença.

Janete olhou para trás e fez um sinal para que Orlando aguardasse na escada. A vampira viu a outra metralhadora na outra ponta do telhado, paralela à primeira. As duas voltadas para o que os habitantes de São Vítor chamavam de muro dois.

Janete começou a caminhada em direção à metralhadora mais próxima. Quando o soldado acionava o gatilho, as explosões eram longas e potentes. Era uma atrás da outra, levava apenas o tempo de soltar o gatilho e refazer a mira, buscando um novo inimigo. Quando disparava, a fita de cartuchos passava pelo mecanismo e, a cada sequência de explosões, dúzias de cápsulas vazias eram cuspidas para cima, criando uma pilha ao lado do soldado. Enquanto isso, os fuzis dos outros soldados não davam descanso, disparando sem parar. Foi por isso que a vampira conseguiu andar cerca de vinte metros sem sequer ser notada.

Andrei puxou o gatilho mais uma vez. Seu fuzil disparou triplamente. Derrubou um vampiro. Sorriu. Respirou fundo. Escolheu novo alvo. Puxou o gatilho. *Clec! Clec! Clec!* A munição chegara ao fim. Esbaforido, deixou o corpo cair sobre as britas. Não ia arriscar o coco trocando o municiador. Esse ataque estava quente. Os malditos estavam atirando de volta, o que era raro. Com agilidade, soltou o cartucho vazio e puxou do colete o municiador cheio, enfiou no engate e destravou o fuzil. Preparava-se para levantar e voltar a atirar, quando viu a mulher.

Ela estava nua. Andrei ficou paralisado, o olhar nos olhos da criatura. Como era bela! Deveria ser uma recém-desperta que acordara bem agora, no meio daquela confusão. Ela o olhava diretamente nos olhos. Andrei moveu a boca, mas não conseguiu falar. *Que mulher linda!* Não conseguia desviar o olhar.

Ela começou a correr em sua direção. Andrei assustou-se e colocou-se de pé, percebia agora a palidez da garota e as veias roxas cruzando seu corpo nu. Era como tomar um balde de água fria na cabeça, como desvanecer um feitiço. Ela abriu a boca. Dentes longos.

– Uma vampira! – foi o último grito do soldado.

Janete passou as unhas na jugular de Andrei. Antes que ele caísse de joelhos, agarrou o segundo e arremessou-o prédio abaixo. O terceiro apontava o rifle na direção da vampira. Janete esquivou-se do disparo à queima-roupa e suas unhas afiadas descreveram um arco fatal, abrindo um rasgo no pescoço do rapaz. Ela saltou e alcançou o soldado da metralhadora. A arma era grande e pesada e ele não teve tempo de usá-la. Ainda assim, o rapaz esquivou-se agilmente das unhas de Janete. A vampira grunhiu nervosa.

O soldado puxou uma faca e deu uma estocada no abdome da vampira. Janete gritou. Alcançou com a mão o pescoço do rapaz e espremeu sua traqueia. Agarrou a metralhadora das mãos dele, antes que a arma caísse pelo beiral do telhado. Ela ergueu a metralhadora e virou-se para os soldados que disparavam contra ela. Acionou o gatilho uma vez. Domou o empuxo da calibre cinquenta e varreu o telhado, disparando contra o grupo junto da outra metralhadora. Muita poeira e fumaça subiram.

Quando a cortina se desfez, Janete confirmou o que o silêncio lhe dizia. Estavam todos no chão.

Orlando, atraído pelo hiato de explosões, adentrou o telhado. Viu Janete, triunfante, com uma das metralhadoras nas mãos, enquanto cerca de vinte homens estavam no chão, a maioria morta. Orlando correu em direção a um deles que, ferido e deitado, tirava uma pistola do coturno. Mergulhou os dentes no pescoço quente do homem e drenou-lhe o sangue. Sentiu os músculos do humano amolecerem. Apanhou a pistola de suas mãos fracas e levantou-se. Caminhou pelo telhado com a arma em punho e disparando contra a cabeça de cada um dos que ainda se mexiam. Depois olhou para trás e encontrou Janete colocando a metralhadora no beiral do telhado. Orlando foi para a segunda deita-corno e imitou a amiga, empunhando a grande metralhadora.

– Quem matar mais bentos ganha o prêmio! – gritou a mulher.

Janete fez mira nos homens e nas mulheres que corriam pelas ruas do vilarejo, procurando abrigo e fugindo dos vampiros. Era a hora de virar o jogo.

* * *

Amaro estendeu o braço e atirou com a pistola. Balas revestidas de prata. Sempre preferia a pistola quando o combate era dentro de São Vítor. Achou que nunca mais veria aquilo, mas estava terrivelmente enganado. Os malditos tinham transposto o muro em grande número e, para piorar a situação, todo o sistema bélico da cidade estava comprometido por culpa do carnaval. Em contrapartida, havia mais soldados do que de costume dentro dos muros. Muitos tinham vindo em caravanas de fortificações distantes para as festividades. Também era a primeira vez que defendiam São Vítor de um grande ataque, podendo contar com o apoio do rádio.

Amaro respirava com dificuldade. Estava cansado de tanto correr. Recostou-se na parede externa de um casebre e ergueu a pistola. Os cidadãos corriam desnorteados, entrando nas casas e travando as portas e janelas como podiam. Pelo rádio, soube que o CLBI não estava respondendo e que Tatu não tinha previsão para entrar com auxílio do sol de TUPÃ.

Correu mais duas ruas. Um vampiro saltou do telhado de uma das casas em cima do líder dos soldados. Amaro rolou no chão de terra batida. O vampiro agarrou seu pescoço e apertou. Amaro gemeu e sentiu dor. Apertou o gatilho da pistola.

Caiu no chão. O vampiro, ferido no peito com o projétil prateado, rastejava e recostou-se numa casa. Chen surgiu vindo pela viela ao lado. Viu o amigo caído e olhou para o vampiro. Atirou contra a criatura, cravando um balaço na sua cabeça. Estendeu a mão para Amaro e continuaram a marcha. Tinham de defender o Hospital Geral, os vampiros sempre iam para lá.

Bento Pedro fez a espada correr o ar. A cabeça do maldito voou para o lado e antes que batesse no chão sua lâmina decepava o braço de outro atrevido que vinha em sua direção. Ao seu lado, rápido como um gato, lutava bento Bosco, um novato que, como Lucas, fazia os olhos fulgurarem amarelo-vivo. O jovem e estreante bento não se fizera de rogado e trespassava com sua espada dois vampiros de uma só vez. Um terceiro agarrou Bosco pelas costas. O bento desferiu uma violenta cotovelada no animal pálido e fê-lo desmontar. Era uma mulher. Bosco, tomado pela sanha e pelo desejo de aniquilar as criaturas da noite, sequer processou. Sua espada desceu pesada, repartindo a cabeça da mulher feito uma melancia. Enfiou o coturno no colo da criatura e empurrou para que a espada deslizasse para fora dos ossos torácicos da vampira. Bento Pedro girou e cortou outro vampiro. Estavam sendo cercados rapidamente. Não aguentariam muito tempo sem reforços.

Chen e Amaro chegaram na hora. Os bentos estavam em apuros. O líder de traços chineses ergueu seu rifle e sentou o dedo, tirando de ação dez vampiros que iam cercando Pedro e Bosco.

Amaro descarregou a pistola com tiros certeiros. Ouvia os disparos potentes das deita-cornos instaladas no telhado do HGSV e torcia para que muitos dos vampiros fossem liquidados. Perderia alguns minutos ali.

Pedro percebeu a folga criada por Chen e Amaro. Derrubou mais dois vampiros com a espada e viu o corredor livre entre as últimas casas. Seu instinto também o empurrava em direção ao Hospital Geral. Os vampiros não poderiam pôr as mãos nos adormecidos. Caso tomassem controle de São Vítor, teriam refeição garantida para centenas de anos.

Correu pelo corredor. Ao deixar a proteção das casas, teria de atravessar um terreno com cerca de duzentos metros. Viu vampiros correndo na direção do grande prédio. Bufou, puxando ar para os pulmões. Não deixaria que chegassem. O som da deita-corno era poderoso. Seus olhos vacilaram quando percebeu que as balas não atingiam os malditos. As balas estavam derrubando homens, mulheres e crianças que corriam em busca de abrigo!

Bento Bosco seguiu atrás de bento Pedro. Correu mais rápido, alcançou um maldito. A espada atingiu primeiro o inimigo na batata da perna. O vampiro rodopiou e caiu de costas. A fera ergueu os braços para se proteger do golpe e, antes que pudesse gritar, sentiu a pele de seu peito queimar com o corte da espada de prata.

Bosco arrancou a espada do inimigo e virou-se, recebendo o impacto do corpo de outro vampiro. O bento cambaleou e, antes que recobrasse o equilíbrio, o vampiro agarrou sua capa vermelha e puxou-a com violência, levando-o ao chão. O bento ergueu os pés e impediu que o vampiro agarrasse seu pescoço com as unhas afiadas, empurrando o peito da criatura com a sola dos coturnos.

Pedro socorreu o parceiro, deixando o vampiro acéfalo antes que percebesse a aproximação do inimigo pelas costas. Deu a mão para que Bosco se levantasse. Tinham de sair dali. Antes que desse o primeiro passo, olhou para o lado e surpreendeu-se com pedaços do chão gramado sendo arrancados e explodindo. Não tiveram tempo de correr ou entender. Pedro tombou quando as balas perfuraram sua armadura prateada. Bosco recebeu um tiro na coxa e caiu gritando, assustado.

Chen e Amaro, que seguiam em direção ao descampado imediato ao hospital, estacaram ao perceber os tiros da deita-corno vindos na direção dos guerreiros. Gritaram quando viram os dois sendo atingidos. Deitaram-se e procuraram proteção. A saraivada de balas passou perto de seus corpos e estraçalhou parte da parede da casa que estava em suas costas. Levantaram-se e correram até os bentos, arrastando os dois para a proteção do grupo de casas. A coisa estava feia e não parecia perto de melhorar.

* * *

Hector não parava quieto. Estava indignado em ter de ficar trancado naquele cômodo até tudo se tranquilizar. Sua amiga Gisele compartilhava da mesma opinião. Eram bentos e deveriam estar com os semelhantes do lado de fora, defendendo São Vítor. Só pelo fato de que ele tinha dez anos, e sua amiga, onze, pronto, eram tratados feito crianças. E eram crianças de fato, a isso não contestava. Mas ficar trancado? *Isso já era demais! Por que tinham feito armaduras para eles? Por que tinham colocado espadas reduzidas em suas bainhas?* Vestiram-nos feito guerreiros e tratavam-nos feito enfeites, bibelôs que serviam apenas para fazer graça aos visitantes!

Hector ia para lá e para cá sob o olhar vigilante das oito senhoras que cuidavam das crianças bentas. Iguais a ele e Gisele, tinham mais duas. Dois garotos, um de cinco e outro de sete anos, que, igualmente a Hector e Gisele, tinham despertado bentos. Esses dois tinham sido mandados para outras fortificações, pois, em seus prontuários, afortunadamente, havia pistas sobre o paradeiro de parentes. Hector e Gisele, cada vez mais amigos, voltaram a ficar sozinhos e a receber toda a atenção das senhoras.

– Deixa a gente ajudá-los, tia! – insistia Hector.

– De jeito nenhum. Lá fora é muito perigoso. Você é um bentinho e vai querer atracar-se com os vampiros.

– Ora! Mas é justamente para isso que despertei bento!

– Você é muito novo. Não pode ir.

Hector olhou para o cadeado que selava a porta de madeira. Talvez um golpe bem dado desmontasse a tranca.

* * *

Enquanto isso, na base Villa-Lobos, Gabriel, pesaroso, apanhou o comunicador e avisou todos os que tinham walkie-talkies.

– A Barreira do Inferno está sob ataque junto com mais vinte e três cidades. Não há previsão para auxílio de TUPÃ. Repetindo, não há previsão para auxílio de TUPÃ. Defendam o acampamento e suas vidas como puderem. Que Deus ajude a todos nós.

Ouvindo a mensagem pelo rádio, bento Vicente ficou estático por um segundo. Villa-Lobos estava completamente tomado pelos vampiros. As criaturas estavam em todas as cercas e tinham derrubado metade delas, como se esperassem aglutinar mais e mais feras da noite para saltarem todos ao mesmo tempo contra os soldados e bentos ali dentro. Apesar de todas as armas que tinham à mão, se os bentos não colocassem algum plano em prática, estariam perdidos.

Vicente olhou ao redor. Não havia como salvar a todos, mas havia uma chance de resistir com maior eficácia se não ficassem todos dispersos sobre aquela pista de concreto.

Vicente levou o walkie-talkie à boca e disse:

– Soldados! Agrupar! Agrupar!

* * *

Ana e as demais grávidas, um grupo que passava fácil de sessenta gestantes, abaixaram-se ao ouvirem balas vindo na direção do refeitório. Ana estava tonta. As mulheres, mesmo parecendo ter as bocas seladas e mudas, não paravam de falar na cabeça da médica. Ouvia os gritos, as lamúrias e os temores. E, sem saber, esses sentimentos se passavam na mente de todas as outras. Estavam no meio de um inferno.

Ana abandonou o esconderijo debaixo da mesa e rastejou até uma das amplas janelas do refeitório. Sua barriga voltou a doer imediatamente, sentindo o útero endurecer e contrair. A médica olhou pelo vidro. Via centenas de vampiros correndo pelas ruas de barro daquela parte de São Vítor. Não sabia se consideraria aquilo sorte ou azar, mas o fato é que eles corriam em direção ao HGSV.

Um vampiro interrompeu sua corrida. Ergueu a narina. Cheiro de sangue. Olhou na direção do galpão e leu no letreiro frontal a palavra "Refeitório". Nada mais convidativo. Chamou a atenção do grupo que o precedera, fazendo-os retornar.

Ana prendeu a respiração. Seu sangue gelou quando viu cerca de trinta daquelas criaturas horrendas parando de correr e olhando em sua direção. Estavam vindo na direção do galpão.

A médica olhou para o grupo de amigas gestantes. Sob uma das mesas, viu Fernanda. Ela segurava o braço. Ana aproximou-se, aflita, passo a passo. Parou em frente à paciente. Abaixou-se junto à mulher e puxou a mão que cobria o braço. Fernanda gemeu. Ela tinha um corte que sangrava.

– Estamos perdidas... – murmurou.

Uma onda de medo cruzou-as ao mesmo tempo. Voltaram a chorar em conjunto, como se estivessem todas atreladas à mesma central de sentimentos. Juntas, em uma espécie de corrente, também sentiram nova contração. Esta, tão intensa que fez a maioria curvar-se e urrar de dor. O que estaria acontecendo com aquelas mulheres?

* * *

Nesse mesmo instante, Hector e Gisele sentiram uma energia forte cruzando seus corpos. Os dois, sem desejar, acenderam os olhos e um fulgor amarelado tomou o quarto. As senhoras babás afastaram-se das crianças, tomadas de susto.

Hector olhou novamente para o cadeado e desta vez não hesitou. A arma do menino varreu o ar e arrebentou a tranca. A dupla de bentinhos deixou o cômodo diante das senhoras atônitas. Deixaram a casa e correram na direção do galpão-refeitório. Era para lá que tinham de ir. Era lá que seriam úteis.

* * *

Os vampiros que cercavam o refeitório interromperam o avanço.

– Esperem – disse o líder. – Esse lugar deve estar infestado de soldados.

– Não sei. O que eu sei é que está infestado de sangue. Sentem o cheiro?

As criaturas trocaram um olhar rápido.

– Vou buscar reforços. Precisamos de irmãos armados para dar cobertura ao nosso ataque.

Bento Dimas, bento Justo e mais três mulheres bentas perseguiam vampiros. Os malditos corriam rumo ao Hospital Geral. Mensagens vindas pelo walkie-talkie davam conta de que um ataque maciço ao HGSV estava em progresso. Tinham de reforçar o grupo de resistência até que a luz de TUPÃ pairasse sobre o céu de São Vítor. Atravessavam nesse instante um conjunto de casas nas proximidades do galpão-refeitório quando se depararam com um grande grupo de vampiros. As criaturas que os bentos perseguiam se misturaram ao grupo novo. Dimas nem tomou tento da quantidade de inimigos. Sua espada foi ao alto e desceu no meio do crânio do primeiro que vinha na onda. A ruela estreita entre as casas dificultava a ação dos inimigos e favorecia os bentos.

As novatas encouraçadas também se atiraram contra os vampiros. A maioria deles agia como animais acossados, retrocedendo, xingando ou soltando rugidos de feras. Eram bichos insanos, de olhos vermelhos e cheiro repugnante.

O líder do grupo dos vampiros não perdeu tempo com o combate. Furtou-se pela brecha entre uma casa e outra, sendo seguido por mais um tanto do seu bando. Tinham um objetivo em mente.

* * *

Tatu ouviu uma batida seca na porta. Continuava falando com a Barreira do Inferno. Estava a ponto de ter um colapso nervoso, tão alto eram os gritos e a quantidade de tiros que vinham lá de fora. Não podia largar o rádio para atender a porta. Outra batida. Tatu ouviu um chiado vindo pela caixa acústica, depois a doce e desejada voz de Tânia chegou:

– A contagem regressiva para o disparo de TUPÃ já está em andamento, São Vítor.

– Graças a Deus! – gritou o soldado.

– Cento e setenta segundos e descendo! Faremos uma passagem única de TUPÃ, o defletor não pode entrar em superaquecimento, temos mais uma paulada de fortificações sendo atacadas nesse momento! Avise aos soldados de São Vítor: uma passada e nada mais!

– Entendido, Barreira!

– Boa sorte, São Vítor. Câmbio e desligo.

Tatu pressionou o botão do walkie-talkie na frequência dos líderes de soldados. Outro impacto na porta. Tatu arrepiou-se. Aquilo não eram mais batidas, alguém tentava arrombar a sala do rádio. *Vampiros!*

– Atenção, comandantes! Tatu falando. Barreira do Inferno avisou que o sol chega em dois minutos e meio. Será uma passada só. Matem os infelizes e segurem as pontas.

Tatu parou para tomar fôlego. Outra batida contra a porta de madeira. Desta vez, todo o batente tremeu, fazendo poeira descolar e cair. Tatu pressionou o walkie-talkie novamente.

– A propósito, se alguém pudesse vir acabar com os vampiros que estão tentando entrar na sala de rádio, eu ficaria muito grato.

O soldado desligou o walkie-talkie. Sabia que o bicho estava pegando e que a ajuda iria demorar. Apanhou a Glock em cima da mesa e apontou para a porta, que tremeu mais uma vez.

* * *

O casal de pequenos bentos alcançou o refeitório. Era como se inúmeras vozes entrassem em suas cabeças e os conduzisse até ali. Era uma onda elétrica que tomava seus sentidos e colocava metas urgentes. O trajeto tinha sido fácil, como se olhos que não os deles vigiassem o caminho e dissessem por onde seguir sem resvalar nos malditos noturnos.

Com espadas em punho, Hector e Gisele adentraram o refeitório.

As mulheres estavam desnorteadas, algumas gritando.

– Fechem a porta! Fechem a porta! Os vampiros estão querendo entrar! – disse uma delas.

Ao mesmo tempo em que a gestante alertou, barulhos foram ouvidos sobre as telhas, fazendo com que todos olhassem para cima.

– Nós viemos ajudar vocês! – exclamou Gisele.

As grávidas se entreolharam. Era sério aquilo?

– Cadê os bentos adultos?

Hector travava a porta enquanto respondia:

– Estão ocupados. Só sobramos nós dois.

– Ai, meu Deus... – gemeu uma das mulheres com a mão no ventre.

– Não quero perder meu bebê, doutora. Não quero – suplicou outra para Ana, que improvisava um curativo no braço de Fernanda.

– Calma, gente. Calma. A gente vai ter de aguentar as pontas. Nós temos nossa força... nós temos os bentos... – Ana fez uma pausa e olhou para as duas crianças. – São pequeninos, mas hão de nos fazer companhia.

As grávidas continuavam debaixo das mesas, procurando acuarem-se ao máximo, ficando longe das janelas e das portas do galpão.

Do lado de fora, próximo dali, o líder dos vampiros, que queria invadir o galpão, encontrou alguns semelhantes com metralhadoras e fuzis. Conduziu-os até a entrada do local, prometendo sangue fresco. Não precisou dizer mais nada para chamar a atenção dos vampiros armados.

Uma vez ali, fizeram o trajeto até a porção do prédio que correspondia ao refeitório e, sem rodeios, começaram a disparar contra o galpão. Se houvesse algum soldado lá dentro, seria pego de surpresa e morto naquele instante. A rajada de disparos contra as janelas e madeiras que compunham o prédio durou mais de um minuto, sem que ninguém detivesse os inimigos.

O vampiro líder, satisfeito, levantou a mão, ordenando que interrompessem os disparos.

A cortina de fumaça desvaneceu, revelando o resultado inusitado do ataque. O galpão estava simplesmente intacto.

– Quê?!

– Que droga é essa?

– As janelas são blindadas! – gritou uma vampira, que empunhava um revólver 38.

A vampira recarregou a arma e aproximou-se da ampla vidraça à sua frente. A peça era subdividida em seis vidros grandes, de meio metro de altura cada um. Apontou o revólver para a vidraça e descarregou a arma. As balas ricochetearam inexplicavelmente.

– Aaah! Como isso me irrita! – gritou o líder. – E as portas de madeira e todo o resto? Impossível ser tudo à prova de balas.

De fato, não havia sequer um risco nas madeiras que emparedavam o galpão. Indignado, o vampiro virou-se para o terreno às suas costas e encontrou uma pilha de caibros no chão.

– Ah! – sorriu indo apanhar uma das peças.

Com a madeira pesada, partiu contra a porta dupla do galpão e, de tão irritado, esqueceu-se completamente de sua preocupação primeira, que era a possível presença de soldados armados no recinto.

O vampiro golpeou com insistência a porta dupla, fazendo-a tremer, mas sem conseguir arrombá-la. Olhou para o bando, que acompanhava estático sua tentativa, deixando-o ainda mais irritado, e disse:

– Vamos, babacas! Estão esperando o quê?!

Do lado de dentro, o pequeno bento Hector olhou para as grávidas, depois para Gisele. As gestantes tremiam feito vara verde.

– Eles vão entrar – gritou Fernanda, vendo a porta dupla balançar com o novo impacto.

Todas gritaram. Cada qual com sua dor. Os bebês pareciam sofrer com o medo em demasiado da mãe.

Gisele aproximou-se de Hector e disse:

– Temos de fazer alguma coisa. Eles não podem entrar aqui.

– Eu tenho uma ideia, só não sei se você vai gostar.

– O quê?

– Podemos pular lá pra fora e distraí-los.

– Distraí-los com o quê?

– Com isso – disse o menino, puxando a espada feita sob medida pelo ferreiro Magal.

– Loucura, Hector, nunca entramos em combate.

– Somos pequenos, mas somos bentos também. Todo mundo fala que, quando chega a hora de lutar, a gente luta, mesmo sem saber, mesmo sem lembrar de nada depois. Nós somos bentos, Gisele. A gente consegue.

A garota passou a mão pela boca. Estava com medo, mas o que o amigo dizia era verdade. Desde que botaram nela aquela armadura no peito e aquela imagem de São Jorge, diziam que ela era uma benta. E ouvia da boca dos outros que os bentos novatos sempre morriam de medo no primeiro confronto, mas, quando chegava a hora, lutavam.

– E como vamos sair? – perguntou.

Hector apontou para as janelas.

– Elas são blindadas, Hector. Não está vendo? Os tiros dos malditos não estão passando.

– Isso pra mim não é blindado coisa nenhuma e, se formos por ali, vamos conseguir.

– Como pode estar certo?

– Como você veio parar aqui, Gisele?

A menina não respondeu.

– Foi alguma coisa na nossa cabeça. E essa coisa tá dizendo pra gente ir por ali que vai dar certo.

– Ai, minha mãezinha! – gemeu a menina.

– Não precisa ir. Eu vou sozinho. Você tá com mais medo do que elas. Fica aqui.

A menina caminhou nervosa até perto do amigo.

– Eu não tô com medo, Hector – disse com lágrimas nos olhos, e, tirando a espada diminuta da bainha, completou: – Eu tô apavorada!

– Então fica aqui, caçamba!

– Não. Eu vou contigo. Somos amigos. E esse troço na minha cabeça não me deixa em paz.

Hector meneou a cabeça. A porta balançou de novo. Uma lasca de madeira escapou do batente. O encanto que protegia o refeitório estava se desfazendo. Os rostos esbranquiçados de vários vampiros surgiam nas janelas. Eles queriam entrar a qualquer custo. O cheiro do medo das mulheres estava atiçando as criaturas.

Hector sentiu um tremor tomar conta de seu corpo. Olhar para os vampiros tinha feito um frio subir-lhe da cabeça aos pés. Sentiu algo em seus olhos. O escuro desvaneceu-se e então ficou tudo claro como dia. *Vampiros duma figa!*

Ana viu o garoto arrastar uma mesa para perto da janela. Depois viu-o subir e correr em direção à vidraça.

– Não! – gritou a médica, finalmente saindo daquele transe.

Hector saltou em direção à janela e estraçalhou a vidraça. A criança caiu no chão de terra batida e rolou, ficando de pé com agilidade. Ergueu a espada e apontou-a ameaçadoramente para os vampiros.

As criaturas, pegas de surpresa, viraram-se para o pequeno guerreiro vestido com a couraça prateada. Dos bentos, faltava-lhe o saiote. Muitos dos vampiros começaram a rir.

Gisele saltou em seguida, indo juntar-se ao corajoso amigo. A bentinha também ergueu a espada e ficou com as costas coladas nas de Hector, assistindo aos vampiros interromperem o ataque para caçoarem deles.

– Cadê o resto de vocês, crianças? Ficou lá dentro? – zombou o vampiro próximo a Gisele.

– Não sabia que existia uma creche criadora de bentos em São Vítor – espezinhou outro.

Gisele respirava com rapidez e fungava. Era estranho, como se alguma força exterior tomasse conta de seu corpo. Não se sentia mais uma garotinha indefesa.

– Vejam a situação dos bentos, meus companheiros. Estão agora recrutando anões de circo! – bradou outro, fazendo o grupo aumentar ainda mais as gargalhadas.

Como se tivessem combinado, Hector e Gisele descolaram-se no mesmo momento e decidiram terminar com aquela palhaçada. Os bentos infantes engalfinharam-se com os vampiros mais próximos. Apesar do tamanho reduzido e da lâmina proporcional, os golpes dos pequenos eram ágeis e certeiros.

O sorriso estampado no rosto dos vampiros desvaneceu e as criaturas passaram a assistir aos dois pestinhas deixarem em pedaços os companheiros noturnos que entravam no caminho.

Hector passava a espada com rapidez, procurando abrir o maior número de cortes possível em cada adversário. Via-os caindo, e os ferimentos começavam a fumegar por causa da prata. Cortava os joelhos e, quando os malditos caíam, passava a lâmina na garganta deles. Subia nos corpos inertes para alcançar o inimigo seguinte, diminuindo a diferença de altura.

Gisele não se importava com o sangue escuro e fétido que escapava a cada passada de sua espada. Queria era vê-los caídos e mortos. Quando as garras afiadas das criaturas vinham em direção ao seu pescoço, a benta mirim esquivava-se com rapidez e passava a lâmina no braço da criatura.

Os vampiros começaram a recuar, afastando-se passo a passo da porta do galpão-refeitório. Gritavam, possessos por estarem sendo escorraçados por duas crianças.

Um dos vampiros correu em fuga. Chegou nas casas e vielas e deparou-se com um numeroso bando de companheiros. Gritou, chamando a atenção do bando:

– Precisamos de ajuda! Os bentos estão nos liquidando! Caímos numa arapuca!

O bando atendeu ao chamado e, feito cães famintos, partiram atrás do vampiro. Quando chegaram à frente do galpão, viram cerca de trinta vampiros caídos ao redor de duas crianças com carapaças prateadas feito bentos adultos.

O vampiro da frente olhou para o que gritara por socorro e perguntou:

– Você estava falando desses bentos?

O vampiro desesperado, encurvado e envergonhado, olhou para o bando e respondeu:

– Eles são uns capetas... cuidado.

– Atacar! – bradou o líder do novo bando.

Hector e Gisele não esperaram pelos vampiros. Correram ao encontro da onda.

– Caramba! Que audácia! – espantou-se o líder do novo grupo, que observava a investida de seu bando.

Os bentos infantes sabiam no íntimo que agora seria mais difícil, pois não haveria o efeito surpresa e o novo bando tinha ao menos o dobro de vampiros, mas não podiam conter-se. Não tinham força sobre a própria vontade. Uma voz mística clamava por batalha, e eles, mesmo crianças, a atendiam.

As espadinhas continuaram trabalhando, afoitas. Mais cinco, seis, sete vampiros foram picados. Hector sentiu seu braço direito agarrado. Depois, outro vampiro o ergueu pela cintura. E um terceiro agarrou o braço esquerdo do bento e o desarmou. Hector gritou, enraivecido.

Gisele teve o mesmo azar. Em questão de segundos estava desarmada e imobilizada.

Os bentos foram carregados em direção ao galpão-refeitório.

Cada vez mais e mais vampiros acorriam ao bando engalfinhado com as crianças e, em menos de um minuto, mais de sessenta noturnos estavam ao redor dos prisioneiros. Os vampiros amarraram os pulsos e os calcanhares dos pequenos e os jogaram contra a parede.

Hector e Gisele ficaram com as cabeças encostadas. Tinham de se contorcer bastante para poderem olhar-se de canto de olhos.

– Gisele?

– Quê?

– Você é a benta mais corajosa que eu conheço – disse o pequeno.

– Obrigado, Hector.

– Me desculpa por te pôr nessa?

Gisele ficou calada por um instante. Ela via os vampiros se enfileirarem. Estavam com fuzis nas mãos.

– Te desculpo, Hector.

– Obrigado.

– Você ainda está sentindo a eletricidade na cabeça?

– Não, Gisele.

Os vampiros apontaram as armas para os pequenos. Preparavam-se para atirar quando começaram a ouvir uma sucessão de gritos vampíricos.

Para desespero geral do bando, viram uma faixa de sol caminhando em sua direção. Alguns largaram as armas e correram o máximo que puderam. Outros ficaram estáticos, capturados pelo medo e pela surpresa, e esses foram torrados na frente das crianças, que viram seus corpos primeiro fumegar e depois consumir-se em labaredas amarelas e vermelhas.

Uma parte dos vampiros entrou pela vidraça quebrada, alcançando o interior do galpão. Janete gritou para Orlando, chamando a atenção do parceiro. Acabava de recarregar a metralhadora e sorriu quando viu um amontoado de soldados e guerreiros bentos arriscarem-se para alcançar o hospital.

– Atire nos bentos! Atire nos bentos! Estão no descampado!

Orlando pressionou o gatilho e mirou em um dos guerreiros prateados. A pontaria era difícil, uma vez que a metralhadora calibre cinquenta era pesada e dava trancos sucessivos.

Lá embaixo, bento Justo percebeu os tiros vindo em sua direção. Saltou de lado e rolou.

As balas passaram a um palmo de seus pés. Tinha de continuar correndo.

Bento Dimas não teve a mesma sorte. Tropeçou e rolou. Ouviu as explosões vindo em sua direção. Rolou para o lado, desviando-se dos projéteis. O pé estava doendo. Tinha tirado alguma coisa do lugar! Gritou por socorro. Bento Jorge, um dos novatos, veio em seu auxílio.

Enquanto isso, Orlando gritou para Janete:

– Vamos pegar aqueles dois!

Janete apontou a metralhadora na direção do bento caído e começou a disparar. Orlando bufou, irritado, quando percebeu que suas balas tinham chegado ao fim. Soltou a calibre cinquenta e correu para um fuzil, arrancando-o dos dedos de um soldado morto.

Janete levava as balas para cima de Jorge e Dimas. Gritou, nervosa, quando o grande bento conseguiu desviar-se dos tiros. Ia voltando com a carga quando viu um clarão. *Era luz do sol!*

Orlando olhou para a amiga e estendeu o braço. Seus olhos ardiam e a pele queimava.

– Vamos fugir! – gritou Janete.

Os dois vampiros começaram a correr pela pedra britada em direção às escadarias. Dentro do hospital estariam a salvo.

Enquanto corria, Janete olhou para trás. Viu Orlando caindo, o corpo fumegando. Orlando não conseguiu mais se levantar.

Ela sentia um calor inenarrável. Era como se fogo escapasse das britas aos pés, que se carcomiam a cada passo. A escadaria estava perto. No entanto, a criatura virou-se para trás, desistindo da corrida. A imagem de Orlando morrendo sozinho devastou o coração da vampira. Janete voltou e abaixou-se ao lado do amigo, agarrou as mãos dele e tentou arrastá-lo em direção à saída do telhado.

O amigo era pesado e não se moveu um centímetro. Viu quando os olhos de Orlando viraram duas janelas de fogo. Ela não teve forças para uma nova tentativa e caiu abraçada ao vampiro. Os dois viravam uma imensa bola flamejante.

* * *

As mulheres grávidas, assustadas com a invasão dos vampiros ao galpão-refeitório, correram em outra direção. Em questão de segundos, viram um clarão tomar conta lá de fora. Sabiam que era TUPÃ.

Ana correu para a porta dupla frontal e pediu ajuda para tirarem a tranca. Em três, tiraram a madeira que atravessava as portas e abriram-na com facilidade. Saíram para o chão de terra batida.

A luz era intensa, e as de olhos mais claros precisaram protegê-los com as mãos. Olharam ao redor. Até onde a vista alcançava, viram aqueles amontoados de cinzas e brasas ardentes. Os vampiros estavam recebendo o que mereciam.

Ana olhou para o lado e viu os dois valentes que tinham ganhado tempo e provavelmente salvado a vida de todas elas ali. Desamarraram as crianças, soltando expressões de grande alegria. Ana chegou a sentir uma vertigem por conta do calor súbito, coisa que viu repetir-se em duas das amigas.

Fernanda olhou para dentro do galpão-refeitório. Viu uma dúzia de vampiros gemendo e escondendo-se debaixo das mesas e cadeiras, temendo o sol que brilhava em São Vítor. Sem saber de onde tirou aquela coragem e iniciativa, apanhou um dos fuzis do chão e voltou para dentro do galpão. Ao invés de apontar para os malditos, apontou para o teto de telhas de amianto. Os disparos começaram a transformar as telhas em cacos, que caíram sobre as mesas e deixaram a luz do sol entrar fartamente.

Foi nesse momento que dois soldados chegaram. Observando a atitude da mulher, correram para dentro do galpão e começaram a arrastar as mesas, como se desentocassem ratos. Um a um, os vampiros foram queimando sob a luz solar. Dois deles conseguiram agarrar-se à parede do refeitório e, feito baratas assustadas, subiram até quase o teto, na parte em que a grávida não tinha conseguido destruir as telhas. Os soldados apontaram seus rifles e dispararam sem piedade. Os vampiros, trespassados por balas de prata, caíram, estrebuchando-se no chão do refeitório.

Em busca de preservar-se, como se tivessem exaustivamente memorizado aquela ação conjunta, centenas de vampiros entocaram-se nas casas e construções de São Vítor, assim que o raio de sol trazido por TUPÃ invadiu a fortificação. As criaturas arremessavam-se contra janelas e portas, arrombando-as, enlouquecidas e em busca de abrigo. Sabiam que o raio de sol não duraria mais que alguns minutos. Tinham de se manter em local fechado e escuro por instantes para depois voltar ao ataque.

Uma das criaturas rompeu a janela da casa onde Maria Alice e Eloísa escondiam-se com mais mulheres. O estardalhaço da madeira e do vidro, somado a um rugido ferino da criatura, fez a mulherada pular de trás da cama. Atropelaram-se, passando para a sala e abrindo a porta.

Maria Alice trouxe a pequena Eloísa nos braços. Como elas, dezenas de pessoas estavam na viela, trocando de lugar com os vampiros; momentaneamente, era mais seguro fora do que dentro. Maria Alice olhou pela janela estraçalhada e viu o vampiro esgueirando-se para baixo da cama. A moça soltou Eloísa.

– Espera aqui, não sai do lado das tias – pediu.

A mulher correu para dentro da casa, e na sala encontrou o que procurava. O grande espelho onde tinha verificado sua silhueta horas atrás.

Maria Alice sacudiu o móvel e tirou a peça vítrea. Levou-o para fora e, de frente para a janela, inclinou o espelho, mirando a luz para dentro do quarto. Conseguiu o que queria. O vampiro começou a gritar e acuou-se ainda mais, recostando-se ao máximo no canto da parede, embaixo da cama. O quarto encheu-se de fumaça e gemidos da criatura.

– Ele está se escondendo! – gritou Maria Alice. – Morre, mequetrefe, filho duma rapariga!

Na casa vizinha, um garoto, que acompanhava do quintal a ação da mulher, correu para dentro e voltou com outro espelho. Entrou pela sala onde o vampiro se escondia e foi até o quarto.

– Cuidado, filho – preocupou-se a mãe.

O garoto sincronizou o espelho com a luz que Maria Alice jogava para dentro do quarto, e refletiu um facho de sol para baixo da cama. O vampiro saltou debaixo do móvel, jogando a cama e o colchão para cima. O garoto recuou, assustado, mas Maria Alice manteve-se firme e precisa, endereçando mais luz ao corpo da criatura. O vampiro fumegou ainda mais e gritou estridente. No instante seguinte, o corpo da criatura pegou fogo e esmoreceu. O garoto saltou para a sala, fugindo das labaredas, e voltou para a rua.

– Isso! – gritou a mulher.

– Ali, naquela casa tem outro! – gritou alguém.

Maria Alice e o garoto correram para o lugar indicado. Em menos de um minuto a operação começou a se espalhar e tomar as vielas de São Vítor. Enquanto houvesse a luz de TUPÃ, iriam reduzir o número de vampiros dentro dos muros.

Pelo rádio, Chen e Amaro, que estavam nas imediações do HGSV, chamaram Matias, que estava do outro lado da cidade, próximo à forja de Magal. Rapidamente reorganizaram os soldados e orientaram que deveriam todos buscar mais munição e armas para continuar o confronto, pois sabiam que a luz de TUPÃ não ficaria muito tempo pairando sobre São Vítor.

* * *

Franjinha digitou as novas coordenadas. Traria os raios de TUPÃ de volta à Barreira do Inferno. Tinha de manter o centro funcionando e a única chance para que todos sobrevivessem àquela noite sangrenta seria justamente manter o CLBI a salvo. Viu quando o satélite interrompeu a rajada de sol sobre São Vítor e iniciou o processo para direcionar o defletor de volta para o Rio Grande do Norte. Em questão de minutos, soldados e bentos voltariam a ter auxílio dos céus.

* * *

Mais uma vez, Saulo viu um brilho rasgando o céu negro. Aquele brilho antecedia o sol repentino, trazido pela maldita máquina dos humanos. Gritou, chamando a atenção dos demais. O facho de luz bateu na floresta e rapidamente veio em direção ao muro da Barreira do Inferno e, em poucos segundos, estaria atravessando a várzea descoberta na tentativa vã de acabar com todos os seres noturnos.

Saulo, mais uma vez, puxou a faixa de couro que prendia o escudo côncavo às costas e gritou alertando os irmãos. Os vampiros igualmente desprenderam a proteção e, quando o sol de TUPÃ varreu o descampado, novamente se dividiram em grupos e formaram as cabanas de escudos, vedando a entrada da luz.

Bento Ramiro viu-se livre, como que por encanto, da turba de malditos que prendiam seus braços. Quando notou o risco de luz vindo na direção do muro, entendeu. Os malditos estavam fugindo e se protegendo. Os olhos do bento correram ao redor. Ele apanhou a espada prateada do chão e viu Teodoro caído. Correu até o amigo e passou a lâmina da espada pelas cordas que prendiam seus braços e pernas. O amigo estava desacordado. Os vermes tinham um plano diabólico em mente. Aquilo não estava certo. Normalmente, o embate entre bentos e vampiros terminava em morte, nunca em prisioneiros. Os vampiros queriam vê-los cativos. Queriam arrastá-los para fora da Barreira do Inferno e certamente deveriam ter um plano sombrio reservado aos guerreiros de peito de prata.

Ramiro olhou para o terreno. Muitos dos vampiros tinham voltado a formar aquele estranho iglu para protegerem-se do sol. Viu as guerreiras se aproximando em corrida. Ergueu a espada e gritou:

– Pra cima deles!

Ramiro correu com a espada em riste na direção de um daqueles abrigos de vampiros. Desceu a lâmina com força e vontade contra um dos escudos. A peça metálica abaixou e a luz do sol de TUPÃ invadiu a proteção. Os vampiros no interior desesperaram-se, não conseguindo mais reorganizar a casca. Ramiro deu um segundo golpe com precisão e violência. Desta vez, o escudo atingido voou para cima e as criaturas no interior da blindagem começaram a fumegar; no segundo seguinte, línguas de fogo espalharam-se no interior do abrigo.

Walquíria foi a primeira guerreira a imitar o veterano. Atirou-se contra a blindagem mais próxima. Aqueles demônios não teriam a mesma sorte tal qual a da primeira investida. A espada girou pesada sobre a cabeça. A mulher não pensava. Era apenas empurrada por aquela força misteriosa que lhe dava coragem e gana de luta. A lâmina de prata abriu caminho entre os escudos e dois deles foram removidos das mãos das criaturas. Fogo e fumaça tomaram os inimigos.

Martin, ainda mais impetuoso, correu rumo ao iglu de escudos e arremessou-se, usando o peso do próprio corpo contra as chapas de ferro para fazer a luz invadir o abrigo e espalhar vampiros pelos quatro cantos. As criaturas que ainda detinham escudos tentavam fazer sombra, mas, como os demais, começaram a correr enlouquecidas e a fumegar, transformando-se em bolas de fogo, caindo sem vida em seguida e, por fim, repousando na forma de brasas incandescentes. Não tiveram chance de sobreviver. Mesmo com um pouco de sombra pairando sobre os vampiros, a luminosidade afetava-os sobremaneira. Logo suas peles se desfaziam em bolhas imensas e rolos de fumaça não tardavam a escapar da boca, dos olhos e do nariz, terminando por transformarem-se em estátuas ressequidas e sem vida.

Bento Célio, com Chantal, comandou outra frente de ataque contra as cabanas de escudos, e os soldados, percebendo a manobra, abriram fogo, conseguindo também remover grande número de escudos das mãos dos guerreiros vampíricos. Graças à luz do sol e à estratégia tomada, boa parte dos vampiros dentro dos muros da Barreira do Inferno foi queimada. Os invasores mais inteligentes tinham buscado o interior dos prédios administrativos e do alojamento dos soldados, encontrando dentro das construções esconderijos mais resistentes.

Os vampiros que tinham tomado o rumo da sala de controle encontraram forte resistência nos corredores que davam acesso ao local. Soldados munidos de metralhadoras e escopetas tentavam impedir o avanço das dezenas de criaturas. Contudo, os monstros da noite mantinham-se fiéis ao objetivo de destruir o sol repentino. Não retrocederam nem com o fogo pesado. Também, não tinham escolha: ou acabavam com aqueles soldados no caminho ou batiam em retirada e desapareciam no meio dos raios de sol projetados por TUPÃ.

* * *

Na sala de controle, os três operadores olhavam de modo tenso para os monitores à frente. Graças às câmeras de vídeo instaladas por Marco Franjinha, podiam assistir ao que se passava na entrada do prédio.

Franjinha, percebendo que o prédio da sala de controle tinha sido invadido por um bando de noturnos e vendo-os assassinar cada soldado que se interpunha à sua passagem, colocou seu plano de fuga em andamento. Digitou uma sequência no *software* de controle de TUPÃ e saiu por um corredor estreito do outro lado da sala, seguido de Tânia e Everton. Assim que fechou a porta de trás, a da entrada principal foi aberta e o som de tiros e gritos tomou a sala de controle.

Marco Franjinha saltava cabos e tubos. Os auxiliares do operador tinham dificuldade para se esgueirar em trechos muito apertados do corredor. Ainda assim, os três conseguiram descer uma longa e vertical escada de ferro com degraus finos e enferrujados.

Tânia tomava fôlego, quando viu Franjinha forçar uma porta metálica. Tinham saído tão subitamente que até agora ninguém havia dado um pio sequer, apenas seguiram Marco por ser ele o mais antigo morador da Barreira do Inferno e, presumidamente, conhecer como ninguém aqueles labirintos.

Ludymila foi a vampira que alcançou primeiro a sala de controle. Ouviu um bater de porta ao fundo do amplo salão. Viu a grande tela exibindo as imagens transmitidas pelo satélite. Vendo o grande telão, não teve dúvidas de que tinha encontrado o coração daquilo que mais procuravam por trás da muralha. Mais três companheiros da noite entraram e deram de cara com a grande tela. Ela disse:

– Vocês dois, por aquela porta. Tem gente fugindo. Traga quem estiver naquele corredor, pode ser útil para acabarmos com esse inferno de sol repentino. E você, volte ao corredor. Veja se Antônio conseguiu entrar. Precisarei dele.

* * *

Em Villa-Lobos, Vicente transpirava frio, lutando para manter a sanidade e orquestrar a resistência. Todos os soldados e bentos tinham obedecido o seu chamado e se agrupado no fundo do teatro de arena do parque. Com as arquibancadas formadas por degraus largos, o palco do local ficava em desnível – algo em torno de três metros –, formando um fosso, uma trincheira enorme de concreto. Pela quantidade de pessoas que precisava proteger-se, ficou extremamente apertado, mas, ao menos dentro da formação quadrada, todos os soldados fortemente armados ficaram nas bordas, protegendo aqueles que estavam no centro.

– Disparem à vontade! Não economizem munição! Mirem no meio da cabeça dos vagabundos! – berrava Vicente. – Assim que seus cartuchos esvaziarem, deem lugar ao soldado que estiver atrás de vocês!

Os soldados responderam que tinham compreendido a instrução.

– Nós estamos em trinta e seis bentos. Eles têm... têm... vampiros pra caralho! Não vou garantir vitória, mas que vamos dar uma enxaqueca do cacete nesses noturnos, vamos dar. Quanto mais vampiros vocês derrubarem, melhor pra gente. Quando saltarmos daqui pra fora, cuidado com as armas: não vão derrubar os amigos!

Os disparos começaram. Os vampiros vinham como avalanche em direção à trincheira de concreto.

– Agora é com você, Lucas – disse Vicente, olhando para o amigo.

Lucas olhou para os bentos ao redor. Suas armaduras encostavam umas nas outras e podia-se ouvir a respiração descompassada dos veteranos. Eram eles que sofriam mais com a proximidade dos vampiros.

– Calma! – bradou Lucas.

A voz do bento agia como um encanto sobre os ouvidos dos demais.

– Calma! – gritou mais alto.

Alguns dos novatos tremiam, não de medo, mas em luta por autocontrole.

– Vamos atacar em conjunto! Vamos vencer esses malditos!

Os olhos de Lucas brilharam amarelos. Repentinamente, os olhos de todos os bentos novos também. O fundo da trincheira foi absorto por aquela luminosidade assombrada. Alguns soldados cutucavam-se, apontando para os olhos sinistros dos bentos.

As metralhadoras da torre e do patamar de concreto acima da trincheira improvisada não davam descanso. Mesmo assim, os vampiros corriam e venciam os disparos, rapidamente avançando, como água descendo a ladeira. Cada vez que um deles caía, logo era atropelado por uma porção dos que vinham atrás. Queriam selar e sufocar os soldados no fundo da trincheira.

– Agora! – gritou Lucas. – Ataquem!

Em cada canto da arquibancada quadrada um corredor foi aberto pelo tempo necessário para que os bentos passassem. E começou o espetáculo de espadas e capas esvoaçantes.

Não havia tempo nem necessidade de pensamento. Lucas apenas estocava sucessivas vezes. No primeiro instante, parecia que seriam sufocados imediatamente, mas, em questão de segundos, os trinta e seis bentos começaram a abrir o campo ao redor da trincheira.

Rogério, o baixinho arretado, fazia jus à fama. A espada do bento bailava em cadência com seu corpo. Cada vez mais vampiros iam caindo aos pés do rapaz. No entanto, a quantidade imensa de oponentes não tardou a fazer diferença. Os movimentos, antes graciosos, foram perdendo plenitude até transformar-se em uma total – e violenta – luta pela vida.

Os veteranos, como Amintas, Francis e o grandalhão Vicente, forjados por centenas de combates, varriam a frente, mirando o pescoço das feras noturnas. Derrubavam um a um seus oponentes, deixando claro que não se renderiam ao gigantesco bando. Em conjunto, conseguiram abrir uma clareira em meio aos corpos de vampiros abatidos e àqueles furiosos, com olhos vermelhos cintilantes e gana de morte.

Vicente cortava de cima para baixo, muitas vezes partindo a cabeça dos agressores. Havia sucumbido à loucura dos bentos e não mais tinha controle sobre seu desejo. A única coisa que queria era matar. Matar todos aqueles vampiros. Matar um a um.

Os bentos mais novos conseguiram derrubar centenas de oponentes no princípio da contenda, mas, agora, grande parte deles via-se perdendo as espadas e sendo agarrada pelas feras pálidas e destemidas da noite. O corpo dos combatentes era envolvido por garras afiadas, que abriam cortes longos e profundos no rosto dos bentos. A resistência não duraria muito.

* * *

De volta aos porões do CLBI, Everton elevou o olhar para o topo da escada vertical por onde tinham descido. A única luz que tinham era das lanternas entregues por Franjinha. Everton tentou calcular a altura daquela escada: mais de quinze metros de altura, seguramente.

Franjinha afastou-se da porta e apanhou um pé-de-cabra que, aos olhos de Tânia, fora estrategicamente escondido ali. O engenheiro forçou mais uma vez a porta e esta abriu, produzindo um estrondo. Franjinha virou-se, pálido, e apontou a lanterna para cima, na direção do buraco que seguia até o topo da escada.

– Aonde estamos indo, Franja? – perguntou Everton.

– Ssshhhh! – falou o engenheiro, fazendo sinal de silêncio com o dedo e ainda apontando a luz para cima. Everton e Tânia também apontaram as lanternas para o alto. Fez-se um silêncio sepulcral. Depois de uns instantes, o barulho de ferro caindo. – Os filhos da puta estão vindo atrás de nós. Temos de correr.

Franjinha passou pela porta que acabara de abrir. Tânia e Everton não demoraram um segundo para irem atrás do engenheiro. Ao atravessar a porta, procuraram Franjinha com os fachos de lanterna. Tânia olhou para trás duas vezes. Não sabia se Franjinha tinha trazido uma arma. Ela tinha medo de perguntar, ainda mais agora, com o coração disparado. Tinha ouvido nitidamente aquele barulho vindo lá de cima. Voltou a lanterna para a frente. Franjinha descia outra escada vertical. Aquela escarpada era ainda mais alta. Apontou o facho de luz para cima e não enxergou o teto nesse novo cômodo. Apontou para baixo e a luz refletiu a figura do engenheiro amigo. A moça engoliu em seco. Também não via o fundo.

Era um silo de lançamento de foguetes. Provavelmente dali decolara o ARIANE-108 que colocara o TUPÃ em órbita terrestre muitos meses atrás.

Everton aguardava a colega no topo da escada e indicou a descida, não sem antes abrir um sorriso amarelo e dizer:

– Primeiro as damas.

Tânia ficou de costas para o poço e tateou com os pés o primeiro degrau. Colou a lanterna no chão e desceu três degraus. Apanhou a lanterna de novo e prendeu-a na bainha da calça.

– Nós vamos conseguir – murmurou Everton no ouvido da moça.

Tânia olhou para baixo. A luz apontava para a escada, e só conseguia ver a cabeça de Marco Franjinha, já a uns quinze metros de distância – e nada de ver o chão.

Olhou para cima. A lanterna de Everton apontava para o nada e o rapaz parecia esperar que ela ganhasse distância para começar a descer. Tânia acelerou o passo. Chegou a pensar que estar escuro seria, sobretudo, uma bênção, porque, se estivesse vendo a altura de onde estava pendurada, com certeza já estaria toda mole e a ponto de despencar.

Desceu mais uma série de degraus. Olhou para cima. Nada do Everton. O amigo estava demorando demais. Pensou em gritar, mas manteve-se calada. Teve medo de fazer barulho. Interrompeu a descida. Olhou mais uma vez para cima e depois para baixo, para onde sua lanterna apontava, pendurada e balançando mansamente. Não via mais a cabeça de Marco Franjinha, só o movimento da luz de sua lanterna. Essa escada não teria fim?

Ficou com medo. A respiração acelerou ainda mais. Trêmula, tateou a cintura, de onde puxou o cordão da lanterna, segurando o cabo da ferramenta e apontando-a para cima a fim de iluminar o caminho. Gelou.

Quando o facho de luz atingiu o topo da escadaria, viu um rosto pálido recuar rapidamente e um traço vermelho-brasil fugir para a escuridão. Soltou um grito e, com isso, a lanterna. O objeto só não caiu porque estava preso à cintura da calça.

Tânia errou o bastão de ferro da escada e o pé vacilou. Escorregou dois degraus e gritou de novo, agarrando-se com força à escadaria. Bateu o queixo no degrau e sentiu o cotovelo raspar. A luz da lanterna de Franjinha bruxuleava e parecia voar no fundo negro. Ele tinha chegado ao final da escada. Tânia tentava controlar-se. Tremia tanto que não se arriscava a descer nem mais um degrau. Puxou a lanterna da cintura mais uma vez, tremendo. Precisava atarraxar o fundo do equipamento, porque a luz piscava, acusando mau contato com as baterias. Ergueu-a rapidamente. Nenhum vampiro descendo.

A moça começou a chorar. Tinha ouvido tantas histórias desde que despertara, dois anos atrás, mas jamais estivera sozinha em situação semelhante. Sempre se protegera atrás das muralhas e, nas horas de aperto, era recebida em casa de amigos, onde esperava a luz do sol raiar. Apertou o fundo da lanterna e a luz firmou. Respirou fundo e olhou para baixo. Outro grito.

Um vampiro estava logo abaixo dos pés de Tânia! O susto foi tamanho que ela se soltou da escada, começando a cair. Sentiu uma dor absurda no couro cabeludo. Viu-se suspensa pelos cabelos e percebeu que começou a ser içada pela criatura. Começou a gritar por socorro para Marco Franjinha.

Franjinha olhou para cima. A luz de sua lanterna não alcançava a garota. Se voltasse agora, talvez tudo fosse posto a perder. Tinha de seguir em frente, do contrário a Barreira do Inferno seria impactada. Mas vacilou, virando-se e tentando mais uma vez alcançar a garota com a luz da lanterna, para ao menos saber de sua situação. Ela era sua amiga. *Deus!* Virou-se, desejando ficar surdo para aqueles berros aflitos.

Tânia ainda gritava de desespero e dor quando chegou ao patamar onde começava a escada. Viu Everton gemendo, com a boca laçada pela mão pálida de outra daquelas criaturas. Assim que a fera soltou o cabelo da moça, ela foi arremessada ao encontro daquela que prendia o amigo. O vampiro que capturara a mulher olhou para o outro e voltou para a escada, dizendo:

– Tem outro lá embaixo. Aguarde aqui.

Tânia foi agarrada do mesmo modo que Everton e viu-se com a boca tapada, impossibilitada de gritar. Quanto mais se debatia, mais aquela mão apertava seu crânio.

O vampiro lançou-se escada abaixo, tocando apenas em dois degraus para evitar uma queda desastrosa. Girou o corpo e bateu no fundo do silo. Um eco portentoso subiu. Os olhos vermelhos viam a vítima correndo desenfreada em direção a uma porta de ferro. Disparou no encalço do homem.

Marco Franjinha lançou a luz da lanterna para trás. Lá vinha ele! Tinha de ser mais rápido. A porta de segurança podia ser trancada por dentro e o vampiro não conseguiria passar. Respirava ofegante e cada passo era uma vitória. Jogou a lanterna mais uma vez para trás. Sentiu um impacto no tornozelo e o tombo foi espetacular, bem ao estilo das *Videocassetadas*.

O engenheiro rolou e parou de costas. A lanterna tinha caído virada para ele, por isso viu o vampiro vindo seco em sua direção. Ficou quieto, imóvel. Como era feio!

A fera saltou sobre ele como um leão faria. Franjinha, instintivamente, levantou os pés. O vampiro bateu na sola de seu par de tênis e passou por cima dele. Franjinha virou e ficou de pé, apanhando a lanterna. Teve tempo de ver a fera girando no chão, vítima do desequilíbrio e da surpresa. Franjinha conseguiu sorrir. Tinha descontado o tombo.

O engenheiro varreu o chão com a luz da lanterna e não encontrou nada para se defender, apenas um bloco de cimento. Não serviria de defesa, mas talvez fosse suficiente para alcançar outro objetivo.

O vampiro recolocou-se de pé e, diante do humano refeito, bateu com as mãos na roupa, livrando-se do excesso de pó.

– Essa até que foi boa, cara – falou a fera.

– A gente faz o que pode.

– O que você vai fazer com isso aí? Construir um abrigo?

– Não. Vou construir um galo na sua testa.

O vampiro coçou a cabeça.

– Olha, vamos fazer o seguinte, você solta esse bloco que eu te levo inteiro – disse a criatura.

Franjinha soltou a lanterna no chão e deixou-a em posição que pudesse iluminar o vampiro. Encarou-o e balançou o meio bloco com as duas mãos.

– Que foi, dentuço? Tá com medo de mim e desse pedaço de cimento?

A fera grunhiu, transtornada.

– Chega de brincadeira!

Assim que o vampiro bradou a ameaça, Franjinha arremessou o pedaço de bloco, que passou voando ao lado da cabeça do vampiro, errando o alvo por mais de um palmo.

– Ha-ha-ha! Além de sem graça, tu é ruim de mira.

– Você acha?

O vampiro voou para cima de Franjinha. O engenheiro engalfinhou-se com a fera. Não resistiria muito. Rezava para que seu plano desse certo e que mantivesse o pescoço a salvo. Os músculos do noturno pareciam feitos de pedra, duros e inflexíveis. Balançou o corpo para deitar a fera ao seu lado. As boas e velhas aulas de judô deveriam servir para ganhar mais alguns segundos. Uma sirene alta e ensurdecedora começou a ecoar dentro do silo. O vampiro ergueu os olhos, assustado.

– Que é isso?

– É o sinal do recreio! – gritou Franjinha, desferindo um soco no rosto do agressor.

O engenheiro conseguiu livrar-se das garras do vampiro e, para surpresa do oponente, começou a correr para o meio do silo, e não para a porta.

O vampiro saiu em seu encalço. Não poderia deixá-lo fugir, não agora que tinha tomado um sopapo na fuça. *Humano nenhum faria isso e viveria para contar a história.*

O som da sirene continuou e um barulho grave tomou conta do fosso, fazendo as paredes metálicas reverberarem feito trovão. O vampiro pôs a mão no ombro da vítima e cravou suas unhas negras na pele do humano. Franjinha parou de correr e dobrou-se de dor, ficando de joelhos na frente do agressor.

– Agora eu vou te mostrar o que é um soco na cara – disse o vampiro, erguendo o braço.

Quando a criatura fechou a mão para o golpe, foi atingido por um fino facho de luz. A fera soltou um grito e correu para o canto, batendo tão forte na parede metálica do silo que parecia querer atravessá-la feito fantasma.

Franjinha deitou-se no chão e levou a mão ao ferimento no ombro. Ele tinha esmagado sua pele e as juntas doíam. Já se via colocando o nome na lista de pessoas a serem levadas para o hospital de Nova Natal no próximo transporte. Olhou para a parede e viu o vampiro contorcendo-se e tapando os olhos com os braços. Os gritos aumentavam de intensidade à medida que a boca do silo se abria mais e mais.

Tânia e Everton sentiram um cheiro azedo entrando pelas narinas, e no instante seguinte soltaram-se as mãos que tapavam a boca dos dois. Viram o vampiro olhar horrorizado para os braços, que de repente fumegavam. A meia-luz propiciada pela entrada dos raios de sol deixou que os dois operadores vissem, assustados, os olhos da criatura injetarem-se de um vermelho hemorrágico.

A fera tapou os olhos, que ardiam, e virou-se para a porta do nível. Everton, prevendo, saltou e agarrou o vampiro pelo tornozelo. O monstro era forte e enfiava as garras nas chapas de ferro que formavam o chão, arrastando-se em direção à porta. Everton foi sendo levado junto, até que Tânia superou o pavor do momento e também saltou, agarrando o outro pé da fera. Everton percebeu o monstro cada vez mais fraco e fumegante, toda a pele parecia tomada por algum tipo de ácido.

O rapaz agarrou o vampiro e puxou-o até o começo da escada, deixando-o na borda da escarpa. Sentou-se sobre a chapa de ferro e, com os pés, empurrou o vampiro para o abismo. Tânia assistiu a tudo, com lágrimas nos olhos. De modo algum se compadecia do maldito, mas estava simplesmente aterrorizada. Viu a criatura pegar fogo no meio da queda e espatifar-se no chão, esparramando brasas incandescentes para todos os lados. Acompanhando esse show sinistro, os olhos de Everton encontraram Marco Franjinha lá embaixo. Ao mesmo tempo que viu o amigo e chefe, o silêncio foi quebrado pelo walkie-talkie preso à cintura.

– Vocês precisam descer! Ainda não terminamos! – ordenou a voz do rapaz.

Tânia lançou um olhar inseguro para Everton.

– Você consegue? – perguntou o amigo.

– Não sei.

Everton levantou-se e abraçou a amiga, que tremia feito vara verde e começara um pranto de desabafo. Tinha sido aventura demais para um dia só.

– Eu te ajudo. A gente dá um jeito de descer juntos – disse Everton.

– E se tiver mais deles vindo?

O rapaz olhou no mostrador do relógio.

– Pelos meus cálculos, teremos mais dois minutos de sol do TUPÃ na nossa cabeça. O Franja reforçou o tempo de exposição dessa vez, para os soldados liquidarem com os malditos. É tempo suficiente para descermos. Parece que lá embaixo tem uma porta de aço com tranca. Temos de descer agora para estarmos a salvo.

A mulher procurou controlar-se. A dor intensa no couro cabeludo atrapalhava até os pensamentos, mas Everton tinha razão. Seria mesmo melhor pôr os músculos para funcionar imediatamente.

Desta vez, Everton desceu primeiro, para ampará-la na eventualidade de uma queda. A descida tomou um minuto e meio. O silo era profundo e largo. Correram ao encontro de Franjinha, que esperava na porta.

Assim que os três passaram para o novo corredor, o engenheiro puxou a porta pesada e girou a tranca. Teriam tempo para escapar. Correram por aquele trecho cerca de cinco minutos. Franjinha mostrou uma nova escada vertical, e eles subiram um de cada vez. Essa era bem menor, coisa de seis metros.

Novo corredor. Nova corrida. Franjinha parou antes da porta e vasculhou o local com a lanterna.

– Onde está?

Everton e Tânia nunca tinham estado ali. Sequer desconfiavam da existência daqueles túneis. Viam Franjinha revirar algumas estopas escondidas atrás de numerosos tubos que corriam juntos à parede.

– Achei.

Viram, admirados, Franjinha desenrolar um laptop do meio de uma das estopas. O engenheiro abriu o computador portátil e ligou o aparelho.

– Ótimo. A bateria está carregada e está tudo funcionando.

Agora, Franjinha passou a lanterna pela parede, em busca de uma caixa de verificação. Ele a abriu e desenrolou um fio azul que sumia dentro da tubulação.

– A gente nunca sabe quando vai precisar dessas coisas.

O engenheiro espetou o cabo azul no computador e iniciou uma série de programas. Acessou as câmeras de vigilância. Diante do rosto sério dos três operadores, viram a sala de controle tomada pelas criaturas.

– Ah! Meu Deus! O Elvis! – gemeu Tânia, apontando para o monitor.

Uma das câmeras mostrava o soldado morto, sendo drenado por um dos vampiros. Os malditos tinham assassinado a maioria dos soldados.

– Onde estão os bentos?

– Não sei, Everton. Não estou vendo nenhum deles.

– Vejam que estranho – disse a mulher, quando a janela exibiu a imagem de uma das câmeras externas, mostrando a vasta várzea da Barreira do Inferno.

Os dois homens entenderam imediatamente. O sol de TUPÃ ainda brilhava sobre o CLBI.

– Eles tomaram controle de TUPÃ?!

– É o que parece... – murmurou Franjinha, começando a digitar alguns comandos.

– Você consegue retomar o controle? – perguntou Tânia.

– Daqui, não. Estou tentando, mas está tudo travado.

– E o que vai acontecer?

– Se eles mantiverem o raio de sol ativo, o TUPÃ entra em modo de segurança assim que os defletores e o sistema superaquecerem. Ele pode até se danificar, mas vai se autodesligar – explicou Everton, que já estava a par do sistema de segurança.

– Algum vampiro mais esperto deve ter mexido em algo e se perdeu nos comandos. Não é interessante para a raça deles esse sol brilhando por tanto tempo.

– E depois?

– Se os vampiros, por alguma razão esdrúxula, tentarem religar o sistema, TUPÃ vai pedir as senhas de acesso. Eles não vão conseguir controlar o satélite.

– Mas vão destruir todo o controle. Vamos levar meses para tentar fazê-lo funcionar novamente – alarmou-se Tânia.

– É. Mas isso já é outro problema. Vamos dar o fora daqui. Se sobrevivermos a essa noite, teremos meio caminho andado.

O engenheiro fechou o laptop e desconectou o cabo. Indicando o caminho para os colegas, andou até o final do corredor e subiu mais um lance de escadas verticais. Ao final, abriu uma escotilha e respirou o ar fresco da noite. Estavam a cerca de um quilômetro do muro do CLBI. Nenhum maldito noturno à vista. Girou a lanterna para todos os lados. A floresta começava a uns quatrocentos metros abaixo. Saiu pela escotilha e, em seguida, ajudou Tânia e Everton.

– Vamos! Eu tenho um esconderijo.

Os três começaram a correr, descendo o morro de declive suave. Entraram na mata e deixaram os fachos de lanterna bailando na escuridão. Franjinha conhecia o caminho. Seria uma grande e cansativa jornada pela vida, deles e de muitos humanos que dependiam de TUPÃ.

CAPÍTULO 32

Um vento forte e rascante levava ligeiro os grãos de areia branca que formavam o areião. Amontoava-se a areia fina nos muitos montes de cinzas ao redor dos muros. Alguns deles ainda fumegavam naquele triste e silencioso alvorecer. As torres de vigia de São Vítor estavam desertas, vazias de sentinelas. Sobre os muros, apenas quatro soldados que mantinham corajosamente os fuzis apontados para o nada.

Os olhos do quarteto estavam vermelhos, frescos de lágrimas trazidas pelo desespero e pela tristeza. Os homens estavam encurvados e combalidos. Pela expressão nas faces, não se podia dizer se teriam ou não notado o vermelho-sangue surgindo no horizonte, quando a madrugada deitava larga, dando passagem para a alvorada avançar. Talvez seus olhos não tivessem mais sensibilidade para o vermelho que rodeava as botinas. Talvez seus olhos estivessem presos nos cadáveres estirados à volta. Olhando para o areião, viam soldados tombados, o olhar voltado para a face interna de São Vítor. Viam mortos em toda a várzea e até nas vielas. O vento constante e cheirando a chuva fazia a floresta a mil metros de distância provocar um murmúrio audível às sentinelas. Era um réquiem, uma valsa negra, um choro sereno e sofrido. Era a voz de muitas mortes.

Os soldados cansados não tardavam de olhos fechados. Sempre que as pálpebras cediam e selavam suas mentes na escuridão, o pavor voltava ao peito. O primeiro deles voltava a ouvir os tiros e os gritos; o segundo relembrava os pedidos de munição feitos pelos amigos mortos e o desespero que chegava pelos walkie-talkies; o terceiro ouvia crianças – crianças gritando e pedindo socorro, crianças que ele não conhecia; e o último, toda vez que fechava os olhos, experimentava um pânico extremo que sempre o fazia abrir os olhos e a boca explodir em um grito curto.

O primeiro raio de sol atingiu o muro dois. A luz ainda fria chegou à retina de um soldado e incomodou seus olhos. O homem loiro e de barba por fazer levantou-se. Ainda trazia no corpo a fantasia verde e rosa de seu bloco carnavalesco. Sentiu alívio. Teriam ao menos doze horas de descanso para se refazer do susto, contar os mortos e ver o que havia sobrado de São Vítor. Um dos soldados ergueu o walkie-talkie e deu a boa nova.

Amaro, dentro de um casebre cheio de gente em todos os cômodos, nem precisou retransmitir a mensagem. O silêncio era brutal e todos na sala ouviram a informação prestada pelo companheiro no muro. O líder dos soldados levantou-se e, mancando, foi remover a escora da janela. Puxou a folha de madeira e um espectro suave de luminosidade clareou fracamente o cômodo.

– Glória, aleluia! – exclamou uma senhora, ao ver a luz do dia.

Amaro olhou para o rosto cansado da mulher. Todos estavam daquele jeito, com olhos fundos e entristecidos. O peito pesava. Claro que pesava! Todos naquele cômodo, nos outros, nas outras casas e no Brasil inteiro achavam que uma noite como aquela jamais voltaria a acontecer depois da Noite dos Milagres.

Amaro, com a ajuda de mais dois, afastou a pesada estante de madeira que tapava a porta e destravou-a. Abriu e deixou mais luz entrar. Um vento frio acompanhava a alvorada e trazia o cheiro de demônios queimados. O líder da soldadesca pisou no corredor de terra batida. Junto com o cheiro das brasas, discerniu o cheiro de chuva. O céu estava limpo, mas não duvidava que chovesse ainda de manhã, pois o vento era ligeiro e não tardaria a trazer nuvens.

Amaro baixou os olhos para a viela estreita e extensa. Os amontoados de cinzas ainda exalavam uma leve fumaça branca e fétida, mas já não traziam brasas ardentes. Esses montes de restos de demônios estavam por todos os lados, encontrados em todas as vielas e nas grandes áreas abertas de São Vítor.

Amaro caminhou até a várzea entre as casas e o HGSV. Olhando para o céu, via fios de fumaça riscando o azul-celeste. Aos poucos, as ruas da cidade iam sendo tomadas pelos sobreviventes. Amaro caminhava com o rosto apagado e sem cumprimentar as pessoas vivas. Os olhos do bento cumprimentavam os mortos. E era tanta gente morta e exangue que seria impossível enterrar a todos em um dia só.

Amaro levou as mãos ao rosto e caiu de joelhos, tomado pelo pranto convulso.

* * *

Ana olhou para o frasco de soro fisiológico junto à maca. Queria levantar-se e ajudar os outros colegas de hospital, mas fora proibida de sair da observação pelo doutor Ferreira. Ela e todas as grávidas de São Vítor foram postas em macas nas enfermarias um, dois e três, e ao menos vinte delas ficaram no corredor. Tomavam soro e droga relaxante, que agiam sobre o útero, aliviando a dor deixada pelas intensas contrações às quais foram submetidas durante o ataque dos vampiros. Graças aos céus, nenhuma delas havia perdido o bebê.

Horas mais tarde, uma das enfermeiras veio até o leito de Ana, avisando que o amigo Ferreira queria ter com ela. A enfermeira ajudou a médica a descer da cama e acomodou-a numa cadeira de rodas. Pela segunda vez em sua vida, Ana transitou por aqueles corredores na condição de paciente.

Em poucos instantes, a cadeira de rodas foi postada na frente do doutor Ferreira. O calvo amigo de Ana olhou-a demoradamente e depois sentou-se à mesa. A médica percebeu de imediato o curativo no queixo e o braço engessado do obstetra.

– Também passou um mau bocado, Ferreira?

– E quem não passou, Ana? Ontem foi a pior noite que eu vi nessa vida desgraçada. Nunca vi um ataque tão organizado. Um ataque tão pavoroso.

As palavras do amigo fizeram Ana lembrar-se de Lucas. O seu companheiro tinha farejado de longe a possibilidade de problemas daquela ordem e daquela magnitude quando todos festejavam uma vitória inexistente. Afligiu-se pensando no marido. Ninguém até agora tinha conseguido contato com a base avançada do Villa-Lobos.

– O doutor-chefão vinha pra cá, mas como o bom velho já está ficando senil e não larga aquele charuto nem a pau, dei uma enrolada.

– O chefão? – perguntou Ana, com um sorriso nos lábios, dissolvendo o semblante preocupado.

– Ele mesmo. Ele nunca sai daquela sala marrom e daquele conhaque... – Ferreira tomou um pouco de ar antes de continuar. – Ele quer saber o que você sabe sobre o ocorrido ontem à noite.

– Sobre o ataque dos vampiros? O que eu sei de especial sobre isso?

– Calma. Você já passou estresse demais nas últimas horas, mas você é nossa colega, é bem inteligente, por isso acho você a escolha mais certa, mais indicada para esse... interrogatório.

Ana arqueou as sobrancelhas. Estava surpresa. O colega explicou melhor:

– Vocês, de modo geral, estão bem, mas, pelo que ouvi da maioria das mulheres, é que vocês entraram numa espécie de ataque coletivo...

– Histeria.

– É. Isso. Uma histeria coletiva.

– Não me lembro de quase nada. Só sei que estava na arquibancada assistindo ao desfile da... como é mesmo o nome?

– Unidos do Forte.

– Isso. Estava vendo o desfile, na maior alegria, mas quando começou o show pirotécnico eu "pirei-técnica" também.

O médico riu do comentário da amiga.

– Eu senti uma dor no abdome, uma contração, seguramente. A dor foi grande e me tirou do ar. Eu fiquei assustada, estava carente... Lucas tinha prometido estar aqui... Ainda estou muito nervosa, ninguém consegue falar com o acampamento Villa-Lobos, ninguém sabe como eles estão... Acho que o resultado de todo o acúmulo dessa aflição, mais o rojão de alerta... Eu... eu saí do controle...

– Peraí. Ninguém na avenida ouviu o rojão de alerta. Você mesma disse que começou a passar mal no meio do show de fogos, não dava para ninguém ouvir o rojão.

Ana ficou calada um instante. Botou a mão na boca.

– Ai, Ferreira. Espera. Acho que não foi bem o rojão que eu ouvi. Foi alguma coisa. Uma aflição indescritível, mais aquela dor... Eu... eu fechei os olhos e vi os vampiros do lado de fora do muro...

– Isso é que está me tirando do sério. Duas grávidas descreveram a mesma sensação quando começaram a passar mal. Dizem que viram os vampiros... mesmo estando sentadas no sambódromo.

Ana mordiscou o lábio.

– E tem outra – continuou o médico. – Você pode me explicar por que raios dos diabos você correu para o refeitório?

A médica grávida deu de ombros.

– Primeiro eu pensei na minha casa. O Lucas me deixou uma arma de fogo, com balas de prata...

– Pô, acho que eu vou começar a sair com uma benta também.

Foi a vez de Ana rir da graça do amigo.

– Eu ia para casa, mas daí me veio a ideia fixa do refeitório, como se tivesse, literalmente, uma vozinha comandando, mandando eu ir para lá. E fui.

– Você se encontrou com alguma das grávidas? Vocês conversaram antes de chegar ao galpão-refeitório?

– Não. Não falei com ninguém. Eu só corri pra lá. Acho que você não prestou atenção no começo da minha explicação. Quando eu disse que pirei, eu pirei mesmo. Achei que estava perdendo o bebê, sabia que os vampiros iam invadir São Vítor... Fiquei tão sem chão que nem consegui chamar o Amaro, que estava perto de mim uns minutos antes de o desfile começar.

– Quando você chegou ao refeitório, quantas grávidas já estavam lá?

Ana encolheu os ombros. Não conseguiu lembrar-se... Não tinha certeza, mas achava que tinha sido a primeira a entrar no refeitório.

– Acho que só eu estava lá... não me lembro como tudo aconteceu. Acho que só voltei a mim mesma quando os bentinhos chegaram. Eles, não sei como, começaram a acalmar a gente. Dá pra acreditar?!

– Os curumins de bentos?

– Aquele menino tem um brilho nos olhos e a Gisele transmite uma meiguice... eles são iluminados.

– Iluminados como todos os bentos.

– Não sei, Ferreira. Eles pareciam um bálsamo no meio daquela zona. Os vampiros estavam esmurrando as portas, estavam atirando contra o galpão. Nós estávamos a um passo de explodir de desespero... mas, quando eles apareceram, foi incrível.

– O que eles fizeram?

– Eles saltaram por uma janela e enfrentaram sozinhos os vampiros do lado de fora. Acho que, se eles não tivessem arriscado os pescoços, os malditos teriam invadido o refeitório e nós teríamos perdido nossos bebês.

– Você está falando de duas crianças?

Ana sorriu e aquiesceu. Aquilo era inacreditável mesmo. Duas crianças, de dez, onze anos no máximo.

* * *

Chen também saiu da casa onde se fechara para terminar a noite. Chamou pelo walkie-talkie o nome de oito soldados, recebendo resposta de apenas um. Andando pelas vielas, encontrou os rostos de mais dois. Estavam imóveis, em choque, contudo vivos. Mais uma viela, mais meia dúzia de rostos conhecidos. Esses últimos também imóveis, mas tomados pela rigidez cadavérica reservada aos que cruzavam para o lado de lá.

O líder dos soldados parecia andar a esmo, com os olhos tristes, perdido, sem ânimo nem direção. Caminhando assim, Chen chegou ao alojamento dos soldados. Tinha ouvido alguém falar alguma coisa sobre a sala de rádios. Lembrava-se dos gritos insistentes de Tatu no walkie-talkie anunciando que tinha entrado em contato com a Barreira do Inferno.

Chen adentrou o galpão militar e caminhou em direção à sala de rádio. A porta estava estraçalhada como duas dúzias de outras que viu pelo caminho. Havia sangue no chão do galpão e sinais de soldados que foram arrastados dali para fora. Chen pulou os destroços da porta da sala de rádio e seus olhos amendoados demoraram sobre todo o equipamento queimado e destruído. Contornou a mesa de madeira e tropeçou nas botas do baixinho Tatu. Os olhos arregalaram-se e o oriental correu para fora da sala, patinando no sangue pastoso e coagulado que infestava o caminho.

Chen vomitou em um canto. Estava bastante acostumado a lidar com cadáveres após as batalhas, mas os restos de Tatu deixavam claro a selvageria com a qual foram mutilados todos os que terminaram nas garras daqueles demônios da noite. O líder dos soldados recolocou-se de pé e voltou à sala de rádio. Precisava ver se algum daqueles aparelhos ainda funcionava. Andou com cuidado na sala apertada e não precisou fazer nenhum teste para saber de pronto que nenhum dos rádios transmissores estava em condições de uso. Lembrou-se dos transmissores portáteis. A maior parte deles tinha sido levada para o acampamento Villa-Lobos na Velha São Paulo, mas havia alguns guardados no quartel da soldadesca. Tinha de encontrá-los.

Nessa hora São Vítor não poderia ficar sem voz e sem ouvidos.

CAPÍTULO 33

Lucas subiu até o topo da torre. O cenário abaixo era de desolação. Não havia sobrado uma única barraca em pé e grande parte dos soldados tinha perecido. Além disso, alguns dos melhores amigos daquele posto avançado na Velha São Paulo permaneciam desaparecidos. A tática imposta por Vicente tinha surtido efeito, já que ao menos não haviam sido aniquilados completamente. Nenhum rádio potente restara, apenas alguns pares de walkie-talkies de médio alcance.

Esperaram presunçosamente que TUPÃ livrasse suas caras e banisse dali as feras noturnas. No entanto, Gabriel nunca conseguira falar com o CLBI e a notícia terrível veio quando a voz da assistente de Franjinha anunciou o inesperado. Várias fortificações estavam sob ataque naquele mesmo momento, todas precisando da assistência do raio portentoso projetado pelo satélite. O grande problema é que a própria Barreira do Inferno teve de lutar e combater os malditos vampiros.

O que importa é que, graças à perspicácia de Vicente, tinham sobrevivido. Lucas sentiu o peso daquele pensamento. Os soldados não puderam defender Villa-Lobos e o símbolo de vitória e avanço dos humanos sobre a nova Terra tinha ido abaixo. Tinham se enfiado, isto sim, em um buraco e lutaram bala a bala para se manterem inteiros. Dezenas morreram nas escadarias das arquibancadas de concreto do parque. O sangue estava lá para contar a história. Não fossem as deita-cornos, talvez nenhum deles tivesse restado.

Os bentos deram o máximo, lutando como máquinas elétricas e picando vampiro a vampiro, até que no meio da madrugada os malditos debandaram e desapareceram. Lucas tinha perseguido um grande grupo, conseguindo eventualmente alcançar um ou outro vampiro, mas eles fugiam desordenadamente, ao menos aos olhos dos humanos. Simplesmente sumiram na noite. Lucas buscou pelos irmãos desaparecidos a noite toda, retornando aos escombros do acampamento somente ao raiar do dia. Os únicos que encontrou eram apenas cascas mortas, sem sangue, dos soldados que haviam sido um dia. Já os bentos localizados tinham sido decapitados.

Quanto aos vampiros, a única pista era a direção que tinham tomado na cidade fantasma da Velha São Paulo e o trajeto que tinham feito em marcha para chegar ali e surpreendê-los. Mas a maioria dos malditos não fugira nessa direção. Lucas perseguiu um bando de vampiros até a Vila Madalena. Dali em diante, não viu mais nenhuma das criaturas. Voltaria a vasculhar a cidade. Deveriam estar escondidos em algum ponto. Os malditos não tiveram tempo útil de se afastar demais. Os bentos tinham de encontrar o covil onde os malditos se escondiam. Um covil afastado dos postos de observação. Os vampiros estavam se tornando mais organizados e isso poderia levar os humanos à derrocada.

Lucas chegou ao meio do concreto onde vinte e quatro horas atrás perfilavam-se dúzias de barracas de lonas verdes. Agora só havia fumaça e brasas do que restara do incêndio. Quanto a seus homens, pareciam um bando de fantasmas, caminhando sem rumo, feito cão caído do caminhão de mudança. Muitos tinham as roupas chamuscadas, outros traziam bandagens envolvendo ferimentos. Ninguém tinha escapado ileso naquela madrugada. Os que não ostentavam ferimentos no corpo físico certamente traziam feridas na alma.

Eles teriam de restabelecer a base avançada de Villa-Lobos. Manter seus homens em São Paulo era vital. Não retrocederiam. O plano era reconquistar o Brasil para depois ajudar o mundo. O ataque dos vampiros a Villa-Lobos não representava um tropeço, e sim um murro na cara; no entanto, Lucas não deixaria que os homens voltassem um centímetro para trás. Era hora de reestruturar o plano. Depois que Villa-Lobos estivesse de pé novamente, voltaria a São Vítor. Usaria o rádio para chamar bentos de todos os cantos. A retomada aconteceria, mas antes teria de encontrar e destruir o maldito que se autointitulava "vampiro-rei".

CAPÍTULO 34

Bento Teodoro ajudava a enfermeira Lurdes a transformar outra mesa em leito. Muitos soldados ainda estavam no chão, exibindo uma coleção de ferimentos, dos mais leves aos mais graves. A situação estava grave e a enfermeira se virava como podia. Faltavam analgésicos e gaze para os curativos. Os veículos do Centro de Lançamento da Barreira do Inferno tinham sido destruídos, bem como os reservatórios de combustíveis. Bento Célio, benta Walquíria e mais dois soldados tinham formado um grupo e cavalgaram para Nova Natal, no fito de trazer mais enfermeiros e ao menos um médico para o CLBI.

Um dos casos mais graves era o de Aurélio. O líder dos soldados tinha entrado em coma depois de ser ferido à bala e estava à beira da morte, pronto para mergulhar no fosso escuro do fim da vida. Ninguém ardia em febre, e infecção não era a grande vilã pós-traumática nos corredores. A luta era contra a dor das fraturas e a hemorragia que consumia as forças dos bravos contendores.

Por mais que Lurdes se esforçasse, faltava-lhe conhecimento para trazer de volta muitos dos que descompensavam diante de seus olhos. *Que drogas aplicar? Qual artéria suturar? Como ter certeza de que aqueles pobres coitados estariam a salvo da morte?*

Lurdes não era médica e Teodoro lia o desespero no rosto da mulher. Colocou sobre a mesa um colchonete e deitou sobre ele um soldado que gemia e chorava à beira da inconsciência, com múltiplas fraturas na perna e no braço direitos. Teodoro fez uma careta ao ver uma ponta aguda escapando da coxa do rapaz. A fratura exposta fazia sangue jorrar ao menor movimento, acompanhado das lamúrias do ferido. Lurdes aproximou-se, cravou uma agulha na mão do rapaz e pendurou uma garrafa que fora de aguardente acima do leito, em um gancho, deixando o soro fisiológico entrar na corrente sanguínea do rapaz.

– Segura os braços dele pra mim, Teodoro.

O bento arqueou as sobrancelhas, mas obedeceu à enfermeira de pronto.

Lurdes injetou um analgésico por meio do cateter e, com presteza, aproveitou os braços presos do soldado e foi lidar com o traumatismo na perna. A enfermeira apanhou uma tesoura e cortou a calça do rapaz de cima a baixo. O membro estava inchado e roxo, e causou certo asco ao ser observado pelo bento. Lurdes, com luvas de borracha, empurrou o caco de osso para dentro da ferida e aplicou uma espécie de unguento adesivo sobre o rasgo. Retirou o cinto de couro da calça do rapaz e com ele improvisou um torniquete, a fim de diminuir a hemorragia. Assim que apertou com toda força, finalmente afivelou o aparato providenciado. O soldado soltou um gemido grave e sua cabeça pendeu pesada para o lado.

– Ele morreu? – perguntou Teodoro.

Lurdes pressionou com os dedos o pescoço do rapaz e sinalizou negativamente para o bento ruivo.

– Não. Ele entrou em choque. É bom que seus amigos tragam um médico rápido. Pelo menos oito soldados podem morrer ainda hoje, se não receberem o atendimento correto – a mulher passou a luva pelo rosto, sujando a testa com o sangue do jovem paciente.

– Calma, Lurdinha. Calma... Você não é Deus. Eu tô vendo com esses olhos, que a terra há de não comer, que tu tá dando o maior grau, irmãzinha. Segura a onda que a chapa ainda tá quente.

– Tá quente, Teodoro? Só quente?

– Tá fervendo.

CAPÍTULO 35

Lúcio e Benito estavam exaustos e alquebrados. A marcha da manada de búfalos tinha durado toda a madrugada, bem como a tempestade que batia sobre suas cabeças. O lacaio de Cantarzo só conseguiu ter ideia da paisagem quando relâmpagos distantes encheram o negrume de luz. Via o caixão com seu amo balançando no lombo do bicho em flashes intermitentes. Cada vez que o céu se acendia, viam-se cercados por água e árvores altas.

– Para onde estão nos levando, Lúcio?

– Não sei, Benito. Faz horas que não consigo enxergar um palmo diante do nariz. Desde que começou essa chuva infernal, não dá nem pra adivinhar onde estamos.

– Não sabia que essa ilha era tão grande.

Benito passou a mão pelos cabelos, tentando pateticamente tirar o excesso de água da cabeça.

Lúcio, depois de relâmpagos seguidos e de trovões portentosos, divisou um barranco lamacento. A manada começou a galgar perigosamente sobre a lama, que em muitas partes cedia em grandes porções, e sair do alagado. Lúcio não se acostumava com aquele inusitado transporte. Observava os búfalos formando um grupo maciço e, com o efeito estroboscópico provocado pelos relampejos, parecia ver uma esteira de pelos negros avançando à frente. Eram bichos encantados. Soberbos e assustadores.

Assim que deixaram a vala alagada por onde os bovinos tinham marchado horas a fio, a tempestade, que parecera até ali interminável, dissolveu-se como que por magia, transformando-se numa garoa fina e extremamente leve.

Lúcio ficou de queixo caído, observando a paisagem de Marajó. Fachos de sol venciam as grossas e negras nuvens e pintavam de dourado as porções de pasto e trechos de florestas. A luz, que em alguns pontos era abundante, deixava os homens verem o doce movimento da garoa como se gigantescos véus de tecido fino estivessem querendo cobrir toda a ilha. Os bichos andaram por cerca de mais três minutos e então pararam no meio do nada.

Lúcio sentiu um aperto no peito. Aquilo era medo. Os relâmpagos e trovões eram vistos e escutados, agora muito distantes, além de onde os raios de sol conseguiam vencer o olho formado pelas nuvens negras que giravam sem cessar acima das cabeças deles. A garoa e a tempestade comportavam-se como se soubessem que eles estavam ali. Mesmo assim, com o céu mais calmo, vez ou outra um raio cruzava o firmamento. Sem o som da constante chuva, os ouvidos dos homens se encheram com o barulho dos incontáveis búfalos que pisavam no mesmo lugar, sem avançar, mas ao mesmo tempo não conseguiam se manter completamente parados, como que contidos por cerca invisível, mantendo-se unidos, formando um bloco barulhento e agitado.

– Você é que trouxe a gente aqui, Lucião. O que a gente faz agora? – perguntou Benito.

– A gente espera. Se esses bichos vieram pra cá, é cá que as coisas vistas antes hão de acontecer.

O som dos pés dos animais pisando a grama molhada foi diminuindo gradativamente, tal qual o volume de mugidos.

Lúcio engoliu em seco. Aquilo era estranho demais.

As nuvens pesadas acima de suas cabeças vez ou outra iluminavam-se e parecia que o toró ia recomeçar. Mas por muitos minutos nada se alterou. Só ouviam o barulho dos bichos ao redor e sentiam um frio pavoroso quando rajadas de vento varriam o amplo pasto.

De repente, o búfalo maior de todos chacoalhou o corpo, fazendo com que o caixão de Cantarzo caísse na grama baixa e encharcada sem que se abrisse.

Os animais em que se encontravam montados também se remexeram, nervosos, diferentemente dos demais, que estavam agora serenos e praticamente imóveis. Os bichos balançavam o couro e não precisou muito mais que isso para que a dupla entendesse. Benito desceu primeiro e Lúcio praticamente caiu do lombo do búfalo, escorregando como se estivesse em cima de um tobogã. O lacaio escorregou na grama molhada e se estatelou, batendo as costas com violência. Levantou-se gemendo e, de joelhos, foi para o caixão de Cantarzo. Verificou as cordas e o lacre. Estavam perfeitos.

O escravo do vampiro percebeu que, apesar de escura, a paisagem gradualmente ganhava mais contornos. Ergueu os olhos para o céu e notou que não existia mais o olho girante formado por nuvens. As nuvens, de negras, tinham passado a acinzentadas, e percebia que estavam um tanto menos agitadas e grossas. O sol conseguia lançar mais luz no horizonte e assim foi possível aos viajantes terem a noção exata, pela primeira vez, do tamanho da manada. Impressionante. Tinha mais búfalos do que supunham. Os chifres dos animais eram largos, recurvados e pontiagudos. Mais uma vez trocaram comentários cheios de admiração quanto ao silêncio dos animais. Pareciam estátuas vivas.

Lúcio procurou Benito com os olhos. O homem estava de pé, passando as mãos nos braços, tentando esquentar-se. Seu queixo batia rápido e os lábios estavam escuros. Mais dois minutos se passaram. A manhã, ainda escura, ia paulatinamente ganhando luz. Cada vez mais longe, conseguiam discernir traços. O grande pasto mostrou-se ainda mais vasto. O gramado verde, que ondulava com o castigo do vento, ia até perder de vista.

Foi depois de um forte relâmpago, seguido de estrondoso trovão, que Lúcio deu com *aquilo*. De longe vinha um bovino igual àqueles que estavam ao redor. Lúcio levantou-se e cutucou o braço de Benito, apontando na direção do animal. Tinha alguém montado no búfalo. Outro relâmpago reforçou a claridade. Lúcio sentiu os pelos dos braços arrepiarem-se. Quatro estranhas criaturas vinham ao lado do animal.

Não sabia o que eram, mas não eram búfalos nem cães. Eram algum tipo de bicho que ele nunca dantes tinha visto. Estavam longe demais para perceber mais detalhes. Só no búfalo viu outra coisa de diferente. Era bem maior que todos os outros – maior que o búfalo carregador do caixão – e tinha os olhos vermelhos... vermelhos feito brasas de vampiros.

– Eu quero ir embora daqui – disse Benito.

– Deixa de cagaço, homem. Depois da gente andar tanto, subir esse Brasil todo, tu vai querer ir embora agora?

Lúcio agarrou as cordas do caixão de Cantarzo e puxou o esquife, abrindo caminho pela manada de bovinos. Andou mais de dois minutos até deixar todos às suas costas. Benito também veio. Os dois tinham o coração acelerado. A garoa apertou e o vento soprou como nunca, como se saísse da boca das feras que vinham ao lado do búfalo grande. Lúcio tremia, mas não era mais de frio. O estômago se contorcia em espasmos rápidos e bruscos. Sabia que estava chegando ao fim de sua jornada. Sabia que estava chegando a hora do tudo ou nada. Sabia que aquela silhueta escura que vinha no lombo do búfalo era a bruxa. A bruxa Tereza.

– O que é aquilo, Lúcio?

– É a bruxa, estúpido. É a bruxa que despertará nosso rei.

– Ai, Deus!

– O que foi, Benito?

– Então é tudo verdade?

Lúcio olhou com expressão fechada para o acompanhante.

– Verdade?! Então achou o quê?! Que eu estava carregando esse caixão feito otário? Que eu fodi minhas mãos à toa? Que eu quase morri seis vezes por nada?

Benito assustou-se com o ódio carregado na voz do parceiro e encolheu-se, tomando três passos de distância. Lúcio avançou em sua direção e agarrou-o pelos colarinhos.

– Essa mulher que vem no búfalo, seu palhaço, é a mulher que Cantarzo falou! Ela é a mulher que mora aqui, na tartaruga que é engolida pelo rio! Ela vai despertar o vampiro e vai devolver-lhe o viver! E quando ele acordar, seu estúpido, a primeira coisa que vai fazer é tornar-me imortal, tornar-me um vampiro! Serei o braço direito de nosso rei! Serei vivo para sempre!

Benito deu um safanão em Lúcio, livrando-se do lacaio.

– Para! Para! Seu maluco!

Lúcio controlou-se, parecendo voltar de um transe. Olhou de novo para o grande búfalo. Notou que as quatro criaturas que vinham junto com o bicho estavam amarradas a ele, presas em uma cela.

– Eu não quero mais virar vampiro, Lúcio. Quero ser eu mesmo.

Lúcio voltou a olhar para o parceiro de viagem.

– Não quer viver para sempre? Não quer ser eterno?

– Não quero ser vampiro. Estou com medo dessa coisa toda. Esses bichos ao redor do búfalo... eles dão medo.

– Devem ser cães de guarda de alguma espécie.

– Cães é o que não são. Devem ser demônios trazidos do inferno por essa bruxa dos diabos.

– Por que acha que são demônios?

– Porque eles me enchem de medo.

Outro relâmpago forte clareou todo o descampado.

Lúcio olhou para trás e assustou-se. Os búfalos que os tinham conduzido até ali desapareceram. Agora, eles estavam sós. Mas agora os relâmpagos e a proximidade do grande búfalo permitiam que visse melhor a passageira. Era uma mulher de cabelos longos e pele negra. Com outro clarão, pôde ver que ela tinha as madeixas brancas como as de uma velha. Tal como Benito, também teve vontade de sucumbir ao medo e disparar em carreira dali. Era uma bruxa. Uma bruxa que tinha aparecido para seu mestre. *Que poderes mágicos teria essa mulher? Que capacidades ela teria? Seria um monstro? Uma parceira do capeta?* Tinha medo da mulher e do barulho que ouvia. Podia ouvir as passadas pesadas do grande bovino de olhos vermelhos de fogo. Os ouvidos de Lúcio colheram o clamor de correntes balançando.

Os quatro bichos atados ao bovino vinham acorrentados, não simplesmente amarrados. Outro calafrio tomou o corpo do lacaio e de seu acompanhante. A luminosidade crescente conseguida pelo varar da manhã sobre as nuvens permitia ver que não eram cães de fato, como presumido. Eram gente! Quatro pessoas que andavam de quatro, como animais quadrúpedes... quadrúpedes aleijados, tortos. Eram selvagens. Faixas grossas e negras cobriam seus olhos, mas, estranhamente, eles não se perdiam nos passos, caminhando como bichos ao lado do búfalo.

Lúcio ergueu os olhos para a mulher. A pele era enrugada e escura e os olhos... no meio de um relâmpago... os olhos eram como os de uma cega. Eram brancos, fundos e intimidadores.

Lúcio tirou a arma do coldre e apontou-a para as criaturas que vinham acorrentadas. Eram esbranquiçadas como os vampiros e também forradas por veias escuras e asquerosas, como a dos noturnos. Mas algo encucava o lacaio. É bem verdade que os raios de sol não batiam diretamente em nenhum deles, porque as grossas nuvens protegiam os vampiros, mas havia muita claridade. Pensando bem, talvez isso explicasse os panos negros cobrindo os olhos de cada um deles.

A bruxa puxou a rédea de seu animal. O bicho parou e também aquietaram as quatro criaturas ao redor. A mulher olhou para o caixão, encharcado, que estava estendido no gramado. Ela fez um sinal para um dos bichos acorrentados e lançou-lhe um fino cabo de aço. A criatura agarrou a ponta terminada em um gancho e caminhou até o meio de Lúcio e Benito. Sem dirigir-lhes o olhar, o monstro humanoide cravou o gancho na madeira do caixão.

Benito manteve a arma apontada para a criatura. Não sabia se o matava ou não.

– Bruxa! Esse caixão é meu! – gritou para a mulher.

A velha balançou a corrente que prendia o bicho de olhos vendados e ele parou de grunhir na direção de Benito, retornando para o lado do búfalo.

A bruxa puxou a rédea e o grande animal negro deu meia-volta e começou a arrastar o caixão para longe dos dois visitantes.

Lúcio e Benito trocaram um olhar rápido. Não tinham outro remédio senão segui-los. Lúcio não tinha ido até ali para terminar sem nada. Ele era os braços e as pernas de seu mestre, e não seria decepado agora.

Apesar da péssima impressão que teve da bruxa Tereza, Lúcio começou a caminhar. As passadas eram pesadas e o vento continuava açoitando seu corpo. Estava exausto da jornada, que finalmente parecia ter chegado ao fim. Ao menos, mesmo tão cansado, era um pouco mais fácil andar, uma vez que não tinha mais de puxar as cordas do caixão de Cantarzo. Via as ancas do búfalo gingando à frente. A luz continuava fraca, com luminosidade suficiente apenas para discernir as coisas mais próximas e ter uma noção dos contornos que se estendiam metros à frente. A Ilha de Marajó era um lugar escuro e sombrio.

O búfalo levou uma hora e meia para cruzar o pasto encharcado. Lúcio e Benito ficaram para trás, afastando-se do séquito da bruxa uns duzentos metros, conseguindo ver os vultos à frente. Conforme os relâmpagos acompanhavam o cortejo, iluminavam a paisagem, deixando que Lúcio e Benito vissem melhor o caminho. Tinham cruzado as porteiras do que fora uma fazenda. Uma imensidão deserta, sem um animal, um ser sequer.

Finalmente os homens divisaram os contornos de algo que lembrava um forte. Lúcio arregalou os olhos, surpreso com a imponência da construção tão estranha. Não esperava encontrar na Ilha de Marajó uma fortificação. Mesmo que soubesse da existência de uma, acreditava que certamente a bruxa evitaria a exposição. Cutucou Benito para que o parceiro apertasse o passo. Leu nos olhos do amigo toda a exaustão e incapacidade.

Lúcio começou praticamente a correr, sozinho. Tinha medo de que seu mestre fosse levado para o meio de uma vila habitada. Tinha de retomar o caixão e escondê-lo das horas de sol. Mesmo que os raios quentes do astro-rei não varassem as cúmulos-nimbos sobrecarregadas e cerradas que voltaram a tapar quase que completamente o céu da ilha, era de se temer pela sorte do vampiro. Humanos não entendiam muito bem os mulos, não gostavam daquelas coisas de carregar caixão. Lúcio tentava diminuir a distância até o grande búfalo e as criaturas, mas parecia-lhe impossível alcançá-los antes dos portões do forte.

Ele tirou a arma do coldre uma vez mais e disparou para o alto. Tereza e seu estranho bando não se deram ao trabalho de olhar para trás. A bruxa prosseguiu a marcha em direção ao muro. Lúcio recebeu outro açoite de vento gelado e chuva, o corpo inteiro tremia. *E se a bruxa chegasse aos portões e não franqueasse passagem a ele e ao colega, separando-o de Cantarzo?* Toda aquela conversa a respeito dela poderia ser a mais pura balela. O homem apontou a arma na direção do búfalo. Ele era imenso e não erraria, mesmo daquela distância. Respirou fundo e puxou o gatilho. Quase simultaneamente à explosão, o bovino mugiu alto, acusando o ferimento. Porém, diante dos olhos perplexos de Lúcio e Benito, o cortejo de Cantarzo continuou a avançar sem olhar para trás.

Tereza, ouvindo o disparo da arma e o grito de seu dócil animal, passou-lhe a mão no lombo.

– Calma, Negro. Calma – disse sua voz rouca.

A bruxa apanhou o molho que trazia no cinturão e escolheu uma das chaves longas. Enfiou-a no cadeado de ferro e girou, libertando um dos monstros que vinham acorrentados.

– Vai, Demônio. Vai e não mata – ordenou a bruxa, com voz baixa, depois tornando para Negro: – Segue, segue.

Lúcio fazia mira novamente no búfalo. Estava espantado, pois tinha acertado a fera e ela não tinha disparado em correria nem caído ferida. Puxou o gatilho novamente, ouvindo outro mugido prolongado em resposta.

– Segue, Negro. Segue! – ordenou a bruxa, com voz mais irritada.

– Eles estão chegando no portão! – gritou Benito, finalmente alcançando o parceiro.

Lúcio bufou, impaciente com a reação do búfalo. Apontou a arma mais uma vez, talvez se mirasse na bruxa... Um relâmpago forte brilhou no céu, enchendo o pasto de luz. Lúcio arrepiou-se pela enésima vez dos pés à cabeça. Com a claridade, percebeu apenas três daquelas repugnantes criaturas cercando o búfalo. Com a iluminação estroboscópica oferecida por outra sequência de relâmpagos, percebeu uma silhueta correndo em sua direção. Estava a cerca de cento e cinquenta metros. E era um deles, um dos bichos que guardavam a bruxa. Viu a coleira em volta do pescoço do humanoide e ouviu o barulho dos elos da corrente batendo. Começou a tremer e a mirar no animal. Puxou o gatilho. Errou.

O bicho ia firme em direção a Lúcio, que puxou o gatilho mais uma vez e, com o iluminar de um relâmpago, viu a bala levantando água do chão, passando ao lado da criatura. Quantos tiros ainda tinha? Tinha gastado quatro balas. Era melhor acertar desta vez. Atirou de novo. Mas o bicho continuou indo na direção de Lúcio. Estava a menos de cinquenta metros.

Lúcio sentiu o coração bater tão rápido que achou que ia ter um treco ou que o órgão sairia pela boca. Puxou o gatilho outra vez. Um "plec" desesperador! Nada de munição! Nada de tempo nem estratégia! Só olhou para Benito, que começava a correr, refazendo o caminho, quando voltou os olhos para a frente: a fera de olhos vendados estacou e levou uma mão à corrente que voava e que, sofrendo o efeito da inércia, transformara-se em arma perigosa. Com habilidade, a criatura manejou a corrente feito chicote e Lúcio sentiu o impacto pesado do ferro em sua pele. A ponta de elos rodou quatro vezes sobre seu pescoço, sufocando-o de imediato.

A fera retomou a corrida e, pela gola, agarrou Benito, que foi ao chão. A criatura encarou o homem por alguns segundos, depois abriu a boca e emitiu um rugido feroz.

– Não! – gritou o homem, sentindo o hálito pútrido que escapava da boca do humano monstro.

O humanoide exibiu dentes pontiagudos e rosnou mais duas vezes.

Com desespero e repugnância, Benito viu a boca do bicho aproximar-se de seu pescoço. *Era um vampiro!* Tentou levantar-se, mas a mão firme do animal o manteve imobilizado. Quando a boca da fera tocou seu pescoço, Benito esperou pela fisgada fatal, o momento em que o maldito vampiro sugaria todo seu sangue. Mas não foi isso que sentiu. Ouviu o bicho cheirá-lo seguidamente e depois lamber sua pele. Não teve nem tempo de processar o inusitado fato, quando a fera desmontou de cima de seu peito e, de quatro, voltou a correr como um cão grande. Benito cravou os cotovelos no chão para poder assistir melhor.

A criatura galopava em direção ao muro e logo após passar por Lúcio, que se contorcia no chão com as mãos no pescoço, fez a corrente esticar-se e passou a arrastar o homem pelo pasto encharcado.

Benito passou a mão pelo pescoço e colocou-se de pé. Via, desesperado, a cena do amigo balançando os pés. Passou a mão pelos poucos cabelos e olhou para trás, para o pasto por onde tinham vindo. Tudo escuro. Apesar de ser dia, só havia trevas. Engoliu em seco e voltou a olhar para o muro. Um relâmpago mais forte, seguido de um portentoso trovão. Viu as portas de madeira da fortificação abrindo-se, franqueando passagem ao bizarro cortejo. Benito tirou forças do fim do pote para quase correr. As pernas queimavam, as costas doíam e a cabeça parecia que ia explodir. Sorriu com o canto da boca ao pensar que certamente não estava pior do que o impetuoso amigo de jornada.

Quando finalmente Benito alcançou os portões da fortificação, sentiu alívio por ainda estarem abertos. Olhou demoradamente para os muros e o alívio que germinou no seu peito murchou rápido como broto que não vê água. Os muros eram altos, com mais de quinze metros e completamente cobertos por desenhos em relevo. Desenhos estranhos. Criaturas delgadas e aladas que enrodilhavam as caudas nos pescoços de figuras que representavam humanos. Outras figuras traziam chifres como os dos búfalos, mas não eram búfalos, eram gente que andava em duas patas... *Demônios*. Aquela, com toda certeza, não era uma fortificação qualquer. Ali era terra de uma bruxa sinistra, de uma indígena com olhos brancos e fundos que transformava gente em bicho. Passou com receio. Sentia-se observado, desconfortável.

Agora, além da dor, aquilo... aquela sensação desagradável. Olhou para trás. Ninguém, nada. Nem gente nem vampiros. Olhou para a frente. Nada. Não via a bruxa e o imenso búfalo, nem Lúcio e as demais criaturas. Segurou o revólver com mais firmeza, como se lhe desse mais conforto. No meio de um relâmpago, percebeu uma trilha feita no chão de barro que formava a várzea interior da fortificação. Poucas casas e uma grande construção. Não era um galpão nem hospital.

Benito esperou outro relâmpago e apurou a visão. Limpou a água que descia aos olhos. Aquilo parecia um castelo! Um castelo ou um templo... Era loucura demais. Ouviu um baque surdo às suas costas. Virou-se rapidamente. Novos relâmpagos. Empunhou o revólver e apontou-o em várias direções, assustado. Não via ninguém, mas os olhares ainda pesavam em sua nuca. Estava tão aturdido que o segundo susto só veio depois, quando notou que os portões estavam cerrados. Podiam ser portões automáticos, mas não via nenhum mecanismo atado às partes de madeira. Eram longos troncos entrelaçados por cordas grossas e varões. Deveria pesar toneladas. Voltou a olhar para o chão. Queria sair do vento frio e da garoa. Tinha de encontrar Lúcio e saber se ele ainda estava vivo.

Benito encontrou novamente a trilha com a ajuda dos relâmpagos. Via as passadas do búfalo e também um sulco largo, provavelmente aberto pelo corpo caído do amigo. A lama estava cada vez mais escorregadia e profunda, conforme se aproximava daquele templo de três torres. Em um dos passos, o sapato do homem prendeu-se no barro e ele ficou com um pé descalço. Foram precisos dois minutos em puxões atrapalhados e um tombo patético para recuperar o calçado. Levantou-se com o traseiro cheio de lama e retomou a marcha.

Minutos depois, Benito alcançou uma mureta que, ao reparar melhor, rodeava o templo. Tinha coisa de um metro de altura. A guarnição era feita de pedras negras justapostas. Passou por cima e o que julgava impossível aconteceu. Ao adentrar aquela cercadura e aproximar-se ainda mais do templo, sentiu um frio indescritível, como se estivesse entrando em um freezer. Olhou para trás e caiu sentado no barro mais uma vez. Subindo do muro de pedras negras, ele avistou um fogo azul translúcido ardendo e ganhando as alturas como uma cortina, quiçá atada ao próprio firmamento. Era impressionante e tremendamente assustador.

Dentro do círculo de pedras ao redor do templo, estava claro como o dia sem nuvens e podia-se ver cada detalhe em volta da construção. Era um lugar encantado por aquela diaba. Benito colocou-se de pé uma vez mais. As dores tinham abandonado o corpo do homem e o frio desapareceu, bem como o vento e a garoa gelada. Só o coração permanecia acelerado, e a respiração, descompassada. Era muita coisa para uma mesma madrugada.

Antes de cruzar aquela mureta, ele achava que não mais seria abalado por coisas surpreendentes. Agora, no entanto, estava certo de que as assombrações não parariam por ali. Benito voltou para o templo, que de fora do círculo de pedras lhe parecera tão lúgubre. À luz brilhante do dia ele era formoso. Erguia-se por vinte metros e tinha três grandes torres. Não havia cruzes nem outros símbolos nas pontas, deixando claro que não era, e talvez nunca tivesse sido, uma igreja. Tinha detalhes delicados e grandes gárgulas de feições fechadas, com canos longos escapando de suas bocarras. Não se assemelhava com templos de outras crenças ou com edificações de outras épocas, era uma construção completamente inusitada. Na verdade, o homem chamava-o de templo por conta das torres em suas extremidades, mas a composição arquitetônica central, redonda e imponente, por mais incrível que pudesse ser, assemelhava-se a uma grande oca. Uma construção indígena rudimentar, talvez. As paredes, tanto as da parte central quanto as das torres, eram da cor de barro e, com efeito, pareciam cobertas ou feitas desse material.

Benito subiu pela escadaria frontal. Os degraus eram feitos de mármore negro rajado em verde, uma mistura belíssima. Talvez fosse esse o único luxo da entrada daquele imenso complexo. Mas, mesmo assim, aparentemente coberto de simplicidade, o lugar era impressionante.

Quando chegou de frente às portas, altas e de madeira escura, guardou a arma. Olhou novamente para trás. Mais uma vez sentiu um calafrio ao ver aquela cerca mágica. O fogo azul ainda estava lá, acompanhando a mureta de pedras negras e subindo ao céu até onde a vista alcançava. Ora tinha certeza de ser um tipo de fogo, ora a cortina ondulava como água do oceano, confundindo o discernimento de Benito. Pensando bem, aquele lugar não tinha nada de simplório ou rudimentar. Parecia que cada grão, cada centímetro era coberto de encanto e maldição.

Foi nesse instante que Benito pensou em Lúcio novamente. *Será que o parceiro ainda estaria vivo? Teria tempo de ajudá-lo?*

Benito passou pelas portas principais. Estava, enfim, dentro do templo frio e escuro. Não havia luz artificial de nenhuma espécie. Tinha, sim, um pouco de luz solar que, graças a algum segredo de engenharia, penetrava pelo teto. Mas não havia nada ali. Era apenas um gigantesco salão circular, com seis portas adornadas nos batentes. Deixou levar-se pela curiosidade. Havia apenas um rastro no chão, o rastro de um corpo arrastado, o qual Benito seguiu.

Ele passou o batente e subiu alguns degraus, chegando a uma nova sala. Ali entrava mais luz. Encontrou frestas, quase junto ao teto, que possibilitavam a claridade. O chão de terra seca levantava pó conforme ele caminhava. Sentiu o braço ficar arrepiado ao deparar-se com uma obra na parede. A princípio, não identificou exatamente o que era, mas algo macabro e maligno emanava daquilo. *Os crânios.* Os crânios transmitiam aquela sensação. Aos poucos, foi se dando conta de que tudo o que via incrustado eram partes de esqueletos. Havia um padrão. Afastou-se mais para enxergar melhor. Crânios minúsculos. Contou-os. *Trinta.* Trinta crânios pequenos, de crianças. Aproximou-se. Eram pequenos até mesmo para crianças. *Eram crânios de bebês!*

Aterrorizado, Benito persistiu e continuou em frente. Deixou aquela sala, indo para outro corredor. De vez em quando, encontrava curtos lances de escada. Desta vez, ele descia. O caminho era curvo, e o homem tinha a nítida impressão de que contornava o grande pavilhão do templo. Percebeu que ia afundando e que a luminosidade diminuía.

Passou por mais um batente. Aquela sala era a mais escura de todas e tinha o ambiente fracamente iluminado por chamas de tochas fixas na parede. Era a primeira vez que via luz que não fosse a do sol. Aquele lugar parecia ser um átrio subterrâneo, tendo o pé direito altíssimo e uma espécie de altar ao fundo.

Andando um pouco mais, e ganhando uma noção melhor do espaço, o visitante encontrava-se em um patamar há dez metros do piso inferior. Benito encostou-se a uma proteção de balaústres de cerâmica marrons-avermelhados, mimetizada com a cor das paredes, do teto e do piso. Novamente ele foi assaltado por aquela sensação de estar dentro de uma imensa oca. Parecia que a qualquer instante toparia com um cacique enfurecido pela invasão profana. O coração bateu mais rápido quando, colocando a cabeça por cima dos balaústres e olhando para baixo, viu o caixão ainda cerrado do famigerado Cantarzo e, ao lado, o corpo desfalecido de Lúcio.

Benito ouvia uma voz. Não era uma conversa. Soava como uma leitura, talvez uma prece. O visitante encheu-se de coragem e prosseguiu, andando rente à balaustrada até encontrar uma escada curva de degraus amplos e igualmente cor-de-barro. Desceu. O lugar tinha cheiro de caverna. A luz do sol não deveria chegar nunca naquele fundo. Olhou pelas paredes, buscando por uma janela. Nada. A única passagem de ar que vira até então fora a porta por onde entrara.

À medida que descia a escada curva que rodeava o imenso salão, o caixão foi entrando no campo de visão de Benito. Ele recostou-se ao corrimão e encobertou-se. Olhou na direção da voz. Era Tereza. Ela parecia rezar, com as mãos para o alto e os olhos cerrados. Benito ficou imóvel. A bruxa começou um cântico. O homem abaixou-se mais ainda. O corpo voltou a tremer. Aquela música era linda, mexia com seus nervos.

Benito respirou fundo. O cântico entrava em seus ouvidos e ganhava força em sua mente. O coração batia rápido e os pelos do corpo uma vez mais eriçaram-se. Fechou os olhos, enfeitiçado pelo som da voz sensual da mulher. Benito acocorou-se, os músculos das pernas relaxando cada vez mais. Abriu os olhos e viu Lúcio encolhendo-se no chão com as mãos nos ouvidos. Sorriu ao perceber que o amigo estava vivo. Mais uma vez, fechou os olhos.

A bruxa entoava agora com a voz mais alta, mais lenta, mais triste. Benito sentiu o corpo todo amolecer. Em sua mente, via a cortina de fogo e mar azul translúcido ao redor do templo. Viu quando ela começou a girar. Isso estaria acontecendo mesmo ou seria só uma visão da sua cabeça? Tentou abrir os olhos, mas a voz suave da mulher entrou mais fundo, vedando-os com delicadeza. Era belíssima, a canção. Uma melodia triste e interminável, que fazia o coração doer e o corpo todo esfriar.

Viu o mundo. A cortina de fogo e mar azul tomando e rodeando todo o globo terrestre. A música insistia em seus ouvidos, mantendo-o entorpecido, conectado à melodia. Benito viu indígenas na televisão. Viu o Exército, com suas armas de fogo, marchando contra uma tribo. Viu um helicóptero verde-oliva descendo. Funcionários do Ibama dentro de casas de barro. Os homens da tribo brandindo facões. As mulheres correndo nuas, levando seus curumins para a mata. Viu o rosto de William Bonner falando no *Jornal Nacional*. Uma notícia terrível. Vergonha para o mundo. As autoridades brasileiras tinham dizimado uma tribo inteira. As negociações no Senado tinham sido interrompidas. Funcionários do Ibama e invasores de reservas, degolados. A ordem era matar os indígenas. Um pajé velho cantava a mesma canção que Benito ouvia agora da boca de Tereza. Uma indiazinha impúbere acompanhava a cantiga. Os olhos da moça estavam revirados, como se ela estivesse encantada pelo cântico. Depois, eles se fecharam e então voltaram a se abrir. Eram olhos verdes e profundos. Em frações de segundos, Benito viu um julgamento. Uma farsa. A menina impúbere era agora uma mulher madura e inconformada com tamanha injustiça. Os irmãos foram presos, culpados pela morte dos brancos, e os brancos acusados pela matança puderam ir embora. O sangue de toda a tribo da indígena não valia o sangue de poucos brancos. Os olhos verdes da moça brilharam intensos, brilharam azuis, da cor da cortina de fogo e mar.

A indígena voltou para a aldeia. Havia carros do exército vindo. A ordem era que fossem todos levados embora. Aquela terra nunca mais seria deles e todos seriam expulsos e levados para onde não queriam. Seriam enterrados vivos. Seriam humilhados e seus antepassados e seus descendentes jamais teriam descanso. Seriam um povo sem terra. Um povo sem lar. A moça chorava, enquanto desenrolava um grande couro de búfalo. Símbolos garantiam cada trecho da cerimônia. Ela percorreu o couro e foi até a vila dos homens brancos com mais dez guerreiros. Os homens brancos jamais esqueceriam aquela noite. Nenhum deles restaria para semear a terra que um dia fora só de sua gente. Nenhum homem branco levantaria o dedo para os de seu povo. A indígena invocaria um rei de sangue. O rei viria. O rei burlador.

Benito ouviu mais gritos de gente inocente e o choro de trinta bebês. O homem começou a chorar com as crianças e com seu sangue. O fogo do mal fervia a maldição, e o ódio era o regente do cântico. O cântico proibido. A canção que evocava o demônio mais antigo. O espalhador de desgraças, de trevas. Benito viu a mulher banhar as pedras negras do imenso círculo com a vida dos trinta bebês. Benito sentiu o coração ser apertado pela frieza da bruxa. Viu a imensa coluna de fogo e mar subir rajando para o céu e um crescente barulho infestar a ilha até tornar-se um estrondo portentoso que engoliu o mundo.

Viu a bruxa encolher-se de medo nessa hora, para depois levantar-se com um sorriso vitorioso, exibindo os dentes brancos, e explodir em um grito de satisfação. Ela tinha selado o futuro dos homens. Ela tinha libertado a força da Terra e apartado o mundo das coisas do Homem. E, por milhares e milhares de luas, seria assim, até que o último homem caísse por terra. Viu a mulher colocando a mão no ventre e gargalhar ao ouvir o útero secar. Viu-a rir quando os anjos do Homem foram expurgados das coisas vivas e mandados para os limites do universo. Eles ficariam lá, à mercê da magia, impedidos de se aproximar e dar guarida aos filhos do Homem. Era um cântico poderoso, sustentado e fortalecido pela magia mais antiga, inventada pela força do começo e alimentada pelas crenças da própria Terra. Era o grito de justiça do povo que era dono da Terra, o povo que fora o primeiro suspiro, o primeiro choro, o primeiro parto.

Benito não entendeu mais nada, e as imagens começaram a falhar em sua cabeça. Via agora o rosto de pessoas conhecidas. Pessoas com quem convivera trinta anos atrás. Pessoas que habitaram o seu dia a dia na vida que tivera em Curitiba. Seus amigos de boteco, seus colegas de dominó e do futebol, o padre da igreja... Viu seu rosto com vinte e oito anos em frente ao espelho; uma garota nua em sua cama, esperando-o para o sexo. Lembrava-se bem daquela transa. A última transa que tivera com a vida normal, pois naquela noite, bem naquela noite, tudo mudara no mundo inteiro. Tinha caído de moto naquela noite e ligado para a seguradora. Lembrava-se de ter ficado deitado no acostamento olhando para o céu, enquanto aguardava o guincho para levar sua moto para casa. Mas não se lembrava daquilo. Não se lembrava do azul-fogo-e-mar inundando o firmamento como água de represa estourada. *Por quê?*, perguntou-se mentalmente. *Vingança! Vingança!* Era essa a palavra que a bruxa repetia em sua língua no refrão. *Vingança*. A mais pura e humana vingança. Vingança, sobretudo, do povo.

Benito gritou o mais alto que pôde e reclamou o controle sobre os músculos. Tinha de fugir daquele transe. Sentia-se ainda encaracolado nos degraus da escada. Via agora a bruxa no meio do círculo de pedra, sendo visitada por duas entidades de cor verde-esmeralda. Eram como dois fantasmas que rodeavam a mulher.

– Alcoviteiras! Alcoviteiras! – gritava a bruxa no meio do círculo de pedras, quando ainda não existia ali aquele grandioso templo.

A bruxa gritava com energia, querendo afugentá-las. Era assim que tinha de ser feito. Era assim que estava escrito no couro do búfalo. A guerreira bruxa tinha de espantar as únicas inimigas do encantamento. As alcoviteiras. As fofoqueiras. Quando foram espantadas, elas voaram para o sul e escolheram um bom coração para descansar e contar os segredos e as tramoias possíveis contra o feitiço, contra a força grande. As alcoviteiras iriam com aquele sangue até o fim dos dias. Não existia mal para o qual não houvesse remédio.

Benito puxou ar para o peito, pois parecia que não inspirava há minutos corridos. Colocou toda a força nos braços mais uma vez, para conseguir mover-se. Conseguiu! Gritou a plenos pulmões, e finalmente abriu os olhos de novo, bem a tempo de ver seus braços descerem, com toda a gana, a uma borduna de madeira maciça, a qual ele afundou no crânio de um homem amarrado a uma pedra, que igualmente a ele gritava de desespero. Benito foi tingido pelo sangue que pulou pelos olhos e pelo nariz da vítima e, horrorizado, soltou a arma indígena e tornou a gritar, pulando de cima da pedra que formava uma mesa retangular. O tombo foi tão estúpido e inesperado que Benito arrebentou o cotovelo contra o chão. Gritou de dor, ouvindo um "crac" vindo da junta. A dor foi tamanha que ele não conseguiu conter a urina quente e molhou as calças. Abriu os olhos, tomado pelas gargalhadas da bruxa. A mulher estava ao lado da mesa de mármore, rindo-se toda da desventura do pobre coitado. Benito limpou o sangue do homem morto com o braço. Ojeriza. Tinha assassinado alguém!

– Pensou que seria gostosa a estadia cá em Ilha de Marajó, não pensou, curitibano?

Tremendo de dor e medo, Benito levantou-se. Levou a mão à cintura e não encontrou a arma. Ouviu as correntes batendo ferozes. Os quatro bichos vampiros da bruxa do norte agitavam-se e avançavam, sendo contidos pelos elos de ferro. Benito aproximou-se da mesa de pedra. Queria confirmar com os olhos o que sua mente lhe mostrara. Tinha esperanças de que aquela parte da cacetada na cabeça de um homem tivesse sido extensão das ilusões que haviam tomado sua mente com a injeção do cântico indígena.

– Vem pra perto, curitibano. Não tem medo, não. De você não quero sangue. Só desses adormecidos duma figa – bradou a bruxa, parando com o riso.

Benito olhou para a mulher. Não parecia a mesma que estivera nas costas do búfalo. Era muitos anos mais jovem e não tinha aqueles olhos brancos, cegos e assustadores. Tinha a pele lisa, o corpo muito bem-feito e os olhos verdes-esmeralda mais lindos que já tinha visto em toda a vida.

– Você! – espantou-se o homem, relembrando a menina criança da tribo indígena e depois a moça adulta que libertara o feitiço.

Benito engoliu o espanto e deu mais um passo em direção à mesa. Os olhos desviaram-se por um instante. Não acreditava que ele tinha feito aquilo com a borduna em um golpe único. A cabeça do homem estava amassada, completamente deformada, e os pés do amarrado tremelicavam, enquanto o cérebro não cessava completamente suas funções vitais.

Lúcio apareceu no campo de visão do colega de jornada, olhando também para o corpo agonizante.

– Fantástico... – murmurou o homem.

Benito viu uma faixa roxa ao redor do pescoço do amigo.

– Fantástico?! Como pode achar isso bonito, Lúcio?! Você me conhece... eu... eu não mataria esse homem!

O sangue da vítima jorrava pela boca, pelos ouvidos, pelos olhos e pelo nariz do homem, descendo pelo corpo e empapando os cabelos. Depois caiu em uma canaleta e escorreu por um orifício, ressurgindo em um cano de pedra cor-de-barro. Desse cano, o sangue escorria e pingava dentro de uma banheira de pedra, onde jazia um corpo morto. Benito arregalou os olhos. O coração disparou novamente. Era a primeira vez que via Cantarzo. Sabia que aquele corpo era o do vampiro-rei. O vampiro tinha a face bem-feita e serena, os lábios roxos cerrados, tal qual os olhos. O fio de sangue bateu na testa da criatura e encheu as pálpebras do vampiro, depois escorreu na direção de seus ouvidos. O homem não precisou olhar de novo para entender. Aquela caixa de pedra polida e vistosa era impermeável e funcionaria como um estanque para um banho de sangue. O líquido escarlate encheria suas dimensões e encobriria o vampiro. Só que o sangue de um homem só não seria o bastante.

– Pensa rápido teu amigo curitibano, Lúcio. Ele pensa muito rápido – gracejou a bruxa. – Ele já sabe o que tenho de fazer.

Benito olhou com asco para o corpo. Agora parecia morto. Nenhum músculo apresentava mais espasmos. Estava imóvel. Para sempre. O homem baixou a cabeça e passou a mão em seu cotovelo dolorido. Estendeu o braço e gemeu de dor, quando houve um novo estalo.

A bruxa disse algo no que parecia ser língua indígena e então os quatro bichos vampiros de olhos vendados foram para um canto escuro do salão, balançando as correntes. Voltaram arrastando o corpo de uma mulher que se debatia enlouquecida. A mulher, extremamente magra e de aparência maltratada, com o corpo nu e marcas roxas em todos os membros, tinha mãos e pés atados e uma mordaça na boca. Foi deposta ao lado da mesa.

A bruxa aproximou-se do corpo morto e fez um sinal para Lúcio. O lacaio de Cantarzo ergueu uma espada curva acima da cabeça e, também em um golpe só, decapitou o morto. Tereza agarrou a cabeça deformada e arremessou-a aos bichos-vampiros, que passaram a disputá-la com rosnados e urros selvagens. A bruxa saltou, então, para cima da mesa de pedra e pisou no abdome do morto, forçando a saída de mais sangue pelo pescoço aberto. Depois de repetir a pisada uma dúzia de vezes, pulou ao chão e os bichos colocaram a mulher em cima da mesa. A bruxa olhou para Benito e disse:

– Pegue a borduna, branco. Pegue a borduna e arrebenta essa aqui também.

Benito meneou a cabeça negativamente.

– Não. Não mato gente.

– Ha-ha-ha! Essa é boa! Você traz aqui pra casa de Tereza o vampiro que será o dono da Terra e diz que não mata pessoas! Que merda de homem é você? Tua alma já é dona de um Rio de Sangue que esse guerreiro-rei há de derramar. A culpa será sua.

Benito arregalou os olhos, horrorizado.

A bruxa andou até a borduna e apanhou-a. Caminhou até o visitante e estendeu a arma indígena.

– Pega e faz tua parte.

Benito andou pra trás e virou-se na direção da escada de barro. Começou a correr em fuga. Não queria tomar parte naquela matança.

A bruxa virou-se para Lúcio e ofertou-lhe a arma, que foi tomada com gana. O homem subiu, ágil, à mesa de pedra e ergueu o bastão. O golpe foi rápido e certeiro, em menos de um minuto o novo sangue juntou-se ao do outro infeliz, escorrendo pela canaleta e descendo para a banheira de pedra onde jazia Cantarzo.

A bruxa gritou com os bichos-vampiros e eles repetiram a tarefa, arrastando do canto escuro, com grande presteza, para o pé da mesa de pedra, mais uma mulher que se debatia loucamente, tentando em vão livrar-se das amarras.

CAPÍTULO 36

As semanas se passaram rapidamente depois do ataque maciço da noite de carnaval. Lucas havia retornado a São Vítor com bento Vicente e mais seis soldados. Abrira mão da companhia de outros bentos para que o Villa-Lobos ficasse reforçado em um eventual e novo ataque. A impressão de rapidez contida nos dias se devia à grande quantidade de trabalhos e tarefas distribuídos a todos nas fortificações atingidas. O estrago tinha sido grande e uma das maiores preocupações estratégicas era recompor a malha de radiocomunicação, reparando os aparelhos defeituosos e procurando, nos velhos centros, outros intactos, que pudessem ser colocados no lugar dos destruídos.

O que os líderes do Conselho mais estranhavam é que após o ataque nenhum vampiro mais foi visto. Nem pequenos bandos nem grandes unidades. Tinham desaparecido como que por encantamento.

Lucas passou cinco dias com sua companheira e, após acalmá-la, eles conseguiram curtir juntos um pouquinho a barriga que começava a surgir. O bento esforçou-se, mas não conseguiu sentir os empurrões que a mulher tanto festejava.

Num dos momentos de intimidade, quando estavam abraçados na cama, um velho assunto que rondava o casal e ficara pendente veio à baila.

– Eu encontrei meu passado – disse Lucas.

– É. Eu sei. Seus amigos andam comentando.

– Foi da forma mais dura.

– Sua história, Lucas, é toda dura. Como poderíamos abordar seu passado sem perdê-lo?

Lucas meneou a cabeça duas vezes.

– Não me teriam perdido.

Ana virou-se de frente para Lucas e encostou a cabeça no peito do marido.

– Era um risco que não podíamos correr. Não com você.

– Me esconderam o jogo...

– Você era o trigésimo guerreiro. Havia muita esperança em você. Não poderíamos chegar e revelar todo o seu passado de uma vez. Você poderia pirar. Poderia sair correndo atrás de seu irmão de novo. Algumas pessoas fazem isso. Despertam e recobram as lembranças do passado e querem porque querem viver aquela realidade que há muito já foi embora.

Lucas suspirou.

– Lucas, você era nosso herói – continuou Ana. – Nosso prometido. Ninguém teve coragem de mexer com seus pensamentos. Bulir com sua cachola, como diria o velho Bispo.

– Até hoje não sei por que fui escolhido...

– Eu tenho uma teoria.

– Convivendo com vocês, ouvindo as histórias de cada bento... vocês todos são obstinados. Cada qual tem sua origem. Uns mais humildes, outros mais abastados. Uns burros, outros inteligentíssimos. Mas todos têm uma coisa em comum. São todos obstinados. Perseguiam alguma coisa com uma tenacidade tão ímpar que acabaram separados pelas energias do universo.

– Parece que essas energias separaram alguém do lado de lá também?

– Lado de lá? Do que você está falando? Vampiros?

Lucas aquiesceu.

– Esses vampiros, eles não sumiram à toa. Eles tinham tudo orquestrado. Eles estão obedecendo a alguém também obstinado. Alguém que tem uma missão. Alguém que nos quer destruir.

– Eles sempre foram seres do mato, bichos que agiam quase de forma irracional, bestial.

– Não são mais.

– Do que você está falando, Lucas?

– Do vampiro-rei. Desde que ouvi isso na Barreira do Inferno, pressenti tempos turbulentos. Ele não deixará nossa vitória chegar com facilidade.

– Mas nossa vitória chegará, não? – perguntou a mulher, afagando a barriga.

– Chegará, meu doce. Chegará – respondeu o homem, selando a promessa com um beijo.

* * *

Dentro dos muros de São Vítor, duas gestantes riam e conversavam, enquanto tricotavam enxovais para os respectivos bebês. Graziela tinha os cabelos dourados e pele queimada de sol, enquanto a amiga Lenise, de traços orientais, tinha os cabelos morenos, grossos e lisos, chegando quase à cintura.

Lenise tivera mais sorte na ultrassonografia e já sabia que seu bebê seria um menino, ao passo que a amiga estava emburrada e tricotava um conjuntinho amarelo unissex, porque a posição do bebê não tinha ajudado na identificação do sexo. Como eram amigas de longa data, a conversa e as brincadeiras rolavam soltas e sem melindres.

– Ai, Lenise, você não devia estar tricotando tudo azul pro seu Dieguinho. Vai que nasce menina...

– Sai pra lá com essa boca, Grazi! Você tá é morrendo de inveja, porque eu já vi a cobrinha do meu neném e você ainda não sabe o que tem aí na barriga.

– Inveja. Deus me livre! Eu sou é precavida. Tanto trabalho pra chegar na hora e não ser o que o doutor Ferreira te falou?!

– Ha-ha-ha! Eu faço ele tricotar um enxoval inteirinho se ele tiver errado.

– Ha-ha-ha!

– E vira essa boca pra lá. Ele não errou coisa nenhuma – disse Lenise, passando a mão na barriga que despontava.

Um casal de crianças entrou na sala com as caras sonolentas. Eram crianças despertas, com pais de paradeiro desconhecido, que viviam sob a guarda de Lenise. A menina tinha seis anos, e o menino, cinco.

– Tia Lenise, o que tem pro café da manhã? – perguntou a menina, toda dengosa.

– Tem o de sempre, meu cajuzinho. Bolachas de maisena, maçãzinha, manga picadinha, broa de milho e leite de cabra.

– Leite de cabra, mé-mé-mé! – brincou o pequeno.

– É justamente pra você, Caio. Pra você ficar um homenzarrão bem fortão.

– Ele tem alergia a leite de vaca?

– Nada. Ninguém mais tem alergia, ô, tobola. É Pedro que insiste. Diz que é mais forte.

– E os nossos? – questionou Graziela.

– Nossos bebês? O que tem?

– Será que eles serão sadios como a gente? Serão livres das doenças?

Lenise mordiscou o lábio e arqueou as sobrancelhas. As crianças correram para a cozinha e começaram a refeição.

– Eu perguntei disso pro Ferreira. Sabe o que ele disse?

Lenise balançou a cabeça negativamente.

– Disse que até agora está indo tudo bem. Que nenhuma das gestantes teve resultado de má-formação nos exames de ultrassonografia. Falou que já examinaram pelo menos umas duzentas e cinquenta mulheres só aqui no HGSV.

– Duzentas e cinquenta?!

– É, menina. Tá vindo mulher grávida de tudo quanto é buraco pra ter neném aqui.

– Continua... Que mais ele disse?

– Ele disse que em um universo de duzentas e cinquenta mulheres geralmente pinta uma ou outra anomalia. Mas não encontraram nada: nem síndrome de Down, nem lábio leporino, nem nada de nada.

Lenise arregalou os olhos.

– Ele disse que é quase certeza de que nossos bebês nascerão saudáveis e livres de doenças, tal como nós.

– Quase certeza?

– Noventa por cento de certeza.

– Ai, Grazi. Esses dez por cento é que me assustam.

As mulheres continuaram tricotando com o papo animado, até que as crianças terminaram o café da manhã e foram para a sala. A menina apanhou um punhado de cartas em um dos compartimentos da estante e sentou-se sobre o tapete, sendo logo copiada pelo irmão de criação.

A garota embaralhou rapidamente as cartas, e eles começaram a brincar enquanto as mulheres continuavam tricotando.

Graziela só parou com o trabalho para olhar as crianças quando elas começaram um novo jogo. As cartas tinham desenhos infantis estilizados, bem coloridos e vívidos. Formavam um tipo de jogo da memória. Graziela viu a menina embaralhar, tomar uma postura mais séria diante do irmão e começar a brincadeira.

– Agora... vamos testar nossos poderes paranormais, pequeno Caio?!

– Vamos, Aninha! Vamos!

A menina embaralhou as cartas de modo que ninguém pudesse ver qual seria erguida. Pegou a primeira, que só ela viu. Um pinguim sorridente. E perguntou para o irmão:

– Que carta eu tenho aqui, mestre Caio?

– Um... deixa eu me concentrar... um caranguejo vermelho?

– Não!

Aninha revelou o pinguim ao irmão, que fechou a cara. Emborcou ao lado da pilha e puxou outra. Um regador derramando água.

– Que carta eu tenho aqui?

– Um... concentra, Caio. Concentra – o guri ordenou para si próprio. – Um tamanduá!

– Nada disso! Um regador derramando água!

– Ah, Aninha! Você só pega as difíceis!

Graziela e Lenise caíram na risada. O jogo era divertido.

Lenise puxou a cadeira, ficando mais perto do pequeno Caio, enquanto a amiga pendeu a cabeça para trás de Aninha, para ver qual carta a guria puxaria dessa vez.

Aninha puxou a próxima carta. Um rinoceronte com gravata-borboleta. Graziela viu.

Lenise sentiu um cutucão na barriga. Seu bebê mexia.

– Calma, menino. Tá parecendo um rinocerontinho! – disse Lenise, olhando para a barriga.

– Um balde – tentou o garoto.

– Passou longe! Passou longe!

Graziela riu.

Aninha puxou a próxima carta. Uma chuteira de futebol.

– Que carta tenho aqui? – perguntou a menina.

Lenise sentiu nova pontada.

– Um macaco carvoeiro! – respondeu o menino.

– Nada disso!

– Meu centroavante está com a corda toda hoje! – brincou Lenise com os chutinhos do bebê.

Graziela olhou para a amiga e perdeu o sorriso. Ana mostrava a carta.

– É uma chuteira! Eu adoro essa carta, Aninha! Deixa eu guardar ela comigo até o fim do jogo? – pediu o menino.

Aninha deixou e puxou outra carta do monte. Agora tinha um calhambeque na mão direita.

– O que eu tenho aqui?

– Um calhambeque! – berrou Lenise.

– Ah, tia, você não pode ajudar o Caio! – reclamou.

Lenise riu.

A menina puxou outra carta, enquanto o irmão festejava. Um par de patins.

– Par de patins! – respondeu Lenise.

Graziela e Aninha ficaram quietas, olhando, espantadas, para Lenise.

– O quê? Acertei de novo? Não acredito!

– Você acertou todas que eu vi até agora, Lenise! – exclamou Graziela.

– Todas? Eu só falei duas.

– Não. Não, senhora.

As crianças ficaram olhando para as adultas e Graziela explicou:

– A primeira carta que eu vi Ana pegar foi um rinoceronte, e você falou com seu bebê, disse alguma coisa de rinocerontinho.

Lenise arrepiou-se. Era verdade.

– Daí – continuou a amiga – a Aninha puxou uma chuteira, e você falou de centroavante. Não foi coincidência.

– Uau! A tia Lenise é paranormal! – explodiu Aninha.

– Depois você acertou o calhambeque e o par de patins – concluiu Graziela, levando a mão à cabeça. – Nossa, essa me deu até tontura.

– Tira outra pra gente ver – pediu Lenise.

– É mesmo, né, tia? É melhor comprovar – emendou Caio.

Aninha puxou uma carta e olhou sozinha, com todo cuidado, para que Lenise nem tivesse pista do que tinha em mãos. Uma joaninha.

– Que carta eu tenho aqui? – perguntou a garota.

Lenise fechou os olhos, como que buscando inspiração.

Caio prendeu a respiração.

– Não sei... não sei...

Graziela espichou a cabeça para o lado e Aninha a deixou ver a carta.

– Uma joaninha! – disparou Lenise.

– Putz! – explodiu Aninha.

– Caraca! – gritou Graziela. – Como é que você fez isso?

– Eu sei lá! É como se alguém colocasse essa cartinha na minha cabeça.

– A última! A última! – gritou Aninha, puxando outra carta.

Graziela viu junto com a menina. Um dragão verde, de pescoço comprido, cuspindo fogo no bumbum de um cavaleiro fujão.

Desta vez, todos ficaram mudos, olhando para Lenise.

A gestante apertou os olhos e balançou a cabeça negativamente.

– O que você está vendo, tia? – perguntou a menina, empolgada.

Lágrimas brotaram nos olhos de Lenise.

– O que foi, amiga? – perguntou Graziela preocupada.

– Não! – gritou alto a mulher, fazendo as crianças estremecerem e assustando a amiga.

Lenise levou a mão à barriga e desmaiou, enquanto Caio e Aninha começavam a chorar de desespero. Graziela levantou-se e saiu correndo pela porta. Precisava pedir socorro.

CAPÍTULO 37

A banheira de pedra transbordava de sangue. Em sua superfície, uma crosta, feito nata de leite, muito espessa, havia se formado. Ao lado da mesa de sacrifícios, duas dúzias de corpos jaziam mortos, inchados e escurecidos, abandonados pelos dias. Junto aos bichos-vampiros, que estavam quietos e saciados de sua fome, uma pilha de crânios quebrados e carcomidos. Lúcio encontrava-se sentado numa cadeira de madeira e palhas e sua cabeça caía para a frente de tempos em tempos, revelando o cansaço e alguns cochilos. Em um desses vacilos, foi privado de um momento mágico. De olhos fechados, o lacaio não viu o par de mãos emergir do sangue coagulado e romper a crosta, fazendo-a cair pelas bordas da banheira. Restou um espelho vermelho que, em um segundo movimento, tingiu de sangue as bordas da banheira.

Lúcio baixou a cabeça novamente e, quando o corpo pendeu para frente, desequilibrado, voltou a cabeça para trás com rapidez, despertando do nono cochilo. Abriu os olhos e pulou da cadeira, fazendo o móvel cair para trás. Ele, tonto de sono e susto, deu passadas perdidas para o fundo do salão e depois endireitou-se, com o olhar fixo naquilo que estava parado à sua frente. Um homem, estático, coberto de sangue e com os olhos abertos. Um trilho escarlate ligava aquele fantasma vermelho-vivo à banheira sanguínea.

– Cantarzo... – balbuciou o lacaio, incrédulo.

O vampiro ergueu as mãos e passou-as pelo cabelo, fazendo o excesso do líquido escorrer para os ombros e misturar-se ao outro tanto de sangue que cobria o peito e as costas. Abriu a boca em um sorriso, que revelou seus dentes pontiagudos.

Lúcio olhou para trás e também sobre os ombros do vampiro. Tereza não estava ali. Só os quatro bichos-vampiros, enrodilhados naqueles restos de crânios fedorentos.

– É aqui a casa de Tereza?

– Sim, meu mestre. É aqui o templo da bruxa.

– Templo? Nada disso eu vi.

– É verdade. Mandou-me atrás da serpente que comia a tartaruga. Ao norte... e nada mais me disse.

Cantarzo aproximou-se de Lúcio, dando dois passos à frente. Meneou a cabeça positivamente e olhou mais uma vez para o próprio corpo.

Lúcio sentiu medo da proximidade com a criatura. Sentia um torpor ao sentir o vampiro-rei tão próximo.

Cantarzo passou as mãos pelos braços, livrando-se dos excessos de sangue grudados à pele. Gotas grossas e pedaços gelatinosos foram ao chão, fazendo barulho.

– Pelo visto, cumpriu bem teu papel, lacaio. Trouxe-me pra cá, lento, mas constante. Um pouco a cada dia. Nem mais nem menos do que se poderia esperar de um homem limitado como você. Respirei suas agonias algumas vezes, meu bom Lúcio – revelou o vampiro-rei, aproximando-se mais ainda de seu escravo e fazendo uma pausa na fala.

Lúcio contraiu os músculos, tenso, ao ver que o vampiro fizera os olhos brilharem vermelhos como fogo. As criaturas faziam aquilo quando queriam atacar.

– Eu... tive fome e frio muitas vezes, mestre Cantarzo. Eu tive medo e quase morri. Tentaram me assaltar, mas eu revidei. Nunca abandonei o senhor no caminho. Nunca lhe deixei sozinho na estrada.

– Eu bem sei, Lúcio. Nada disso precisa repetir. Estou aqui, no casco da tartaruga, graças à sua persistência. Devia ter nascido um bento. Tu. Um bento.

– Deixa disso, Cantarzo. Que bento que nada. Eu quero é minha paga. Quero ser vampiro.

Cantarzo apanhou as mãos do lacaio e olhou suas palmas. Estavam feridas e marcadas. Apertou-as com as unhas afiadas, fazendo com que sangrassem e o homem sentisse dor.

– Pobre Lúcio. Tanto esforço por uma obsessão tão medonha...

Lúcio apertou os lábios, enquanto sentia as unhas do vampiro afundando em suas mãos. Não iria gritar nem implorar. Tinha feito um trabalho valioso e sabia que o vampiro-rei não lhe faltaria com a paga.

Cantarzo puxou a mão direita de Lúcio e sugou o sangue que vertia da ferida. Engoliu o sangue, olhando nos olhos do homem.

– Recebe tua vida eterna e maldita, lacaio. Sê bem-vindo ao mundo do vampiro-rei.

Cantarzo apertou a nuca de Lúcio, fazendo o homem gemer e abrir a boca, e então regurgitou o sangue ingerido goela abaixo do mulo, largando-o de supetão.

Lúcio levou a mão à garganta e pendeu para trás, caminhando até o meio dos bichos-vampiros. As criaturas despertaram do sono e começaram a rugir, enfurecidas, indo para cima do homem, mas, antes de alcançá-lo, pararam com a corrida e ergueram as fuças. Inspirando o ar e mudando de ideia, seguiram na direção de Cantarzo. Dois deles deram dois passos para a frente. Os rugidos viraram grunhidos mais baixos e, em poucos segundos, os quatro prostraram-se no chão, imóveis, quietos e receosos da nova presença.

Lúcio caiu de joelhos e arfava ruidosamente, tentando pôr ar para dentro do peito. O sangue que engolira tinha de algum modo obstruído sua traqueia, causando-lhe uma falta de ar indescritível e uma sensação ruim. O sangue do vampiro agia como veneno correndo por dentro de seu corpo. Era como se os tecidos que entravam em contato com a porção líquida rejeitassem ou reagissem instantaneamente à intrusão. Cantarzo tirou o lacaio do chão e tomou-o nos braços, carregando-o no colo até a beira da banheira de sangue.

– Os portões das trevas não são belos, novo vampiro, nem amenos. Os ares de meu reino trazem areia e esporos, e a paisagem é de árvores secas e neblina serrada. Não há sabor na comida nem delícia nas bebidas, novo vampiro. Os portões das trevas são tão largos quanto os do paraíso, mas são altos e traiçoeiros. Seja bem-vindo, Lúcio, seja bem-vindo! – disse, mergulhando o homem agonizante na banheira.

Lúcio afundou no sangue e agitou todo o líquido escarlate. Cantarzo afastou-se um passo, passando a observar o sangue agitado pelo corpo ainda vivo. A cena durou cerca de três minutos. Depois disso, o espelho de sangue voltou a ficar sereno e praticamente imóvel. Algumas bolhas de ar tardias deram as caras na superfície e explodiram, quando a capa de sangue ficou fina demais. Nenhum ar restara nos pulmões de Lúcio e o corpo mortal libertou-se da vida. O que aos olhos de muitos era o fim, para o obstinado lacaio era o princípio.

Cantarzo desviou o olhar da banheira sanguínea e encontrou os olhos verdes-esmeralda da bruxa. O vampiro olhou-a de cima a baixo. Nunca tinha estado na frente de uma bruxa antes, mas, de tudo que ouvira sua vida toda, ela não combinava nem um pouco. Não era velha nem cheia de peles enrugadas. Atraente, era cheia de curvas sensuais. Tinha os cabelos morenos e a pele negra. Era uma indígena!

Tereza olhava Cantarzo com toda atenção. Ao contrário do que fizera com Benito, não conseguiu penetrar os pensamentos daquela formidável criatura. Algo de estranho e mágico havia naquele vampiro. Vendo-o desperto, achou-o demasiado atraente. Tereza não gostou daquela simpatia. Beleza era o que não via em homem nenhum, em vampiro nenhum desde que libertara o feitiço da Terra. Mas aquele, diante de seus olhos esmeraldas, tinha uma aparência jovial e músculos bem desenhados. Um excelente espécime.

O olhar da bruxa deteve-se nos olhos do vampiro. Eram olhos encantados, os daquele bicho. Só de olhá-los uma única vez, sabia que jamais iria conseguir dobrá-lo e fazer dele um servo vampiro, um bicho-vampiro, como Lúcio definira os seus escravos, enquanto estava vivo.

A bruxa aproximou-se do vampiro e ambos mantiveram o silêncio por mais um minuto. Finalmente, olhando para a banheira de sangue, a mulher iniciou a conversa:

– Matou seu escravo?

Cantarzo só meneou a cabeça negativamente.

– Bom. Bom. É um bom homem, teu escravo. Você confiou a tarefa para a pessoa certa.

– Foi pura sorte, mulher bruxa. Das maiores. Depois que engoli o sangue do velho Bispo, nada pude fazer por mim. Só sua cara apareceu no meu pensamento... e seu rosto não era assim...

– Assim?!

– Tão formoso.

Tereza sentiu uma quentura no peito antes de responder.

– Não foi sorte, vampiro. Foi destino. Lúcio tinha de chegar aqui para que você despejasse morte aos humanos.

Cantarzo arqueou a sobrancelha.

– Eu vi muitas vezes e sabia que teria de esperar muitas luas até sua chegada, mas sabia que um dia chegaria – continuou a bruxa. – E sabia que eu teria de fazer a cerimônia do vampiro-rei para o vampiro certo. O vampiro certo era você, o que tinha no bojo o sangue do escolhido pelas alcoviteiras. O vampiro que tem o poder de ver e ouvir os fatos da vitória.

A bruxa tocou o peito do vampiro com o dedo e depois colocou-o na boca, estalando a língua. Cantarzo andou, afastando-se da mulher. Aproximou-se dos bichos-vampiros e observou-os por um instante.

– Que fez a eles?

– É complicado explicar, Cantarzo. É complicado.

– Terá de me explicar coisas mais complicadas que essa...

A bruxa andou até a banheira e fitou-a longamente, enquanto Cantarzo voltava até ela.

– Você os transformou?

– Eu os dobrei e ensinei.

– Ensinou?

– É. É isso que faço com os vampiros que surgem aqui na Ilha de Marajó.

– Marajó? Tão longe?

A bruxa sorriu.

– Longe do quê? Qual é seu referencial?

– O trigésimo guerreiro.

– Bento Lucas – disse a voz doce da bruxa.

– Bento Lucas – repetiu Cantarzo, com a voz fraca, desta vez.

Cantarzo baixou a cabeça.

– Ele é quem rege a resistência humana. Ele é quem deve ser derrubado. Estou cansada dessa gente, vampiro-rei.

– Tudo a seu tempo, bruxa! Lucas não é parte de seu plano. É parte do meu plano! Sei que ele é o comandante regente dos homens. Sei que ele criou um acampamento na Velha São Paulo. E também sei que eles sofreram o açoite que planejei. Eu guardo o futuro do trigésimo guerreiro e ele morrerá na ponta da minha espada, na de mais ninguém!

Tereza estranhou a rispidez do vampiro.

– Como pode saber tanto se estava adormecido?

Cantarzo riu.

– Tu que és a bruxa! Diga tu!

– Seu pensamento voa?

Cantarzo riu da pergunta da bruxa. Logo na primeira conversa, percebia que a mulher, apesar de poderosa, tinha inseguranças.

– Seu pensamento voava – afirmava a mulher agora, meneando positivamente a cabeça. – E agora que está desperto? Ele ainda voa?

Cantarzo perdeu o sorriso no rosto. Ficou quieto um instante, talvez tentasse alcançar alguma visão, algum contato com seu general Anaquias, o único que podia vê-lo e ouvi-lo com clareza.

– Não posso responder agora, bruxa. Não estou certo de que meu pensamento ainda voe... mas este não será nenhum obstáculo entre o agora e a minha meta.

A bruxa sorriu e aproximou-se de novo do vampiro, quase abraçando-o.

– Então vai começar agora! Vai começar a destruição! A aniquilação total dos de fora! A matança!

Cantarzo olhou nos olhos verdes profundos da bruxa. Ela tinha muita sanha por morte. Ansiedade.

– Tudo tem um tempo, bruxa. E a hora da matança quem determinará serei eu e mais ninguém. Se sou rei, reino, não sou reinado.

A bruxa olhou Cantarzo como se quisesse atravessá-lo com uma espada de prata. A simpatia inicial dissolvia-se.

– Desde o começo dos tempos foi assim. Os filhos renegam as mães e, quando brota nos braços da cria a liberdade do poder, negam suas criadoras, afastam suas velhas imprestáveis e seus desejos.

– Mãe?! Ha! Essa é boa! Minha mãe foi cedo deste mundo, bruxa. Não sou teu sangue nem te devo obediência. Farei mortos ao meu gosto. Farei coisas ao meu tempo. Nem favores te devo. Foi você quem entrou na minha cabeça e, na minha hora derradeira, me mostrou coisas.

– Eu não mostrei nada, vampiro. Quem mostra ao teu sangue o que é do amanhã são as alcoviteiras. Aquelas putas que querem acabar com um ou com o outro. Que embaralham meu encanto e empatam meu feitiço. Elas não te escolheram vampiro. Você é que demorou demais para enxergar o que seu poder das trevas poderia fazer por ti mesmo. Você demorou a enxergar que bastava roubar do velho Bispo o sangue e a vida que teria correndo dentro de ti os sussurros das alcoviteiras. Você roubou a liderança do combate e agora a desvantagem voltará aos humanos.

– Então não faça beiço nem me olhe com olhos de fogo quando digo que farei as coisas ao meu tempo, Tereza. Estou aqui pelo acaso, nem essa acolhida devo a você.

A bruxa começou a rir.

– Chegará a hora em que seus olhos se abrirão plenamente, vampiro-rei. Oxalá que minha língua ainda esteja aqui para te dar explicações.

– Um bom rei não precisa de explicações para reinar. Um rei notável mantém o conhecimento perto de seus olhos. Certamente sua língua estará por perto por muito e muito tempo, Tereza, isso eu garanto. Só não a ponha para trabalhar quando não for convidada.

– Fala com muita pompa, vampiro-rei. Fala como se fosse dono do fim.

Cantarzo encarou Tereza novamente.

– Não sou rei por acaso, senhora. Fui escolhido, pelo céu ou pelo inferno. Não me interessa quem me deu esse poder. Mas o poder foi dado e eu sei que tenho uma missão. A missão de defender o povo das trevas. A missão de varrer para os currais o gado dos vampiros. Os humanos perderam o topo na cadeia alimentar no dia em que surgimos. – O vampiro fez uma pausa, e então continuou: – Ordenei o êxodo do meu povo para juntos descermos como martelo sobre a cabeça da Humanidade. Extrapolarei fronteiras. Primeiro, colocarei os brasileiros sob meu jugo e em nossas celas. Nossa comida. Depois, meu exército eterno marchará para os outros países e em pouco tempo o mundo todo estará sob meu domínio e meu comando.

Tereza abriu um largo sorriso. Palavras não mais saíram de sua boca. O vampiro-rei notou que a mulher parecia rir-se por dentro. Era uma zombeteira! Cedo ou tarde leria entre as linhas e descobriria quais eram os mistérios que a bruxa ainda guardava.

Cantarzo virou-se para os bichos-vampiros, que continuavam prostrados no chão, em silêncio e imóveis, como que adorando a um deus. O sorriso voltou ao rosto do vampiro. Ele farejava no ar. Aquilo tinha o agradável cheiro do medo.

Voltou a olhar para a bruxa, mas Tereza não estava mais lá. Era sorrateira, aquela mulher. Deixou os olhos passearem pelo salão. O teto era alto. Cheirava familiar. Tinha cheiro de caverna. O ambiente era gelado e, dando uma volta ao redor da banheira e da mesa de pedra, não viu sinal de Tereza.

CAPÍTULO 38

Cantarzo despertou de seu primeiro sono. Tereza oferecera um cômodo amplo e uma cama larga. Oportunamente, o grande quarto era desprovido de janelas, para o hóspede não ser pego de surpresa pelo sol maldito. Olhou para o cômodo com seus olhos de vampiro. Viu com clareza cada canto. Não havia detalhes, e as paredes ali também pareciam feitas de barro, como se todo o templo tivesse sido feito por um artesão que esculpira com água um imenso bloco de terra. Ao pé da cama, havia o único móvel do cômodo. Uma arca de madeira. Sem abri-la, por alguma razão alheia ao seu entender, sabia o que tinha dentro. Roupas. Roupas negras e simples.

Nem as roupas nem o quarto pareciam-se com os de um rei. Sorriu levemente. Nunca dera a mínima para a aparência, como fazia aquela estúpida da Raquel e seu bando de vampiros. Até que o palhaço Anaquias havia crescido bastante, depois de dar uma lambidinha no sangue do velho. Cantarzo era afeito a atitudes, não ao jogo de vaidades. Se aquele era o quarto que o destino havia colocado em seu caminho, aquele era o quarto perfeito. Também não planejava uma estadia longa na Ilha de Marajó. Só queria um ferreiro para fazer sua espada. Não lutaria com armas de fogo nem com bando numeroso.

Havia tido uma visão durante o sono. As alcoviteiras não perdiam tempo. Tinham soprado tudo o que ele precisava para começar o reinado. Onde achar o ferreiro e o que pedir a ele. Tinham soprado também um segredo bem guardado pela bruxa. Queria ver com os próprios olhos.

Cantarzo andou até a arca e abriu-a sem dificuldade. Apanhou as roupas e o par de botas negras e vestiu-se. Deixou o quarto movendo-se com o garbo de vampiro. Aos olhos de uma mulher, o vampiro sempre fora atraente. Mesmo como fera da noite, muitas tomaram seu rosto como o de um herói, e não como o de um vilão, momentos antes de perecerem exangues. Estava em um corredor estreito em que a cada dez metros uma tocha flamejante ajudava os olhos humanos a ver o caminho. Cantarzo viu a porta clara como se ainda estivesse no sonho. Abriu-a.

Um corredor ainda mais estreito, desta vez sem tochas, ligou o caminho a uma escadaria. Cantarzo desceu os degraus por cerca de dez minutos, sem que houvesse uma curva ou mudança na inclinação. Quando chegou ao fim, o caminho o levou a uma galeria fria de pedras e estalactites.

O templo da bruxa ligava-se ao fundo de uma caverna. O vampiro-rei sorriu. Uma caverna. Um esconderijo perfeito. Talvez reconsiderasse sua vontade de partir dali. Talvez tornasse aquele templo seu castelo, sua morada. Talvez. Mas isso seria depois dos acontecimentos. Depois que confrontasse os bentos e varresse aquela raça da face do mundo. Teria muito trabalho pela frente.

Caminhou pelas galerias com seus olhos brilhantes. Para ele não havia escuridão. Os ouvidos sensíveis captaram a voz de Tereza. Ela estava ali, na caverna, em algum de seus inúmeros salões. Cantarzo sentiu que poderia descer mais. Precisou cravar suas garras numa parede escarpada, por onde desceu mais seis metros. À esquerda, começava um córrego, que rapidamente se alargou e virou um riacho. Andou mais cem metros. Os olhos arregalaram-se. Até mesmo um vampiro podia ser tocado pela beleza. A água juntava-se em um lago maravilhoso, que refletia um verde-esmeralda, lembrando os olhos de Tereza.

A voz da bruxa ficou mais forte. Cantarzo passou por um largo corredor, que parecia ter sido escavado por mãos humanas. Um cheiro acre, bem característico, inundou as narinas do vampiro. Rios de Sangue. Estava aproximando-se de um depósito de adormecidos.

Entrou numa nova galeria. Este cômodo também pareceu talhado, melhorado por obra de gente. Tereza estava lá.

Cantarzo aproximou-se, em silêncio. A bruxa acariciava os cabelos da mulher que, muito bem acorrentada, nada conseguia fazer a não ser espernear e chorar. O vampiro abriu a boca, tomado por surpresa, exibindo os dentes pontiagudos involuntariamente. De repente, os seis acorrentados olharam ao mesmo tempo para ele. Começaram a se debater ao mesmo tempo que Tereza levantou-se e olhou para trás, fitando Cantarzo nos olhos e sorrindo ao perceber a reação em seus animaizinhos.

O vampiro olhou um a um. Abriu a boca e sorriu ainda mais, quando viu os olhos dos seis brilharem amarelo-vivos, cheios de luz.

– Os novos bentos! – exclamou o vampiro, em um misto de surpresa e contemplação.

A bruxa afastou-se dos humanos, ficando preocupada com a convulsão desperta por culpa da aproximação do vampiro.

Cantarzo olhou para um canto da sala. Existia lá um novo corredor. Era dele que vinha o cheiro do Rio de Sangue. Os adormecidos estavam separados em outra galeria. Pelo cheiro concentrado, não deveriam ser poucos.

– Eles ficam loucos quando vocês estão por perto.

– Eu sei o que os bentos fazem, Tereza. Nisso, sua língua nada há de me ensinar.

– Eles mudaram desde que você dormiu.

– Olhos amarelos feito o sol... isso eu vi através de meu general. Vi também o fogo repentino e os olhos do trigésimo guerreiro – Cantarzo aproximou-se ainda mais dos bentos ensandecidos. – Por que os prende aqui? Por que não os matou duma vez?

Tereza andou para longe de Cantarzo, aproximando-se de uma das tochas que estavam na parede. Olhou dissimuladamente para o vampiro e disse:

– O que pergunta, Cantarzo, vampiro-rei? Disse ainda agora que minha língua seria imprestável para essa questão.

– Ah, bruxa! Deixa de ser turrona! Para de troça! – reclamou o vampiro, acocorando-se perto de um dos homens acorrentados. – Estou curioso com isso aqui. Por que uma mulher feito você haveria de ter trabalho, vir visitar e alimentar esses bichos, se poderia tê-los matado? – indagou, olhando para cumbucas sujas no chão com restos fétidos de comida azeda.

– Ora, quem disse que eles comem? Tenho de enfiar goela abaixo.

– Vê! Pior que cuidar de fedelhos... O que está tramando para essas pobres almas, Tereza?

– Não creio que ainda não saiba o que se passa, vampiro-rei! Você, que parece tão privilegiado, tão ciente do que te rodeia...

– Deixa de troça, bruxa! Vai logo ao ponto!

– Quando as alcoviteiras jogavam ao lado dos humanos, elas narraram aos ouvidos do velho Bispo a profecia que daria à humanidade os quatro milagres da vitória. Pois quis o destino que, assim que os humanos botassem as mãos nesse cálice, você surgisse para embaralhar e estragar todo o jogo.

Cantarzo levantou-se e encarou os olhos verdes da bruxa.

– Embaralhar?

A bruxa esquivou-se do olhar do vampiro e andou para perto dos acorrentados.

– De qual lado você joga, bruxa? – perguntou o vampiro.

Tereza voltou a acariciar a cabeça da benta. A mulher ainda se debatia e os olhos continuavam emanando uma fraca luminosidade amarela. Ela parou e voltou a encarar o vampiro, que mantinha a boca suavemente aberta, com os caninos extravasando os lábios inferiores.

– Estou do lado da morte, Cantarzo. Do lado da morte. E é por isso que vou revelar a você o que as alcoviteiras ainda não te mostraram, pois o resultado dessa atitude trará matança.

– Diz.

– Agora é a vez dos vampiros juntarem trinta bentos.

Os olhos do vampiro abriram-se mais. Cantarzo sentiu o sangue fresco em seu corpo esquentar.

– Não creio... você...

– Já temos seis, Cantarzo. Comece a trazer o resto.

– Juntar trinta bentos?

A bruxa balançou a cabeça positivamente.

– Não pode ser... não pode ser... – repetiu o vampiro-rei, tomado de emoção e dando três passos para trás.

Em resposta, a bruxa apenas meneou a cabeça positivamente, mais uma vez.

– E esses seis? De onde vieram?

– Dessa caverna. A boca dela dá numa fortificação onde os humanos guardaram os adormecidos da ilha toda. Eles ainda trouxeram adormecidos de Belém e de muitos outros lugares, achando que em Marajó estariam em segurança. Quando toquei todos eles da fortificação, herdei essa caverna e o Rio de Sangue. Esses bentos acordaram nos últimos meses, depois da vitoriosa campanha do bento Lucas. Ele é obstinado. Guerreiro cabra da moléstia. Não descansou até o último instante, até a obtenção dos milagres. É um incansável.

Cantarzo calou-se, lembrando-se de Lucas. O que a bruxa dizia era verdade e não tinha palavras para contestar.

– E se eu juntar trinta bentos, bruxa, que haverá de suceder?

– Ha-ha-ha-ha-ha! – riu a bruxa escandalosamente, andando para longe de Cantarzo.

O vampiro alcançou-a mais rápido do que os olhos de Tereza puderam ver.

– Não me diga, bruxa... não me diga que se juntar trinta bentos...

– Juntar trinta bentos e, principalmente, seguir o ritual correto, daí, sim, vampiro...

– Vamos, bruxa! Diz logo!

– O sol brilha para todos, Cantarzo! O sol brilha para todos!

– É por isso que no meu sono vi o ferreiro e devo ordenar que construa coisas estranhas aos meus olhos!

– Sim, vampiro-rei. Elas dão peças de um quebra-cabeça, não é mesmo? Te mostraram um ferreiro... impressionante.

– Peças que agora se encaixam.

Cantarzo estava extasiado. Não podia acreditar naquela boa notícia. Continuou falando:

– É por isso que as energias cósmicas me mostraram as fortificações próximas a Macapá, Belém e São Luís.

– Trabalham rápidas, essas ordinárias. Trabalham muito rápidas. Já querem ver o sangue derramado.

– Elas só me mostraram as fortificações...

– Sim, vampiro-rei. Mostraram as fortificações para que você arraste os bentos faltantes de lá e junte-os aqui no templo da Ilha de Marajó. E para que eu desencadeie os milagres.

– Não... não vi milagres, bruxa.

– Não viu, mas eles hão de se desencadear. Acha que eu não tenho esse poder? Acha que eu não posso? Garanto ao menos dois.

Cantarzo mediu a bruxa dos pés à cabeça. Duvidava. Duvidava, sim. Olhou fundo nos olhos verdes-esmeralda daquela indígena singular e disse:

– O que me incomoda, mulher, é essa sua sanha de sangue.

– Não se incomode com o que você não entende, vampiro. O tempo escorre pela ampulheta. O tal bento Lucas não é homem de ficar parado, aparvalhado. Ele é um homem de atitude, e estou certa de que ele está se mexendo agora mesmo para retomar o controle de sua vantagem. Eles têm sementes estranhas crescendo nas entranhas das mulheres. Isso não era para acontecer. Não era! – gritou a bruxa, dando um bofetão na cara de um dos bentos.

Cantarzo manteve os olhos sobre a bruxa. *Do que ela falava? Das mulheres grávidas?*

– Com essas crianças, haverá sangue novo pela terra – continuou a bruxa, que passara a andar de lá para cá, descontrolada. – Sangue de gente. Não era para nascer mais ninguém! Esse Lucas é um espeto, vampiro-rei, uma cobra venenosa... Esse homem inflama os outros e tira dos humanos coisas que eles nunca sonharam poder fazer. Eles voltarão com o sol repentino. Eles encontrarão seu exército. É questão de tempo.

– Mesmo que encontrem, o sol repentino já foi levado em consideração. Eles precisarão estar presentes em corpo para combater meu exército.

– Se depender de Lucas, eles estarão lá antes do que você imagina.

– Não terão tempo. Nem sabem onde procurar. Eu irei para cima dos bentos e desmontarei todas as chances de retomada que eles possam ter! Os vampiros reinarão sobre a Terra. Seja noite, seja dia.

– Mate-os, Cantarzo! Mate-os!

– Juntarei trinta bentos e os arrastarei para seu templo, bruxa. Faço o feitiço que quiser, mas me traga os milagres!

– O sol nasce para todos, Cantarzo! O sol nasce para todos!

* * *

Cantarzo deixou Tereza com os bentos. Subiu vagarosamente a escadaria gigante, voltando para o corredor estreito. Dirigiu-se ao salão dos sacrifícios. Quando terminou de descer a escada curva, olhou para a banheira de sangue. O chão estava sujo e pegadas escuras de sangue estagnado espalhavam-se pelo piso. O desperto estivera confuso por um tempo, observou Cantarzo. O vampiro reparou que as pegadas indicavam que o desperto tinha andado para lá e para cá feito barata tonta. O instinto de caçador do vampiro falou alto, fazendo seus olhos acompanharem a trilha borrada e fácil de sangue.

Foi então que viu, no canto mais escuro do salão, o par de olhos vermelhos acesos. Não conteve o sorriso leve e característico de quando observava as coisas que lhe compraziam. Era Lúcio que estava naquele canto escuro. E já sabia usar os olhos de vampiro! O lacaio dera em uma cria boa.

Cantarzo andou na direção do novo vampiro. Parou quando farejou um sangue diferente. Olhou para os lados de Lúcio. Dois dos quatro bichos-vampiros da bruxa estavam mortos. Tinham rasgos extensos nos pescoços e a barriga aberta. Lúcio estava acuado na parede e tentava afastar-se conforme Cantarzo se aproximava com os olhos arregalados e tomados de surpresa.

– Por que fez isso a eles? – perguntou o vampiro-rei.

Lúcio colocou-se de pé, tremendo.

– Não se mata vampiros, Lúcio. Nem mesmo esses deformados – completou Cantarzo.

– Eu tinha fome, vampiro-rei. Eles me atacaram primeiro. Eu só me defendi.

– Matando-os?

– Muita fome, vampiro-rei.

Cantarzo meneou negativamente a cabeça.

– Senhor?

Cantarzo olhou para o servo.

– Obrigado, senhor!

Lúcio arrastou-se, ouvindo o ganido assustado dos dois vampiros-bichos que sobraram vivos. Parou aos pés de Cantarzo e beijou suas botas.

– Levanta-te, Lúcio. Deixa disso.

– Obrigado, senhor.

– Cuida do templo, fica de olho grudado na bruxa.

– O que há, meu rei?

– Sairei em caçada e não tardo a voltar. Preciso juntar os trinta bentos.

Lúcio arqueou as sobrancelhas, tentando entender.

– As alcoviteiras me contaram que preciso visitar um ferreiro e construir armas para a vitória – explicou o vampiro-rei. – E a bruxa me disse que precisamos de trinta bentos.

– Trinta bentos, senhor? Igual à profecia do velho Bispo?

– Exatamente.

– A profecia dos milagres.

– Isso. Mas dessa vez, lacaio, os milagres servirão ao nosso povo. Os milagres livrarão os vampiros da ameaça dos humanos.

– Quando partirá senhor?

– Agora.

Livros para mudar o mundo. O seu mundo.

Para conhecer os nossos próximos lançamentos
e títulos disponíveis, acesse:

www.**citadel**.com.br

/citadeleditora

@citadeleditora

@citadeleditora

Citadel – Grupo Editorial

Para mais informações ou dúvidas sobre a obra,
entre em contato conosco por e-mail: